U0100156

葉靈鳳 著　●

讀書——隨筆（一）

責任編輯	劉汝沁　許正旺
封面設計	陳德峰
版式設計	吳冠曼

●

書　　名	讀書隨筆（一集）
著　　者	葉靈鳳
出　　版	三聯書店（香港）有限公司
	香港北角英皇道 499 號北角工業大廈 20 樓
	Joint Publishing (H.K.) Co., Ltd.
	20/F., North Point Industrial Building,
	499 King's Road, North Point, Hong Kong
香港發行	香港聯合書刊物流有限公司
	香港新界荃灣德士古道 220-248 號 16 樓
印　　刷	美雅印刷製本有限公司
	香港九龍觀塘榮業街 6 號 4 樓 A 室
版　　次	2019 年 5 月香港第一版第一次印刷
	2021 年 8 月香港第一版第二次印刷
規　　格	大 32 開 (140mm × 200mm) 384 面
國際書號	ISBN 978-962-04-4234-6

© 2019 Joint Publishing (H.K.) Co., Ltd.

Published & Printed in Hong Kong

三聯書店網址：
www.jointpublishing.com

Facebook 搜尋：
三聯書店 Joint Publishing

WeChat 帳號：
jointpublishinghk

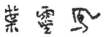

(1905-1975)

葉靈鳳自製藏書票

《讀書隨筆》

上海雜誌公司出版

一九四六年·上海

《文藝隨筆》

南苑書屋出版

一九六三年·香港

《晚晴雜記》

上海書局出版
一九七一年·香港

《北窗讀書錄》

上海書局出版
一九六九年・香港

出版說明

　　葉靈鳳先生是著名作家、畫家、藏書家，其後半生都在香港度過，與香港關係密切。時值近年葉氏在香港歷史及文學史中的地位日漸受到重視，有關研究方興未艾，本書之出版甚具意義。

　　本書一至三集，由羅孚先生所編，一九八八年由北京生活‧讀書‧新知三聯書店出版。當中所介紹的名著名畫涵蓋古今中外，側重文學及美術，文字淺近易懂，筆觸沖淡，娓娓道出賞讀書畫之樂，兼具知識性與趣味性，更流露葉氏對讀書、文藝、生活和家國的愛。

　　本版保留了一九八八年版之編排方式，本集收錄文集《讀書隨筆》、《文藝隨筆》、《北窗讀書錄》的文章，合共一百一十一篇。

　　本版又對一九八八年版中的錯漏予以訂正，涉及同一人名或作品名使用多於一種譯名者，若含有現今通譯寫法，本書選用通譯寫法；若不包含通譯，則選用首次出現的寫法，在三集中予以統一。為進一步便於讀者閱讀，每集書末分別附譯名對照表，收錄該集中出現的外國人名、外國作品名與現行通譯有別者，按收字筆畫升序排列，以茲讀者參考。

本書三集可與我們即將出版的《葉靈鳳日記》並讀，有助讀者更全面認識和了解葉氏的藏書、讀書嗜好，豐富的學識修養和藝術品味。

三聯書店（香港）有限公司
出版部
二〇一九年四月

讀 書 隨 筆

一 集 目 錄

讀 書 隨 筆

文 藝 隨 筆

北 窗 讀 書 錄

前記

葉靈鳳是畫家、作家，也是藏書家。

他是從美術學校出來的，似乎還沒有登上畫壇就轉入了文壇，還來不及真正做一個畫家就已經成為作家，老的說法，是畫名為文名所掩了。三十年代後期他就不再畫畫。許多認識他的人都沒有見過他的畫，除了早年的一二封面設計，他手頭也許還藏有當年的一二作品，卻總是秘不示人，雖然他這樣做並不是"悔其少作"。

作為作家，他很早就寫小說，但後來，至少是進入四十年代以後，也就幾乎不再寫小說，卻不是擱筆不寫文章，不僅寫，還寫得很勤，寫的多是散文、隨筆，而其中絕大多數是讀書隨筆。

這因為他首先是一位"真正的愛書家和藏書家"，喜歡書也喜歡讀書；又因為更是一位作家，這就注定要有大量的讀書隨筆生產出來了。

愛書家，這一般很少聽到的稱呼在他筆底下卻常常可以看到，猜想他更願意被人稱為愛書家而不是藏書家。

他早年在上海雖藏書萬卷，抗日戰爭中都散失了。定居香港後他又從無到有地買書、藏書，估計不應該少於上海這個

"上卷"之數，但他身後家人把藏書送給香港中文大學，整理後說是六千多冊，這個"下卷"的數字倒是有些出人意外的。論時間，這"下卷"的時間是長多了。

遺書未上萬，遺文卻過百萬。

在他一九七五年離開人世的時候，僅僅是遺留下讀書隨筆之類的文字，就不少於一百萬言，包括已出書和未出書的。

在這《讀書隨筆》中，《讀書隨筆》、《文藝隨筆》、《北窗讀書錄》和《晚晴雜記》都是有過單行本的。《讀書隨筆》出版於四十年前的上海。《文藝隨筆》和《北窗讀書錄》分別印行於六十年代初期和末期，《晚晴雜記》是七十年代之初問世的（其中大部分是一般的散文、小品文，礙於體例，本書只選了和讀書有關的文章），它們都是香港的出版物。未結集成冊的《霜紅室隨筆》、《香港書錄》、《書魚閒話》和一些有關的譯文，只是在香港的報刊上發表過。總的來看，最早的文章寫於二三十年代，最晚的作品成於七十年代初期，前後差不多有半個世紀。它們發表時，除了葉靈鳳這個名字外，還用過林豐、葉林豐、任訶和霜崖這些筆名。

這些隨筆為他自己的話作了證明：讀書很雜，古今中外，線裝洋裝，正經的和"不正經"的書，他都愛讀。雜之中，卻也自有重點：文學的、美術的和香港的 —— 前兩類顯出他作家和畫家的本色，後一類就正是他下半生生活所在的地方特色。有所讀而有所寫，就是這裡上中下三冊幾十萬字的文章了。

這裡有一篇〈書癡〉，記的是一幅版畫：藏書室，四壁都是直接天花板的書，一位白髮老者站在高高的梯頂，脇下夾了一本書，兩腿之間又夾了一本書，左手拿了一本書在讀，右手又伸手從架上抽出一本書，一縷陽光從頭頂的天窗上斜斜地射在老人的書上，老人的身上。作者說，他深深的迷戀着這幅畫上所表現的一切，當然也包括那位白髮愛書家。而他寫這篇文章時，卻還是魯迅先生筆下"唇紅齒白"的年輕人呢。

他在這篇短文中說："讀書是件樂事，藏書更是一件樂事。但這種樂趣不是人人可以獲得，也不是隨時隨地可以招來即是的。學問家的讀書，抱着'開卷有益'的野心，估量着書中每一個字的價值而定取捨，這是在購物，而不是讀書。版本家的藏書，斤斤較量善版本的格式，藏家印章的有無，他是在收古董，並不是在藏書。至於暴發戶和大腹賈，為了裝點門面，在旦夕之間便坐擁百城，那更是書的敵人了。"這說得很有意思，不過，他所說的"購物"式的"不是讀書"的讀書，也還是不可避免的，他自己就在〈今年的讀書願望〉中說過，時時要看一些本來不想看的書，而被佔去了許多時間，不言而喻，其中肯定不少是為了臨時"購物"而翻閱的書本，他雖引以為苦，但翻閱而有所得，也還是一定要感到不亦快哉的，這恐怕是不少做學問，寫文章的人都有過的感受吧。

這本書包含着八個部分：《讀書隨筆》、《文藝隨筆》、《北窗讀書錄》、《晚晴雜記》、《霜紅室隨筆》、《香港書錄》、《書魚閒話》和《譯文附錄》。最早的寫作於二三十年代，最晚的是七十年代，前後近五十年。前四部分出過書，後四部分的文章只在報刊上發表過，除第一部分《讀書隨筆》是在上海印行的外，其餘都是在香港寫作發表的，對於一般讀者來說，無異於前所未見的"新作"。它們發表時，除了用葉靈鳳這個名字，還用過林豐、葉林豐或霜崖這些筆名。

《晚晴雜記》原書中有一半以上不是讀書隨筆，而是一般的散文小品，雖然雋永有味，礙於體例，都刪去了。像這樣的小品文章，發表在報刊上而沒有編印成書的還有不少，如果一有機會出書，對於愛書家來說，當是喜見樂聞的事吧。

在《文藝隨筆》的後記中作者說，由於寫作時間前後相隔十幾年，不免有重複或歧異的地方。現在集中在一起的這些文章，前後更是相隔幾十年了，這樣的情況就更是難免，儘管已經在注意避免。

作家和愛書家，這本書就是一位作家愛書幾十年而寫下的隨筆。充滿的不僅是對書的愛，對文藝的愛，對生活的愛，更有對家國的愛。

愛書而愛讀書，"讀書之樂樂何如？"記得有這樣一首詩，而且還譜成為歌。我們的作者一生是因此樂在其中了。讀他的遺文，我們是可以享受到一次又一次直接和間接的讀書之樂的，直接的是他這些引人入勝的隨筆文章，間接的是他告訴我們的那些古今中外可讀之書。

絲韋

一九八五年十一月

序一：鳳兮，鳳兮

葉靈鳳，當一般認識他的人叫他"先生"時，有些不認識他的人卻稱他為"女士"。在他工作的地方，不時可以收到寄給"葉靈鳳女士"的信件或請柬。這是他晚年常常帶着微笑，向人說的。

這當然是可笑的誤會。還有不可笑的、更大的誤會。

二十年代他就寫小說，三十年代他在上海辦刊物，抗日戰爭爆發後，他先到廣州，後到香港，一住就是三十多年，直到七十年代中期離開這個世界，都一直沒有離開香港（短期的旅行不算）。就是日軍佔領香港的三年零八個月中，他也沒有離開過。因此，就不免有了一些流言。

和他一樣，那個時候並沒有離開香港的還有詩人戴望舒，不同的只是戴望舒坐過日本軍隊的牢房，而他沒有。就在那樣的日子，是他和戴望舒作伴，一起到淺水灣畔，對病死在香港的《生死場》作者、女作家蕭紅的墳墓，默默憑弔。在這以前，這以後，直到五十年代戴望舒從海角的香港回歸北京後，他們一直是好朋友。人們不知道戰爭年月更多的事實，但舉一可以反三。有所為也就往往是有所不為。

說到蕭紅墓，人們記得，當一九五七年這一孤墳有被鏟平而湮沒的危險時，正是他帶頭和文化界的一些朋友一起，取出骨灰，送去廣州，安葬在銀河公墓。

在上海和他一起辦過《幻洲》，後來長期擔負對敵鬥爭秘密工作和統戰工作重任的潘漢年，抗日戰爭勝利後一回到香港，就和他恢復了聯繫，而不是棄之如遺。

在潘漢年蒙冤的日子，他也曾不止一次地到北京作過客人，其間包括和阿英的歡晤。

正像早些時的流言站不住，後來加給他的"反動文人"的帽子也是戴不穩的。新版《魯迅全集》和"文革"前《魯迅全集》有關他的注文前後不同，也透露了此中消息，有如給這個"反動文人"平了反。

在他晚年寫作的許多散文裡，是不乏懷鄉愛國的篇章的。

這更大的誤會是可以澄清的了，只不過可能有些人沒有注意到而已。

他的愛國行動還表現於他的愛書（這裡的愛書意如愛將），其中之一是嘉慶本的《新安縣志》。這個新安和風景秀美的新安江無關，它只是廣東舊時的一個縣，也就是今天的寶安，卻比寶安幅員為大，今天國際性的大城市香港也屬於它的範疇（今天名震國內外的深圳就更不用說了）。因此，《新安縣志》也就包括了香港志的成分。他收藏有這部書，而且和廣州、北京圖書館收藏的版本比較過，據他說，以他手頭的這一部最全。內地就只有那兩部，而香港卻只有他這一部海外孤本。英國人雖然在香港抓了一百多年的統治權，卻並沒有抓到這樣一部和香港有關的地方志。好幾次有外國人，以當時的幾萬元港幣（相當於如今的過百萬元）的代價，伸手想抓走這部書，他都一一拒絕了，只肯讓香港英國官方的圖書館複印一份，作為參考資料。他生前不止一次表示，書要送給國家。在他死後，他的家人完成了他的遺願。這一部《新安縣志》現在是藏在廣州中山圖書館裡。

但他心愛的藏書，朋友們所讚賞的他的藏書，卻又不僅僅是這一部《新安縣志》。

在香港，他是有名的藏書家之一。他有名的藏書主要在於三大部分：有關香港的書刊，西方的畫冊珍本，西方的文學書籍。從這本《讀書隨筆》的《香港書錄》中，不難想像他這方面收藏的豐富，那些有關香港早年的史料是很可珍貴的，他自己寫的《香港方物志》也是很有參考價值的著作。他早年的畫，也畫過不少，如果不是後來放下畫筆只執文筆，最後是以畫家還是以作家知名於世，就很難說了，儘管現在一般人知道他是作家，新版《魯迅全集》還是稱他為“作家、畫家”的。他收藏的那許多西方的畫冊，是內地美術界朋友談起來就不免流露關切之情的珍品。西方文學書籍的珍本那就更加使人為他難數家珍了。

不必問他的藏書有多少萬卷，他的居所在香港那樣的地方算得上是寬敞的，卻由於他的良好的嗜好，弄得狹窄甚至狹窄不堪。那裡真可以稱得上書屋，屋子裡到處都是書。我們的作家並沒有書房，卻每一個房間裡都有不少書，大廳就更是書的天下，他就整天人在書中，由於“書中自有”，也就可以說是人在玉顏中，人在金屋中了。

正是難數家珍，他的這許多藏書本來是要送回內地，獻給國家的，由於遲遲沒有清點整理，終於由香港中文大學以先行全收後才清點的方式取了去，闢了專室，整理收藏，這一失誤曾使人感到可惜，為之歎息。不過，一想到"一九九七年以後"，隨着整個香港的主權的回歸，這些圖書不也是自然回歸祖國的懷抱了麼？天下事就有這麼妙！

人們都稱葉靈鳳為"藏書家"，他雖然在生時沒有"請予更正"，但他肯定歡喜另外的一個頭銜"愛書家"。不知道這是不是他自己創造出來的名銜，至少一般人很少這樣說，只有在他的筆下才屢屢提到："愛書家"。從《讀書隨筆》的文章中就可以看到，同時還可以看到藏書家是書的敵人這樣的譯文。他有讀書的興趣，而且興趣淵博，涉獵很廣。他不是藏而不看的人，儘管書太多而他來不及盡看。

書和筆，讀和寫，這就是他多年來的全部生活。他不僅忙於讀書，也勤於寫書。他天天讀，也天天寫，他去世後遺下總有一兩百萬字的作品有待於整理出書（在香港已出書的有六七種）。這些文章都是已經在報刊上發表過的。有文藝隨筆、讀書隨筆，有抒情小品、生活小品，有香港掌故、香港風物，有外國文學作品的翻譯。那些談香港史實的文章，是他翻閱了大量中英文的資料才寫得出來的，多年來，它又成了別的人在寫香港掌故時依據的資料。它材料豐富，文字端莊流利，愛國熱情洋溢於筆墨之間，大義凜然，毫不含糊，對於異族統治者一點也沒有什麼媚骨。

歲月匆匆，他的去世一轉眼就是十年。霜紅最愛晚晴時

（他晚年以霜崖的筆名，寫了大量的《霜紅室隨筆》；所出的集子中有《晚晴雜記》），回首前塵，不由得更對這位老作家有深深的懷念了。

沈慰

一九八五年九月

序二：葉靈鳳的後半生

　　葉靈鳳的後半生是在香港度過的。

　　抗日戰爭是前後的分界線。抗戰以前，他主要是在上海，幼年在九江、青年時代在鎮江，然後就到了上海，踏進文壇。"八・一三"以後，日軍攻佔上海，《救亡日報》南遷廣州，主持其事的是夏衍，他也到廣州參加編輯工作，編的還是新聞版。人在廣州，家在香港，他周末有時去香港看家人，一次去了香港就回不了廣州，日軍跑在他前面進了五羊城。從此他就在香港長住下來，度過了整個的下半生，除了回大陸旅行，幾乎就一直沒有離開過。前半生，江南、上海；後半生，嶺南、香港。這就是他的一生。

　　他到廣州、香港，是一九三八年的事。在香港留下來，不久就參加了《星島日報》，一直到年過七十而退休，他始終是在胡文虎家族星系報業的這一報紙工作。當年的《星島日報》由金仲華主持編輯部，許多進步的文化人都在那裡，副刊"星座"是戴望舒主編的。葉靈鳳什麼時候把"星座"從戴望舒手中接下來，就記不清楚了。從此就和"星座"同命運，他一退休，這個活了一個世代還多的副刊也就被停掉。談起來時，惋惜中他顯得有些悽愴。

日軍佔領香港的三年零八個月，《星島日報》換了一個名字：《香江日報》。而葉靈鳳還在日本軍方辦的"大岡公司"工作，不過，一九八五年七月底去世，有香港"金王"之稱的金融界大亨胡漢輝，八四年初寫過一篇憶舊的文章，提到一個叫陳在韶的人，當時由香港"走難"去重慶，被國民黨中宣部派回廣州灣（今天的湛江），負責搜集日軍的情報。他說，"陳要求我配合文藝作家葉靈鳳先生做點敵後工作。靈鳳先生利用他在日本文化部所屬大岡公司工作的方便，暗中挑選來自東京的各種書報雜誌，交給我負責轉運"。他又說：他日間"往星島日報收購萬金油，在市場售給水客，以為掩護；暗地裡卻與葉靈鳳聯繫。如是者營運了差不多有一年之久"。這裡說到他是被要求"配合"葉靈鳳的，顯然葉靈鳳早就在幹"敵後工作"了，是不是僅僅暗中挑選一點日本書報那麼簡單，也就很難說。他這以前這以後，只幹了一年，葉靈鳳又幹了多久就不知道了。

　　這至少說明，葉靈鳳名義上雖然是在日本文化部屬下工作，實際上卻是暗中在幹胡漢輝所說的抗日的"情報工作"的。

　　葉靈鳳這時候和戴望舒還是好朋友，抗戰勝利以後兩人依然是好朋友。戴望舒是被日軍拉去坐了牢的人。以他的愛國立場，是不會和一個落水做漢奸的人一直保持友情不變的吧。戴望舒有踏十里長途去憑弔蕭紅墓的詩，和他一起去蕭紅墳頭放上一束紅山茶的，那就是葉靈鳳。

　　葉靈鳳在日軍橫行香港的日子裡的情況，人們知道得不多，但就只這些，也可以看得出一點道理的了。

在一九五七年版的《魯迅全集‧三閒集》中，《文壇的掌故》的注文曾有這樣的字句："葉靈鳳，當時雖投機加入創造社，不久即轉向國民黨方面去，抗日時期成為漢奸文人。"但一九八一年新版（四卷）卻把注文提前到〈革命的咖啡店〉一文的後面，刪去了"投機"、"轉向"、和"漢奸"等等，而改為："葉靈鳳，江蘇南京人，作家、畫家。曾參加創造社。"他被摘去了"漢奸"的帽子。可惜他自己已經不可能看見，只有靠家人"家祭無忘告乃翁"了。儘管解放前後他一直受到禮遇，六十年代、七十年代一再被邀請到北京和廣州參加一些官方的活動，但畢竟白紙黑字上還有過這麼一頂"漢奸"帽子。

抗戰勝利後，全國解放前，潘漢年有一段時期在香港工作，就和葉靈鳳保持往來，有些事還託他做。他們原來就是老朋友，這時依然是朋友，潘漢年並沒有把他當什麼"漢奸"對待。他也樂於盡自己的力所能及，做一些可以做得到的工作。

當年在上海，也就是所謂"投機加入創造社"那些年代，潘漢年辦過《現代小說》，葉靈鳳辦過《戈壁》，兩人又合辦過《幻洲》。柳亞子有過《存歿口號五絕句，八月四日作》，每一絕句詠兩人，一詠魯迅、柔石，二詠田漢、黃素，三詠郭沫若、李初梨，四詠葉靈鳳、潘漢年，五詠丁玲、胡也頻。關於葉靈鳳、潘漢年的是這麼一首詩："別派分流有幻洲，於菟三日氣吞牛。星期淪落力田死，羞向黃壚問舊遊。"這卻是葉靈鳳前半生的舊話了。

潘漢年含冤多年，終於得到平反。葉靈鳳前半生和他在上海都捱過魯迅的罵，而葉靈鳳更是首先"圖文並謬"地罵過魯迅。捱魯迅罵過的，未必都是壞人，這樣的事例有的是。而罵過魯迅的，"悔其少作"的更不乏其人。當六七十年代朋友們有時和葉靈鳳談起他這些往事時，他總是微笑，不多作解釋，只是說，我已經去過魯迅先生墓前，默默地表示過我的心意了。

抗戰勝利後，不僅戴望舒、潘漢年，在香港暫住過的郭沫若、茅盾、夏衍……許多人，也都和葉靈鳳有往來。這不免使人想起"鳥獸不可與同群，吾非斯人之徒而誰歟"的老話，也想到"漢奸文人"恐怕是一頂很不合適的帽子。

在抗戰期間，葉靈鳳由上海南下，經廣州而香港，是為了抗戰救亡。日軍佔領香港後，他沒有追隨許多文化人通過東江或廣州灣，到桂林、重慶去，卻也沒有回上海（重回"孤島"並不就是投敵）。他留在香港，在日軍屬下的機構和日軍治下的報紙工作，那是看得見的，看不見的還有胡漢輝所指出的那些為了抗戰的工作。其實不必等到一九七五年蓋棺，他這一段歷史早就在朋友們間已經論定的了。一九五七年版《魯迅全集》的那一條注文，顯然是"左"手揮寫出來的。那些迷霧應該隨新的注文而散去。

新中國如日初升。葉靈鳳的老朋友戴望舒回到北京，參加工作，在北京度過了他生命中最後的歲月。葉靈鳳卻沒有動而依然靜，只是靜靜地留在香港，默默地辛勤工作。當然，兩相比較，他是顯得不夠積極的。他自稱一生從來不寫詩，也許是缺少了一份詩人的激情吧。

他長期在《星島日報》編"星座"副刊。由於報紙的立場，"座"上後來只是登些格調不低的談文說藝寫掌故的文章。他自己就寫了不少讀書隨筆和香港掌故，也寫了不少香港的風物。

讀書，首先就要買書。三十多年在香港的安定生活（日佔時期三年零八個月的動亂是例外），使他這個“愛書家”藏書滿屋，而成了知名於港九的一位藏書家。他的住所不窄，廳裡是書，一間兩間房裡也是書，到了晚年，坐在廳裡，就像是人在書中，不僅四壁圖書，連中央之地也受到書的侵略，被書籍發展了一些佔領區了。他自己估計，藏書將近萬冊。

由於是作家，文藝書刊是其中主要的一部分；由於曾是畫家，美術書刊又佔了主要的一部分；由於居港多年，有關香港歷史、地理、博物的書刊也佔了主要的一部分。雖然沒有什麼稀世珍本，但有些還是較名貴的。有的朋友說，最可貴的是有關香港的這一部分；有的說，美術書刊也很可貴。所有這三部分，既有中文的，也有英文的，名貴的多是那些外文書籍。

也不是全無珍本，有一部清朝嘉慶版的《新安縣志》，就是他自視為稀世珍本的。他對朋友們津津樂道，這是三稀之物，據他所知，只有廣州和北京各藏有一部，他都翻閱過，都有殘缺，以他這一部最全，既是海內外三稀之一，更是海外孤本。這部書在香港是頗有一點名氣的，香港官方和一些外國人都轉過它的念頭，曾經出了好幾萬港元的高價，合今天的幣值總在百萬以上吧。這對於一介寒士如他來說，就不是一個小數目了，他卻一概小視之，不放在眼裡，不放棄那書。香港大學的馮平山圖書館只有一部抄本，後來得到他的同意，複印了一部。對這一部使他十分風流自賞的書，他生前就一再表示，要送給國家收藏。他死後，他的夫人趙克臻按照他的遺志，送給了廣州中山圖書館。一般人可能不知道，這部志書所志的當年的新安，就是今天廣東的寶安，還包括寶安以外"東方之珠"的香港和後起名城的深圳。它之所以成為珍本，受到香港官方和一些外國人的珍視，更受到被認為是深通香港掌故之學的我們這位愛書家的珍視，也就是完全可以理解的了。

完成送書心願的舉動他本人雖然看不到，人們卻看到了葉靈鳳的一片愛國之心。

如果不是由於受他家人委託的朋友的拖沓，他的全部藏書也會送回內地，而不會落到香港中文大學的藏書樓的。當時是怕《新安縣志》可能樹大招風名高受累，先送出為妙，其餘的不妨緩緩而行，這就造成了不應有的遲延，當家人不堪滿屋書刊的擁擠時，中文大學表示願意造單全收（事後清點造了一份書單送家人留念），這些藏書就被如釋重負地轉移到山明水秀的沙田學府中去了。當時曾使一些內地的朋友聞訊惋惜。現在香港既然回歸祖國大家庭有期，香港的公物將來也就是國家的公物，楚弓楚得，也就沒有什麼可憾了。

葉靈鳳藏書雖多，藏畫冊雖多，藏畫卻很少。使他說起來就顯得面有得色的，不過是漢武梁祠畫像的拓片，和畢加索、馬諦斯作品精美的印張而已。前面提到過他"曾"是畫家，那是由於他從上海到香港之後，就一直與作畫絕緣，自我放逐於畫家的行列，儘管他還是喜歡他從事過的西洋畫。

他放棄了作畫，集中精力於寫文章，天天寫。正像他的藏書一樣，他的寫作大體也可以分為三類，一類是讀書隨筆（淵博），一類是香港掌故和風物（精通），一類是抒情的小品（雋永）。由於差不多都是為報刊而寫的，一般文章都不長。六十年代以後，出了成十本不算厚的書：《讀書隨筆》、《文藝隨筆》、《北窗讀書錄》；《香港方物志》、《張保仔的傳說和真相》；《晚晴雜記》、《霜紅室隨筆》……特別是抒情小品，像着墨不多的山水寫意畫，最是淡而有味。所抒的不少是懷鄉愛國之情。早年寫過的小說不再寫了；翻譯卻有一些，如支魏格的小說、紀伯倫的小品之類。此外，也寫過一些為稻粱謀才寫的東西。在他身後，留下了大量的遺稿有待於整理出版。

他用過的筆名有林豐、葉林豐、霜崖、柿堂、南村、任訶、任柯、風軒、燕樓……有時就用葉靈鳳。晚年用得最多的是霜崖。

他也有過寫一兩個長篇的念頭，想寫的是以長江、黃河分別做主角的《長江傳》、《黃河傳》，卻只是藍圖初畫於胸中而已。

他主要是在自己編的 “星座” 上寫文章，也長期在左派報刊上寫文章，到他晚年，在他所工作的《星島日報》裡，他已經被人看成左派了。

他怎能不左呢？在相當長一段時期左右壁壘分明，不相往來的香港社會中，他不避和左派來往，又在左派報刊寫文章，每年還參加 “十一” 國慶的慶祝活動，應邀到廣州參加廣東作協的活動，應邀到北京參加國慶觀禮和李宗仁舉行的記者招待會（以作家身份參加），不時參加接待過境的北京、上海的作家……這就夠他左的了。這左，其實就是擁護社會主義的新中國。

三十六、七年，他一直在香港，有幾次短暫的離開，就是這樣去廣州，去北京、南京、上海……台灣，沒有去過；日本，去過一次，別的外國，沒有去過。

在最後的二十多年裡（五十年代以後），他把自己關在家裡，也就是關在書裡，對外的活動不多。很可記憶的一次活動是，主持把蕭紅的骨灰遷移到廣州。在香港完成了《馬伯樂》的蕭紅，也在香港完成了自己短暫的一生。那時正是日軍佔領香港的第二年，兵荒馬亂，她被草草埋葬在淺水灣海濱。一九五七年，那裡要修建旅遊設施，蕭紅的墳有被毀於一旦的危險，文化界的朋友發起為她遷墓，廣東作協表示歡迎遷葬於廣州。蕭紅在港無親人，這就由他和陳君葆出面辦理，而由他在一群文化界朋友的陪同下，親送骨灰到深圳，由廣東的幾位作家到羅湖橋頭相迎。蕭紅的骨灰後來葬在廣州的銀河公墓（這件事也可以為他添上左的一筆吧）。

至少在香港，他是並沒有"轉向國民黨方面"的，儘管和國民黨的人有所往來。一般被認為右或中間的作家以至左派的作家，他也都各有接觸。這樣，就成了左、中、右都有朋友的局面。而在左派之中，也有人認為他右，甚至於在他去世之後，還有生前和他有來往的極個別的左派人士說他是"漢奸"的。真是難矣哉！在他晚年，他的名字有時和一些老作家如曹聚仁、徐訏……這些名字一起被提到。

他曾經想和朋友們辦一個文藝刊物，連名字都想好了：《南斗》。但始終未能如願，朋友們都不是有錢人，他除了工資就是為數不多的稿費（儘管天天寫，他卻不是日寫萬言以至兩三萬言的"爬格子動物"），除了分擔八口之家還要滿足自己的愛好去買書、買書，哪有力量去支持一個哪怕小小的刊物？

十年容易，他離開人們去作永恆的冥土旅行已經十年了（時在一九七五年十一月）。替他擦掉當他辭別這個世界時還沒有擦拭乾淨的一些塵垢，也許還不是多餘的事。老套的話在這裡似乎還是有意義的：安息吧！今天是可以真正無憾地安息了。朋友們為他感到一點遺憾的，是他不能及身看到那頂"漢奸文人"帽子的消滅。

宗蘭

一九八五年九月十六日

讀書隨筆

重讀之書

　　小泉八雲曾勸人不要買那只讀一遍不能使人重讀的書。這是一句意味很深長的讀書箴言，也是買書箴言。中國古語所謂書籍"汗牛充棟，浩如煙海"，在機械生產的今日，一個人即使財力和精力都勝任，恐怕也不能讀盡所有的書，買盡所有的書。因此，我們在不十分閒暇的人生忙迫之中，能忙裡偷閒，將自己所喜愛的讀過的書取出重讀一遍，實是人生中一件愉快的事。

　　讀書本是精神上的探險，儘管他人的介紹與推薦，對於一本書的真實印象如何，總要待自己讀完之後才可決定。有些為一般人所指責的書，自己因了個人的特性或一時的環境關係，竟有特殊的愛好，這正與名勝的景色一樣，臥遊固是樂事，然而親臨其地觀賞，究竟與在遊覽指南之類所得者不同。將讀過的書重讀一遍，正與舊地重臨一樣，同是那景色，同是自己，卻因了心情和環境的不同，會有一種稔熟而又新鮮的感覺。這在人生中，正如與一位多年不見的舊友相逢，你知道他的過去，但是同時又在揣測他目前的遭遇如何。

　　有人說，與其讀一百部好書，不如將五十部重讀一遍，因為仔細的將已經獲得的從新加以咀嚼，有時比生吞活剝更有好處。但可惜的是，人生太短，好書太多，我們遂終於在顧此失彼之中生活，正如可愛的吉辛所慨歎：

> 唉，那些不能有機會再讀一遍的書喲！

吉辛所惋惜的，不僅是可以重讀，而是那少數的可以百讀不厭的書，因為他接着又說：

> 溫雅的安靜的書，高貴的啟迪的書：那些值得埋頭細嚼，不僅一次而可以重讀多次的書。可是我也許永無機會再將它們握在手裡一次了；流光如駛，而時日又是這樣的短少。也許有一天，當我躺在床上靜待我的最後，這些被遺忘的書中的一部會走入我徬徨的思索之中，而我便像記起一位曾經於我有所助益的朋友一樣的記起他們 —— 偶然邂逅的友人。這最後的訣別之中將含着怎樣的惋惜！

在這歲暮寒天，正是我們的思念舊友，也正是我們重行翻開一冊已經讀過一次，甚或多次的好書最適宜的時候。

作家傳記

近來養成了讀傳記文學的習慣，先後讀了左拉、屠格涅夫、王爾德、斯蒂芬遜，和兩種歌德的傳記；一種是英國女作家愛略亞特的丈夫勒威斯的一部最早的歌德傳，一部是新派傳記作家路德維喜的作品。

新派傳記和古典傳記的區別，是在前者搜集一些新材料，根據自己對於這位作家的認識，用一種小說的手法去描寫；文字生動，敘事活潑，而且好作翻案議論，使人讀去頗感興趣。古典派傳記則文字難免沉悶，但對於事實的敘述則極正確，不推想，更不武斷，於材料方面比較可靠，不過遇有足以補救疑問的新材料發現時，這卻只能讓新派傳記專美了。

羅曼羅蘭曾寫過悲多汶、米勒、彌蓋朗琪羅等人的傳記；但他的傳記作法是介於這二者之間的。與其說是關於他們生活的記敘，不如說是作者對於他們的理解。近代著名的新派傳記作家，法國如莫洛亞，他寫過拜倫、雪萊，及英國幾個政治家的傳記，材料新穎，文字輕鬆，簡直可以當小說讀了。德國的當代傳記名手是路德維喜，他寫了《歌德傳》，又寫過拿破崙、俾斯麥等人的傳記。用着日爾曼人治學的精湛，再加上他深邃的見解，對於他的傳記中人物心靈的解剖，路德維喜可說是無匹的。以《基督傳》馳名的意大利作家巴比尼，他的近著《但丁傳》，似乎沒有他過去的傳記那樣成功。這也難怪，因為愈是熟悉的人物，愈難寫得動人。

讀作家傳記，不僅可以增加對於那位作家和作品的了解，而且可以從其中獲得許多可貴的教訓。在我近來所讀的幾部作家傳記中，只有歌德是個錦衣玉食，始終是一帆風順的高貴作家，然而他卻是得天獨厚，具有一般人所不及的豐富天才和精力的人，在文學史上，僅是一人而已。左拉始終在努力，早年為了生活奮鬥，中年以至於死，都為了正義在奮鬥，連死後的葬儀還引起了反對和擁護者的衝突。王爾德在死後遺下了一個“唯美派”的頭銜，但在生前所遭遇的社會壓迫和生活貧困，只有讀了他的傳記以後才了然。至於屠格涅夫，則僅從他的作品上也可看出，這位時代巨人在思想上是如何的苦悶了。

作品是作家的生活和才能的產兒。貧弱的修養和貧弱的生活當然產生不出偉大的作品，這是不移之論。

作家和友情

都德在他的《巴黎三十年》的回憶錄中，曾說起他和福樓拜、左拉、龔果爾、屠格涅夫等人的友誼。當時僑居巴黎的屠格涅夫，正是他的知友之一。他們幾人每天在一處晚餐、喝咖啡、談論文藝和人生上的一切。屠格涅夫始終向都德表示着最親切的友誼和熱情，但是當屠格涅夫去世之後，都德無意從他友人的文字中，發現屠格涅夫始終瞧不起他，說他是"我們同業中最低能的一個"。都德很傷心，他感喟地說道："我始終記着他在我的家裡，在我的餐桌上，怎樣溫柔熱情吻着我的孩子們的事。我還收藏着他寫給我的無數親切可愛的信件。但在他的那種和藹的微笑下卻隱藏着這樣的意念。天哪！人生是怎樣的奇怪，希臘人的所謂'冷酷'這字是多麼真實喲！"

這種友情的幻滅當然使都德很傷心，但在屠格涅夫方面，卻並無他的不是處。因為他將友情和作品分離了，他對都德，甚至對他的孩子們有友情，但是不滿意他的作品，所以才在背後說出那樣的話；如果不是為了友誼，屠格涅夫也許當面就向都德說了。這樣一來，都德早就和屠格涅夫絕交，也不致有死後這樣的幻滅了。

本來，作家之間的友誼是最難成立的，尤其牽涉到作品的批評。作家像貓，他始終用一種不信任的眼光注視着他的同類，一面輕視，一面又在嫉妒。我們很少發現同時代的方向相同的作家們的友誼。即有，也都是為了利害相通和門戶之間的暫時的結合，一到了彼此無所利用的時候，就分道揚鑣，甚或互相醜詆了。"文人相輕"這誠然是一句刻薄話，但也是事實。每個作家如果都寫日記，一旦將這些日記披露出來，我相信將成為一部空前未有的奇書。

　　法國的龔果爾兄弟就曾寫下了一部這樣的日記。他們將畢生的心血都花費在記敘他們同時代作家的一切上。這日記不僅包括當世文壇上的人物，而且還牽涉政治人物，一切秘聞醜史，都詳細的記載着。這日記只發表了九卷，其餘未發表的，根據大龔果爾於一八九六年臨去世時遺囑，要在他去世二十年以後才可發表。這日記的原稿由龔果爾學院封存着，但到了一九一六年左右，遺囑上以規定的二十年的期限終結的時候，他們推舉了兩位代表將這日記審查一下，是否可以發表。這兩位代表回來後噤若寒蟬，只是搖着頭說：為了免除訴訟、暗殺、自盡、傷心，以及社會上其他的不安起見，這日記最好要再隔一世紀始能發表。日記的內容如何，從這情形上就可想而知了。

　　據說魯迅也有記日記的習慣，直到病倒在床上還繼續未輟。我相信，魯迅的日記如果一旦一字不改的被發表起來，那些自命為魯迅的朋友們更不知要如何的傷心了。

巴比尼的《但丁傳》

　　據說，世上關於一本著作的研究，文獻最多的是《聖經》，其次便要算到但丁的《神曲》。關於但丁的研究，真是多到指不勝屈，但大多是艱澀深奧，將但丁的人性和著作弄成神秘難解，成為一種專門的"但丁學"，幾乎與文學隔絕，更與一般的讀者隔絕了。但也偶然有好的可誦的新傳記出現。這部最近出版的巴比尼的《但丁傳》便是其中之一。

　　提起巴比尼的名字，誰都要想到他那部著名的已經被譯成二十三國文字的《基督傳》。寫過《基督傳》的巴比尼，如今來着手寫《但丁傳》，可說是最適合的人選。

　　對於這部《但丁傳》（Dante Vivo），巴比尼很自負。據他自己說，一位適合的《但丁傳》的作者，至少先要有下列三項資格：第一，必須是天主教徒；第二，必須是藝術家，有一顆了解詩人的心；第三，必須是佛羅倫斯人。他解釋必須具備這三項資格的理由是：但丁是天主教徒，只有同樣信仰的人，然後始可以了解但丁的信仰，感受他當時所感受的一切。但丁既是詩人，那麼，只有詩人才可以了解一位詩人的天才作品；一般的批評家僅用理智去了解是不夠的。第三，因為但丁是佛羅倫斯人，雖然中世紀的佛羅倫斯與今日已大不相同，但未必全然改變，至少有幾塊石頭、幾座建築、幾條狹隘的小巷還殘留着一點當時的面目，是但丁曾經親自撫摩經歷的地方。根據先天的性格和環境，一個佛羅倫斯人是比任何地方的人更適宜理解但丁的。

這限制似乎很嚴格，但巴比尼卻很自負的說他自己正擁有着這三項資格。他是佛羅倫斯人，他可以夠得上是個詩人，同時，在宗教信仰上，他正是天主教徒。

根據這種見解，巴比尼輕輕的抹開了許多但丁學家的存在，說他們都不曾真正的了解但丁，只是"圍繞在獅子身旁的螻蟻"而已。格羅采的《但丁的詩》，雖然寫得還好，但他在"性格上是根本不會了解藝術作品"的人。

巴比尼這部《但丁傳》的長處，是和他的《基督傳》一樣，勇敢的撇開了許多糾纏不清的疑問，不將注意力全部花費在考證和哲學上，而從性格上去了解作品，去敘他的生活。關於《神曲》的許多聚訟紛紜的詮釋，巴比尼都大膽的一律拋開了。

他以為《神曲》並不難讀，至少不如一般但丁學者所說的那樣艱奧難解，只要我們用一顆詩人的心去領悟他。

關於教皇和宮廷的對立，但丁的政治生活，他的戀愛悲劇，巴比尼都根據了最新可靠的資料，作了流利可誦的敘述。他這部《但丁傳》的長處正在這裡，他將但丁從專門家手中解放了。

但丁曾說過："我唯一的懼怕，是怕被那些將目前這時代稱作古代的人們所忘記。"其實，這是過慮的。但丁是不會被人忘記的；從巴比尼的這部傳記中，他更新生了。

關於短篇小說

　　最近，李青崖先以他所編著的《一九三五年的世界文學》一冊見贈，這是商務今年新編的"一九三五年世界概況叢書"之一。看情形這叢書大約是要每年一套繼續出下去的。李先生的一冊《一九三五年的世界文學》，是十幾篇從法國文藝刊物上所選譯的重要論文和紀事的輯集，這種直接保存重要文藝史料和文獻的辦法，在這類性質書籍的編製上可說是一種新嘗試。匆匆翻閱一過，發現其中〈關於短篇小說的兩篇法國議論〉，第一篇巴黎《月報》的社論：〈論短篇小說〉，提及保爾·穆郎（Paul Morand）對於短篇小說的定義，竟和我的意見有許多相近之處，使我感到十分有趣。

　　今年春天，我曾寫過一篇〈談現代的短篇小說〉，論及短篇小說的產生和沿革，以及最近在風格方面的趨勢，我提到兩位短篇小說大師：契訶夫和莫泊桑，我曾說：

　　　　在這兩位大師的努力之下，短篇小說便取得了最完整的形式和內容，而達到了"立體"的地步，不再是平面的敘述了。莫泊桑的法國中產階級的戀愛糾紛，契訶夫的俄國小城市人物的陰鬱，都是用着最敏銳的觀察力，從整個的人生中爽快的切下了一片，藉着這一個片段暗示出整個的人生……

這幾句話，正與穆郎在《短篇小說中興集》的序文中所說的相彷彿：

> 原來短篇小說是一種從現實世界迅速地切下來的一個剖面；它不能把一個人從出世的時候敘起，從根本上來說明，再陪着他到生長的時代；對於人，它只是一個特性或者一個情勢的全力化為行動的最後那一分鐘，變而顯出流動的性質，於是它就使這個特性或者這個情勢，在這個集中它或它的行動裡面活動起來……（李譯）

這正是長篇小說和短篇小說的區別，穆郎所慨歎的，是現代法國短篇小說的藝術品質的低落，所以他編了一部《短篇小說中興集》，收集一些在風格和內容上足以當得起"真正的短篇小說"，以與周刊上流行的商業化的短篇小說相抗，藉以挽救短篇小說品格的低落。

這是法國的情形。但在中國，我們的短篇小說雖沒有"商業化"的危機，但有一個更大的危機已經在侵蝕着我們：這就是，題材的公式化和技術的低落。

"短篇小說"在中國文壇上已成為一個落伍的名詞，大家都稱它作"創作"或"短篇創作"。這本來是一個藝術氣味十分濃重的日本名詞，但目前在這名詞之下的中國創作，已經變成一些千篇一律的刻板文字，不僅沒有"藝術"，而且早已不是"小說"。所描寫的雖是"現實"，但實際早已與人生游離，成為"超現實"，都是一些捏造的公式化的故事而已。

在這情形之下，所以目前刊物上所發表的短篇創作，無論在哪一方面，都較四五年以前的低落，甚而至於趕不上五四時代的初期作品，這實是一個可痛心的現象。但這現象，似乎作家和批評家都固執的不願加以考慮，而且安心的任它發展下去。

身後之名

英國十九世紀末的薄命文人吉辛（George Gissing），生前住在倫敦賣文為活，潦倒不遇，所入不夠生活，有時窮到麵包都吃不起，只以扁豆度日。他的宿處沒有盥洗的設備，每天藉了看報為名，到倫敦博物院閱覽室的盥洗室去解決這問題。盥洗室的管理人發現他天天光臨，而且將那裡當作了浴室和洗衣作，於是這位紳士態度的管理人便在門口貼上一張字條，上面寫着：

此間設備係供偶然盥洗之需而設。

藉以使吉辛自己心裡明白。文字生活窘迫到這樣，真是使人慨歎。吉辛在生前曾時常希望似的歎息：

我如果能吃得飽就好了！

這是他一面餓着肚子，一面又在寫文章時的歎息。從這上面，可知他一生從文字所換得的生活如何了。

吉辛秉性孤高，寫文章不肯俯合時流，所以不為當時的讀者所認識，以致衣食不全，潦倒終身，但是自從他去世以後，他的輕鬆的散文，嚴肅的文體，漸為世人所愛好，聲名竟一天一天的大起來。以前在文學史上沒有餘地可容的他，現在也漸漸佔着顯要的地位了。

現在有許多人愛讀吉辛的文字，誇讚他的文體。他的遺作都從新印行，甚至版本收藏家都在收買他的原版舊書。他的一冊小說《黎明中的工作者》的初版本，在當時也許是標價一便士還無人過問的舊書，一九二九年在美國古書市場上竟賣到八百五十元美金的高價。

吉辛在九泉之下，如知道這情形，生前連肚子也吃不飽的他，死後他的一冊書竟賣到八百五十元，對於這身後之名，我不知道他是微笑還是痛哭。但無論怎樣，從同樣以文字為生的我們看起來，這誠是一件值得咀嚼的事。

我們是該迎合時流，以期眼前的溫飽，還是為了自己文字的永久生命，寧可忍受生前的冷落和飢餓？

吉辛有一冊《越氏私記》(*The Private Papers of H. Ryecroft*)，是目前最為人傳誦的散文集。這冊書是他假託一位作家辛苦一生，僅能溫飽，因此從不曾寫過一篇滿意的文字，一切都是餬口之作。晚年忽然得了一筆遺產，可以衣食無憂，不必斤斤以文字謀生，於是便發誓要寫一部不是為書店老闆，不是為讀者，而是為作者自己意興所至的著作，於是便寫成了這部隨筆。這是吉辛的假託，同時也可說是他一生最高的幻想。

郁達夫先生很賞識這書，施蟄存先生和我也有同嗜。不久以前聽說他要將這書譯成中文，不知已着手未？《無相庵隨筆》的風韻，正是最適宜移譯吉辛這部名作的。

《米丹夜會集》

一千八百八十年四月間，普魯士的軍隊攻入巴黎的十周年，巴黎文壇出現了一部可注意的小說集，書名是《米丹夜會集》（*Les Soirées de Médan*），一共六篇短篇小說，由六個作家執筆，題材都是類似的，各人都採取着普法戰爭中的一段軼聞。

這六個作家，領銜的正是那時以《小酒店》和《娜娜》奠定了自然主義基石的大師左拉，其餘是：莫泊桑、荷斯曼、阿立克西、薩爾德和海立克五人，都是那時剛建立不久的自然主義旗幟之下的鬥士。

關於這小說集的形成，莫泊桑曾有一段有趣的記載：

在鄉間的一個美麗的夏季黃昏⋯⋯我們之中有人剛從河裡游水上來，有人頭腦裡充滿了大計劃剛從村外散步回來。

在悠長的晚餐（因為我們大家都是饕餮者，而左拉一人就擁有三個小說家的食量！）的悠長消化時間中，我們便談話。左拉告訴我們他的未來的小說，他的文藝見解，以及對於一切的意見。有時，近視眼的左拉，在談話之間會突然擎起獵槍向草叢（我們騙他是鳥雀）打去，詫異着自己怎麼老是打不中什麼。

有時我們釣魚。海立克對於此道最出色，而左拉老是失望的釣些舊皮靴上來。

至於我自己，有時躺在"娜娜"（舟名）之上，或者游水，阿立克西四出散步，荷斯曼抽香煙，薩爾德則說鄉間毫無趣味。

在一個溫和可愛的晚間，月色正濃，我們正談着梅里美的時候，左拉突然提議大家講故事。我們好笑，但決定為留難起見，第一個人所採取的形式，其他的人必須遵守，雖然故事內容各自不同。

於是左拉便講了那戰爭史中可怕的一頁，那"磨坊之役"的故事。

他講完之後，我們大家都喊道：你該立刻將這寫下來。但是他笑道：我早已寫好了。

第二天輪着我，這樣輪流下去，阿立克西使我們等了四天，說是怎樣也找不到題材。左拉說所講的很別緻，提議我們將這寫成一部書……。

這便是《米丹夜會集》的產生。那時左拉正住在米丹鄉間，這一群作家每晚來聚談，為了紀念左拉夫人殷勤的招待，所以他們決定取了這書名。

收在這書裡的小說，左拉是著名的〈磨坊之役〉，莫泊桑是那使他一躍成名的傑作〈脂肪球〉。〈磨坊之役〉是敘述普法兩軍爭奪一座磨坊，磨坊主人和他的女兒女婿，為了掩護退卻的法軍，不肯為普魯士軍隊嚮導，怎樣犧牲了生命的故事。〈脂肪球〉是一位名妓的綽號，她為了她的高貴的同胞們得以安全通過普軍區域，自己向普軍軍官犧牲了自己肉體，那班高貴的士紳淑女們在事前請求她為他們犧牲，但是當"脂肪球"從敵人的軍官那裡宿了一夜，獲得全體安全通過的允許回來的時候，大家又都一致的瞧不起她了。對於上流社會的自私和偽善，莫泊桑嘲弄得極殘酷，而將這妓女寫得極偉大可愛。

　　一八八〇年正是法國全國一致要向普魯士人復仇的時候，這書的出版，立時就獲得了廣大讀者的擁護。

《摩西山的四十日》

　　《摩西山的四十日》的故事，是說在歐洲大戰時期，在一九一五年的夏天，在戰雲彌漫最烈的時候，鄰近土耳其邊境的亞美尼亞幾個小村莊，突然接到土耳其的哀的美敦書，說是這幾個村莊的亞美尼亞人的存在，足以妨害土耳其的安全，叫他們全部立刻遷移，遷到很遠的一個偏僻荒地去暫住，直到戰爭結束了再回來。話雖然這樣說，雖然也給他們指出了一個目的地，但是實際上他們的目的地就是死亡，是土耳其人對於他們有計劃的侵略而已。面對着這不可抵抗的暴力，馴服的亞美尼亞人突然感到被異族壓迫的屈辱，於是在死神的翼下，這全體的亞美尼亞人，七個村莊裡約五千左右的同族的人，燃起了抵抗的熱情，寧為玉碎，不為瓦全，帶了所有的武器、子女和牲畜傢具，逃上瀕海的摩西山的頂上，在這絕地上，盡力佈置可能的防禦，準備反抗土耳其人的屠殺。

　　一位牧師，一位從巴黎回來的亞美尼亞的軍官，便做了這一群被悲慘的命運迫到絕路的人們的領袖。

　　在土耳其人的炮火下，在飢餓與疾病的掙扎中，在血與肉的搏鬥中，面對了不可逃避的死神的威脅，這五千個亞美尼亞人在山頂上抵抗了四十日，差不多死盡了，直到偶然一個機會，一隻法國兵艦從山崖下經過，才將殘餘的人救了出去。

這種為了異族的壓迫而抵抗的英雄的悲劇，是歐戰近東方面令人泣下的一段悲壯的史實。

一九二九年左右，一位現代德國詩人魏費爾（Franz Werfel），偶然聽到了這段故事，知道是一件驚天動地的絕好的資料，便用他生動的筆，史詩的敘述力，深邃的人性解剖，寫成了一部八百頁的小說 ——《摩西山的四十日》。

魏費爾是猶太人，在這部小說裡，他深深的貫注了自身種族沉痛的悲哀。

潛在人性裡的反抗的種子，在無可退讓的境地中便會迸出燦爛的火花來，泯去一切隔膜和尊卑，而在生與死的邊緣上，為了不能忍受的，精神上的侮辱，來一場團結的忘命的鬥爭，這正是魏費爾這部小說裡所包含的精神。

可愛的斯蒂芬遜

　　如果文學作品是枯寂的人生的安慰，那麼，作家在精神上正是我們的朋友。有些作家喜愛從自己的作品中將自己隱藏起來，有些作家卻愛盡力的在作品中將自己的成分注入。前者是畏友，你崇拜他，你敬仰他，但是你不敢過於和他親近。後者卻是密友，你覺得他在將他的心腹告訴你，你也可以將自己的哀樂寄託給他。沒有人敢說但丁、歌德，或者莎士比亞是他的朋友，但是對於斯蒂芬遜，《金銀島》的作者，英國近代最可愛的一位小說家，凡是熟悉他的作品的人，都樂意而且安心將他引為是自己精神上的朋友，不誇張也不僭越。

　　我正是一個喜愛斯蒂芬遜的人。英國小說很少使我耽讀不厭。我對於狄根斯很淡漠，我厭惡司各德。高爾斯華綏的鄉紳氣息使我窒息，康拉德的有鹹味的海上人物略略使我神往，但對於斯蒂芬遜的作品，我可說全部愛好。固然，他的小說的濃重浪漫氣息能使人神往，但重要的還是他灌輸在一切作品之中的那種親切感。他用一種親切的態度敘述他的故事，他也用一種親切的態度發表他的意見。他從不謾罵或者譏刺，他至多是懇切的向你勸導而已。

　　斯蒂芬遜最愛寫信。這也是使人感到這位作家的親切可愛的原因之一。他遺下的四大卷書信集，其中瑣碎的訴說他日常生活，健康態度，他的作品構思和寫作的經過，他對於朋友們作品的批評和感想。心情不好時，他在紙上叫苦連天；身體健康而心情愉快時，他便連園外草叢中白狗養了幾隻小狗的瑣事，也詳細的向他數千里外的祖國朋友們報告。

這些書信，你讀起來你便覺得他好像是寫給你的一樣。你不由的要幻想，你的生活中如果也有一位這樣的朋友，人生將是一件怎樣樂事。但你可不必慨歎，你只要將他的作品隨便翻開，你便覺得他的信已經是寫給你的了。

這樣，這位作者和他的作品便成了許多人的親切的朋友，也成了我的朋友。

斯蒂芬遜的健康不好，他的全部的重要作品可說全是在病中寫成，正如他在逝世前一年（一八九三年）寫給喬治‧梅里狄斯的信上所說：

> 十四年以來，我不曾有過一天真正的健康；我總是病著醒來而又疲憊的去就寢；可是我不畏縮的幹著我的工作。我躺在床上也寫，不躺在床上也寫，在病中寫，在咯血時也寫，咳嗽難忍時也寫，頭腦暈眩時也寫；支持得這樣長久，我覺得我好像已經得勝，重行獲得我的健康了……。

這種情形，使人覺得他的作品更加親切可愛。因此，如果近來在美國流行的：“如果你單身住到一個無人的荒島上去，只允許你攜一本書去，你將攜誰的著作？”這問題到我面前時，我便要毫不躊躇的回答：

“斯蒂芬遜！”

談普洛斯特

　　研究社會科學的人，無可避免的總要提及馬克思的《資本論》，但是認真讀完三卷《資本論》的人百不得一，能翻完第一卷書頁的人已經很難能可貴。同樣，研究現代文學的人總愛提到馬賽‧普洛斯特（Marcel Proust）的大名，其實，很少有人翻完過他的七卷大著《過去事情的回憶》的第一節。

　　"馬賽‧普洛斯特是現代作家中被談論得最多而讀得最少的人。"這句話正是真理。

　　《過去事情的回憶》是號稱近代法國小說中最難讀的一部小說。一共有七大卷。它的難讀，並不由於卷帙長，而是由於文字的艱澀。美國的華爾頓夫人，普洛斯特的研究家，曾說得很好：《過去事情的回憶》是一部具有德國作家沉重的風格的小說。它使人難讀，並不由於它的長，而是由於它的深。現代小說讀者要求長的長篇，但是僅願作者觸及生活的表面。普洛斯特的小說，它的長度正與它的深度相等。他在探尋人物內心的活動，因此遂為現代讀者所不能咀嚼而搖頭了。

　　《過去事情的回憶》，所描寫的是巴黎已消滅了的貴族和舊時資產階級的生活，王子、公主和貴族命婦一流人物的生活和醜史。年輕時代的普洛斯特正在這一群中混過，這裡面正有着濃重的自傳成分。他的小說着重於內心分析，人物的活動不過是他所要描寫的精神活動的佐證而已。在這方面，普洛斯特是承繼着他的前輩斯坦達爾的遺產，遠在喬伊斯的《優力棲斯》之前，為現代小說着重於內心分析的大路奠下了第一塊基石。

人們因為僅是談論普洛斯特和他的著作，而不實際上動手去翻閱他的作品，因此遂有許多傳說圍繞着這位作家，種種奇怪的關於他的傳說。

前年的紐約《星期六文學評論》曾刊了一張文藝諷刺畫，畫面是漆黑一團，一無所有，而標題卻是：

　　據說普洛斯特這樣在黑暗中著作。

這玩笑並不十分過份。因為普洛斯特確是怕見日光，而且夜間工作的。他得了氣喘症，怕見白晝，怕冷，怕嗅一切的香氣，怕聽任何聲音。他明白自己的壽命不長，為了必須趕緊從事著作起見，便謝絕一切的沙龍應酬和交際，將自己關在一間公寓的房間裡，與外界一切隔絕，而生活在“過去的事情的回憶”中。他怕聽聲音，將房內四壁鋪上軟木，穿起厚大衣，點着極小的燈光，白晝睡覺，夜間卻起來工作。他在午夜接見朋友，像梟鳥一樣的隱在朦朧的燈光和臃腫的衣服之中談話。

普洛斯特對於自己著作中所涉及的瑣事和細物，十分認真仔細。據說他為了要描寫某一頂帽子，曾在半夜打電話給這頂帽子的物主某夫人：

　　“親愛的太太，你如果肯將我從前戀愛你時你所戴的那頂有紫羅蘭的小帽子給我一看，那將是我最愉快的事。”

　　“可是，親愛的馬賽，這已經是二十年以前的事了。我已經沒有這帽子。"

　　"噯，太太，我知道你不肯給我看。你存心捉弄我。你使我十分失望。"

　　"我再對你說，我並不曾將舊帽子保存。"

　　"但是 D 夫人卻將一切舊帽都保存的。" 普洛斯特還在執拗的說。

　　"那固然很好。但是我並不想開博物院。"

　　這樣的性格，造成了普洛斯特和他著作的聲譽，但是卻很少有人有勇氣去翻開他的作品。

法朗士的小說

　　有一時期，我頗愛讀阿拉托爾・法朗士的小說。我盡可能的搜集所能買到的他的小說，貪婪的一本一本讀下去。這樣，他的三十幾冊小說，我差不多讀了五分之四。

　　其實，我並不完全喜愛法朗士，我最厭惡他對於歷史和考古知識的賣弄，以及一大套近於玄學的幽默。如最為一般文選家所稱道的短篇代表作〈仇台太守〉，正是最使我頭痛的一篇小說。反之，他的巧妙的處理故事的手法以及隨時流露的文字風格的精緻，使我覺得他不愧是跨立在新舊時代的鴻溝上的最後的一位大師。法朗士死後，無疑的，法國文學史是結束了最光榮的一代而開始另一個時代的敘述了。

　　我並不愛好華麗的《紅百合》。這部小說像是一間新油漆的客廳，輝煌得使人目眩，但是並不使你感到親切。我當然愛好美麗的《黛斯》，可是其中的一部分，關於古代宗教的玄學的敘述，又使我頭痛了。

　　我最愛讀的一部法朗士的小說，乃是他的古意盎然的《波納爾之罪》。當然，這是矛盾的。《波納爾之罪》正是法朗士最賣弄他的博學的一部著作，使他選入他所厭惡的"法蘭西學士院"正是這部著作，但我覺得他在別的著作中發洩的"書卷氣"，在這部小說中卻十分調和，反而增加它的可愛了。

　　誠如小泉八雲所說，年老的愛書家波納爾，坐在書城中，向他的愛貓訴說着他的珍藏，一面心中在燃燒着一縷怎麼也不會滅熄的絕望的戀情。在法朗士的筆下，這可珍貴的人類的至情，實在被他寫得太使人不能忘記了。小泉八雲的這句讚語，恰好說明了我愛好這部小說的原因。

　　法朗士的父親是開舊書店的，出身於這樣環境的他，耽溺於一切珍本古籍和考古知識的探討，早年便寫下了這樣古氣盎然的小說，正不是無因。然而正因了這種氣氛，有些年青的批評家便攻擊法朗士，說他不是現代意義的"作家"而是書呆子，他的著作不過是舊書的散頁和考古學的堆砌，實是說得太過份一點了。

　　"讓我們愛好我們所中意的著作，而停止對於文學流派和分類的麻煩。"法朗士同時代的批評家拉馬特這句話，正是一位真正的文學愛好者的所必具的要件。

莫泊桑與福樓拜

　　　　無論你所要講的東西是什麼，能表現它的句子總只有一
　　句，也只有一個動詞，一個形容詞足以形容它。你必須要尋
　　到這唯一的一句，唯一的動詞，唯一的形容詞而後已⋯⋯

　　這是自然主義大師福樓拜指導當時他的後進莫泊桑的話。

　　在文學史上，沒有一種師生之間的指導和尊敬，先輩對於
後進的提拔和獎誘，勝過福樓拜和莫泊桑二人之間者。

　　被譽為短篇小說第一人的莫泊桑，不僅在文體上受着他先
生的影響，而且更在福樓拜嚴厲的指導之下，受着觀察人生和
一切事物的訓練。福樓拜也許早已看出莫泊桑的才幹，但他始
終是在不過獎也不過抑的態度下勉勵他，為這青年作家叩開文
壇上的門戶。福樓拜第一次遇見莫泊桑，就對他說：

　　　　我還不知道你究竟有否才幹。你給我看的東西，證明你
　　有相當的聰明。但是不要忘記，少年人，正如布封所說，所
　　謂天才，實只是長期的忍耐而已。

　　對於年青的莫泊桑，福樓拜所以這樣悉心指導的原因，
除了他發現莫泊桑具有小說家的天才之外，還有私人的感情在
內。福樓拜在早年，曾經從莫泊桑的叔父手下受過文學上的訓
練，他終身不忘。叔父死後，福樓拜便移愛到侄兒莫泊桑的

身上，又因了莫泊桑的像貌與他叔父相似，這更牽繫着他的舊情。福樓拜接受了莫泊桑母親的託付，為她的兒子作文學上的導師以後，曾經寫過這樣的信給她：

　　一月以來我總想寫信告訴你，我對於你兒子所生的感情；他懂事而且聰明；用一句時髦話說，我覺得我和他正是氣味相投！

　　雖然我們年齡不同，我卻將他當作我的朋友。此外，他更使我想起阿爾費特！有時，相像的程度簡直使我吃驚，尤其當他低頭誦詩的時候。

因了這種原故，福樓拜便以嚴師而兼畏友的精神，悉心指導莫泊桑寫作，為他介紹稿件，更為他介紹職業。在當時的法國文壇上，雖然有着新起立的左拉威脅着他的地位，但是福樓拜堅信他的弟子決不會辜負他的期望，一定有一個光榮的前程。

從下面的話中，我們可以看出福樓拜怎樣將自然主義的衣缽傳給了他的弟子：

　　重要的是，你必須細心研究你所要表現的一切，直到你發現任何人所不曾見過或說過的特點。每樣東西總有一點隱藏着的未被發現之點，因為我們觀察事物，向來慣用未見實物之前的自己想像所得混合其間。最小的東西也會包含一些未知之點，讓我們來發現這特點……這方法使得我能將一個人或一種物件用簡單的幾句話就可以描出他或它恰當的特點，使他或它可以和同類的一切決不相混。

　　當你經過一個坐在店門口的雜貨店老闆，或者含着煙斗的看門人，或者馬車站前馬匹的時候，你必須將這位老闆及看門人的地位，他們的身材容貌，以及從你想像中所獲得的關於他們的天性和性格，一一顯示給我，使我決不致和任何其他雜貨店老闆或看門人相混。用一個簡單的字，一句話，使我知道那匹馬何以和其他的五十匹馬不同。

這就是莫泊桑從福樓拜所受的可貴的教訓。

愛倫·坡

在這初寒的冬夜，圍着爐火，在燈下讀愛倫·坡的小說，該是一件樂事。四周是荒涼，寂靜；風聲低低的掠過樹枝和屋瓦，壁間有一隻耗子瑣碎的響着；這一切，正與愛倫·坡的每一篇小說的情調相脗合。

坡的小說，文字的晦奧和艱澀，正與他的陰鬱凄暗的內容相仿。所以你始終要聚精會神的去細細咀嚼，因而心情也特別的緊張，無形中加濃了他的小說所給予讀者的特有的氣氛。但是你若匆匆的打開他的小說，預備像吃一碗甜菜一樣的滑下去，那你不僅領略不到坡的好處，而且連故事的概念也很模糊，立刻就要打呵欠了。

所以愛倫·坡很不易讀，因此中國也不很流行，只有近十年以前的北平沉鐘社的幾位先生曾為坡出過一個特刊，可說是中國僅有的一群坡的愛好者。

愛倫·坡是美國作家，而他的作品卻帶着法國人的氣息，他的影響更在歐洲大陸而不在他的本國。在美國，無論在他生前或死後，愛倫·坡僅是一位怪人酒徒、軍官學校的革退生，寫過幾首詩和短篇偵探小說而已。但在法國，波特萊爾卻為他的奇才所驚服，因為他們正是一樣，都是 ——

死的山陰所散出來的七弦琴的迴響

愛倫‧坡正是一位具有鬼才的作家。他的小說，都是他的詩的變形。他着重於情調和氛圍氣的製造，故事的發展還在其次，因此他的小說被攝了電影以後，銀幕所現的僅是他的糟粕，真正的成了"奇情偵探恐怖故事"，完全失去愛倫‧坡的風格了。

在愛倫‧坡的筆下，短篇小說第一次被人予以充分的注意，成了一種獨立的藝術，不僅在美國，他正是英文文學中僅有的一位短篇小說家。

關於愛倫‧坡的傳記，作者很多，但好的卻少。到目前為止，最詳最好的一部，該是亥菲‧愛倫（Hervey Allen）的《伊撒拉費‧愛倫‧坡的生活和時代》，愛倫本是小說家，他的這部傳記是九百頁的巨著，關於愛倫‧坡的顛沛的一生和著作，是講得最詳盡正確，而且也是最同情的一部。

天才與悲劇

前年冬天，當代"舞之詩人"亞歷山大·查哈洛夫過滬時，曾在蘭心戲院表演，我去看過一次。也許我對於西洋音樂的了解不夠，我只看中了蕭邦的幾隻小曲節目。蕭邦帶着東方色彩的空想和輕鬆的風味，完全由查哈洛夫夫婦的動作表現出來了。此外，我還愛上了查哈洛夫自己設計的 Pirrot 的舞台服裝：黑假面，色彩錯綜的小丑服裝，那完全是一幀畢加索的得意之作。

想起查哈洛夫，我更想起逝世了的鄧肯。鄧肯也是最愛蕭邦音樂的，據說凡是蕭邦用音樂所表現的人類一切情感，無不被鄧肯用她有韻律的動作傳達出來了。鄧肯於一九二七年在尼斯被自己的圍巾纏住車輪絞死，明年將是她的逝世十周年紀念。鄧肯死後，古典的希臘舞藝已從舞台上消逝，沒有人能傳她的衣缽。

有許多人愛讀鄧肯自傳，中文譯本出來後也吸引了不少的讀者。這書雖然僅寫到她的勝利，而且有不少誇張的地方，但終是一部難得見的著作。鄧肯是天才，她的一生是一齣悲劇，正如她自己所說：

我的一生受着兩種原動力的支配 —— 戀愛和藝術 ——

戀愛時常摧毀了藝術，而迫切的藝術欲望又時常使我以悲劇結束我的戀愛。這二者正是不能一致的，只有永遠的爭鬥。

鄧肯的這幾句話正代表着她的一生生活。她注重藝術，也重視戀愛，於是一生始終在悲劇的情調中生活。她的兩個可愛的孩子在巴黎無端乘汽車翻入河中，她和蘇聯詩人葉賽寧的離合，無一不象徵着她在舞台上所表現的一切。

她很愛葉賽寧。但是，葉賽寧是一位穿了革命服裝而懷着一顆浪漫心臟的詩人。他憧憬着鄧肯能為戀愛而犧牲藝術，哪知鄧肯的心情正相反，她寧可為了藝術的生命而以悲劇結束戀愛。葉賽寧本已失望於革命，他覺得革命並沒有他想像中的那種色彩和光耀，現在又從戀愛的夢境中失敗，他明白自己生得太晚了，這個世界已不是屬於他的世界，於是便悄悄的吊死了。

這是近代藝術的雙重損失。葉賽寧不自殺，可以成為一位最有才能的俄羅斯田園詩人。鄧肯不因精神上的打擊而遭受意外，古希臘莊嚴靜穆的舞藝將因她的努力而復活起來。但命運的悲劇卻結束了這兩位天才的生活。

《獵人日記》

　　我很愛讀屠格涅夫的《獵人日記》。並不是因為這書的力量曾使沙皇釋放了農奴，卻是喜愛其中關於森林、沼澤和天氣的描寫，使人對於俄羅斯的田野起一種親切的愛好。當然，《獵人日記》的偉大並不在此，但這些地方正是使這部書成為一件藝術作品的要素。

　　屠格涅夫在早年曾說過這樣俏皮的話：

　　　　詩人正好像蛤蜊一樣，除非好到透頂，否則便一錢不值。

　　他早年頗有希望成為詩人的野心，也許後來發現自己不能成為最好的蛤蜊，所以才轉向小說方面。《獵人日記》中關於自然的描寫，以及晚年所寫的散文詩，正是他詩人才幹的閃耀。凡是讀過這作品的人，沒有不為他美麗的文筆所吸引；他的地主、農奴、鷗鴣和獵狗，便在這樣的背景裡移動。

　　一枝美麗的筆，正是一位小說家最重要的工具。細膩並不等於纖巧，雄壯並不等於粗野；就是粗野，也不是粗糙；這裡就是才能和藝術修養深淺的區別。我們現在所讀到的青年作家的作品，無論是描寫破產的農村也好，描寫淫靡的都市也好，總沒有一點成熟的徵兆，更談不到才能的光輝；這都是還不曾備具成為一位作家的必要的基礎之故。這樣的作品幾乎使人不能卒讀，那裡還談得到效果和受感動。近來有人歎息創作的水準日漸低落，這就是因為每一隻蘋果都是不曾成熟就從樹上摘下了。

屠格涅夫的《獵人日記》據說費了十年收集材料之功，隨時隨地記錄着一切可用的印象和感想。他並不是為了要解放農奴才寫《獵人日記》，卻是因為他所描寫的事實使得農奴釋放了，這正是藝術的力量。

中國目前有着無數可以成為不朽的文學作品的素材，但是沒有一位作家肯注意培植自己寫作的修養和能力，只憑了一點淺薄的觀念去虛構題材，去捏造人物，於是我們文壇上一面"貨棄於地"，一面又在嚷着貧乏！

亞剌伯的勞倫斯

　　現代英美人士，沒有人不知道"亞剌伯的勞倫斯"（T. E. Lawrence）這個人的。這是一位神秘的英國人，身邊圍繞着許多層出不窮的傳說。他是軍人、探險家、考古家、學者、詩人，甚至奸細、賣國賊。他在大戰之前奉了政府之命到近東去考察。他掀動亞剌伯人的叛變，同時又收服了這沙漠中的人心。為了和平會議上對於亞剌伯人的不平，他公然拒絕了英國皇帝的勳章。他的唯一官銜是"大佐"，但這還是為了便於乘用軍事列車他才接受的。英國有人奉他為遠征軍的民族英雄，但又有人說他是出賣祖國利益的叛徒、奸細。他同時又是飛行家、旅行家。曾經從飛機上跌下過七次，一天有二十三小時乘了機器腳踏車在沙漠中疾駛。

　　在這一切之外，勞倫斯是牛津出身，在一生的驚險動亂之中還從原文翻譯了荷馬的《奧德賽》，寫下了許多札記和日記，出版了一冊現代的奇書：《智慧的七柱》（Seven Pillars of Wisdom）。

　　這本書的產生正恰好象徵着勞倫斯不平凡的一生。

　　在巴黎的和平會議期中，勞倫斯開始寫這部大作。他已經寫好了二十五萬字左右，有一天，在倫敦附近乘車歸來的時候，全部原稿忽然不翼而飛了。他原是根據自己歷年的札記寫的，札記隨用隨毀，現在原稿既失，這一切材料也同時喪失了。唯一剩下的是一篇序文，於是他憑了自己的記憶，以及殘留着的其他的資料，以三個月的時間又另寫了一部，這回竟寫成了四十萬字。一年以後，他自己發覺寫得太匆促，竟將全部原稿付之一炬，只留下一頁。第三次，這次他仔細的寫下了三十多萬字，又加修改刪除，剩下二十萬字，這才算是《智慧的七柱》的定稿。

勞倫斯本無意於著作，這部書完全是為了朋友的邀請而寫，寫成後隨即在倫敦由私家印行出版，冊數和定價無人確知，僅知印數極少，定價也極貴。在美國則印了二十部，定價每部美金兩萬元，因此一般人不僅不曾讀過這書，連知道封面是怎樣的人也很少。

其後，勞倫斯為了經濟上的難關，曾採取了這書的材料另寫了一部《沙漠中的反叛》（*Revolt in Desert*），實只是原書的十分之一而已。《智慧的七柱》全書始終不曾公開發賣過，直到去年，勞倫斯去世後，才第一次以定價美金五元的普及版，公開給一般的讀者。

《智慧的七柱》是一部從軍日記、旅行記、探險記，和隨感錄的集合體，文章寫得極美麗生動。"亞剌伯的勞倫斯大佐"（他有時署名為 T. E. Shaw），在一切之外，他同時還是一位文體家。

關於勞倫斯的著作，還有一段可貴的軼聞。他的《沙漠中的反叛》在英國將出版時，出版家向他獻議，為了使他的讀者們對於他的著作所有選擇起見，請他將他的日記和札記再整理一些出版，勞倫斯滿口答應，第二天攜了原稿去見這出版家，同時提出了他的條件：

稿費一百萬金鎊，同時每冊書另抽百分之七十五的版稅。

出版家目定口張，幾乎嚇得昏了過去。這就是勞倫斯的行徑。

海涅畫像的故事

　　　　請放一柄劍在我的棺上，因為我曾經是人類解放戰爭中的一員戰士。

　　不容於祖國的詩人海涅，在他的一首詩中，曾經這樣的要求過。海涅是猶太人，一百年後他的族人在今日德國所受的虐待，他在當時早已身受過。他的著作不僅隨時遭禁，而且不得不流亡到巴黎。但同時他的祖國卻無人不吟詠着他的情詩，玩味着他的幽默。

　　海涅不僅是詩人，而且還是一位一流的散文家，他的書信和旅行隨筆正與他的抒情詩一樣的美麗，再加上他的一顆受着創傷的心，滿腔的熱情，顛沛的一生，因此世上正有不少"海涅狂"的人，珍視着和他有關的一切。

　　奧國的女皇伊利沙白在生前就是一位著名的"海涅狂"。她為海涅建立雕像和紀念碑，更收藏着關於這詩人的一切。據說在一八八四年左右，德國有一家刊物發表了海涅在生前不允發表的回憶錄，其中附了一幀海涅的畫像，也是外間從未見過者。隔了幾天，這幀畫像的收藏者恩琪爾先生忽然接到了女王的一封來信，信上簡單的寫着：

　　　　你正是我所要買的一幀海涅畫像的物主。將價錢說出來，我即照付。

女王是以收藏"海涅"著名的，而且她的話就是命令。恩琪爾先生知道他這時只要說一個價目，他也許就可以藉此享半世福。但他也是愛好海涅的人，考慮了一下，他就這樣寫了一封回信：

誰也不將海涅的肖像出售。

女王立刻明白了來信的意思，知道不可勉強，她於是很客氣的寫了一封信去，信上說："我了解你。凡是海涅的愛好者，誰都不忍和他的東西分手。但是，請允許我這一點請求，因為我也正是一個海涅愛好者：可否將你的藏品借給我，以便臨摹？我決慎重護持，用後立時奉還。"

這當然不能再拒絕。於是過了幾天，便有一輛皇室的馬車來到恩琪爾的門口停下，再隔四星期，這幀畫像又物歸原主，伊利沙白女王還附了一封道謝的信，報告臨本臨得很好，現已掛在她的書齋中，每日可見。此外，她又附了一枚巨價的貓眼石，一隻鑽石胸針，作為借畫的酬謝。

海涅確是一位值得這樣愛好的詩人。他的晚年的殘疾，尤其使人心痛。他從一八四八年起，差不多因了筋骨痛就漸漸不能行動，終於成了半身不遂症，盲了一目，纏綿病榻，直到一八五六年才去世。他自己慨歎這幾年的病榻生涯為"床褥上的墳墓"。

一八四八年，就是他發病的那一年，他於五月間到盧佛美術館去走了一趟，歸後即臥病不起，可說是海涅一生中最後一次的出外。關於這事，他自己曾有一段淒涼的記敘：

很困難的，我將自己拖到了盧佛宮，走進了那輝煌的廳堂，我們所鍾愛的“彌羅”，這永遠受人祝福的美之女神所站的地方，我幾乎癱了下去。在她的腳下，我躺了許久，盡情悲泣了一陣，我相信大約連石人也要哀憐我了。女神似乎憐憫的望着我，但是並不慰藉，好像在向我說：你不看見嗎？我並無手臂，因此我也無法幫助你。

末一句是垂淚中的微笑，正是海涅式的幽默。

略談皮藍得婁

我已經屢次說過，我對於戲劇很生疏，而且有一個不愛讀劇本的習慣。這固然是世上好的小說太多，使我讀不勝讀，無暇顧及劇本，但讀劇本像讀偵探小說一樣，須有一個很大的耐心，靜待戲中情節的發展。我正是一個缺少這樣耐心的人。

因此，對於最近逝世的皮藍得婁，我不僅很生疏，而且不配談。我僅從外國定期刊物上讀過他的一些短篇小說（他寫過很多短篇，該有四百多篇，而且寫過一部如《十日談》的故事集，擴大為三百六十多篇，每日一篇，恰夠一年）。劇本方面，我僅讀過徐霞村先生的譯文：〈六個尋找作家的劇中人物〉，以及〈嘴上生着花的人〉，徐先生才是中國僅有的"皮藍得婁家"，但近年似乎對他也很淡漠。他是將皮藍得婁介紹給中國的人，目前該是他了卻這一重公案的最好機會了。

皮藍得婁是意大利人，現代意大利作家自然逃不出莫索里尼的掌握，因此皮藍得婁從一九二四年以來就加入了法西斯蒂，但他對這主義並不十分起勁，他的悲觀哲學更不能使莫索里尼完全滿意，因此這兩人始終是在一種不十分和諧的默契中。莫索里尼一面請皮藍得婁入意大利學士院，一面又不時禁止他的劇本上演。

皮藍得婁在意大利，正如易卜生在挪威，斯特林堡在瑞典，契訶夫在俄國，霍甫特曼在德國，蕭伯納在英國，莫耳拉在匈牙利，倍那文德在西班牙，奧尼爾在美國一樣，都是各具特色，獨樹一幟的戲劇家，不僅不相上下，而且正使近代戲劇藉此生色。

在皮藍得婁的哲學世界中，一切都是假的，就是這“假的”也是假的，各人都戴着假面具在活動，有的自以為是，有的取悅於人，而我們真正的“自我”是什麼，就是我們“自己”也不知道。人生都是做戲，有的騙人，有的騙自己，直到有一天來到，感到了厭倦，便一腳將這一切都踢開……

去問一位詩人，什麼是人生最淒切的現象，他將回答：“乃是一個人臉上所現的笑容”，但笑的人不會看見自己。

這正是皮藍得婁的人生觀，也是支持他的作品的哲學。他早年寫了三十年的小說，始終庸庸碌碌，直到一九一〇年無意間寫了一個劇本，才獲得意外的成功，而且在歐洲大陸和美國百老匯的成功，遠超過了在他本國的聲譽。他生於一八六七年，一九三四年得了諾貝爾文學獎金，新近去世，已屆六十九歲的高齡了。

歌德自傳

《浮士德》和《少年維特之煩惱》的著者歌德，還寫過一部不大為一般讀者所知道的散文傑作，便是他題名為《詩與真實》的自傳。

歌德的一生和他的作品有不可分離的關係，浮士德的苦悶正是他自身的苦悶，少年維特的煩惱也正是他自身的煩惱。他的作品中的人物每一個都有來歷，都是他的生活上的紀程碑。因此，這一部出自詩人晚年之筆的自傳，正是理解匿在他一切作品之後的心靈的鎖鑰。

歌德自己曾說，他的早年著作都是為自己而寫，只有晚年的這部自傳，是為了他的朋友、他的國人而寫，以便他們了解他早年的生活和對於作品的影響。他在自序上曾摘錄了一位朋友的來信，證明曾經有人要求他這樣做。這封信的口吻，據一般的考證，實是歌德自己所捏造，雖然當時的讀者和朋友們曾要求他寫自傳是事實。

這部自傳一共分四部，每部五章，從一七四九年，他的出世之日起，到一七七五年，正式受了魏瑪公爵之聘為止，他的二十六年的青年生活，都仔細的在這書裡記敘着。他的家世，他的學校生活，最初的律師職業，初戀的經過，著作生活的開始，一鳴驚人風靡世界的傑作《少年維特之煩惱》的產生經過，都在這部自傳中記敘着。

歌德於一八○八年，五十九歲的時候，就開始擬定寫這部自傳的計劃，但第一部直到三年後方正式出版，第四部直到一八三一年的秋天才脫稿。第二年的三月裡，我們的詩人已經去世了。因此第四部於一八三三年正式出版時，已經成為遺著了。

歌德確曾有過寫第五部的計劃，為他記錄談話的書記愛克曼也曾有過這樣的建議，但他在第四部的著作上所花費的時間太多了，精力和年齡也不容許他再有這機會。

這部自傳，正如題名所暗示，《詩與真實》，包含了歌德生活中的真實，也包含着他生活中之詩的幻想 —— 存在於他的詩中的生活。這種真實的記敘和內心的自由，實為了解歌德的最重要的資料。因此，歌德死後，這書在當時是僅次於《少年維特之煩惱》，獲得無數讀者的著作。歌德在中國很流行，但至今還沒有一部比較完備的歌德傳，更沒有人提及這書，實是我所最不解的事。

文藝當店

讀理查・褒頓（Richard Burton）的文藝小品集，其中有一篇談〈詩人的窮困〉，一篇論〈文藝上的名譽和報酬〉。他歎息作家最大的聲譽常常是在死後才獲得，而作家的"窮"，也被人公認為應該如此。一位詩人如果是富有，他的作品價值立刻就會低落，但世人一面又在歎息詩人的窮困不遇。褒頓說這正是人類可笑的一種矛盾。

據說彌爾頓的《失樂園》的稿費只賣了三鎊，英國十九世紀末的神秘詩人湯普生窮到連稿紙也買不起，他在一家皮鞋店裡當助手，他的詩稿都寫在舊賬簿和貨物包皮紙上，說不定連這樣也還要受過老闆的叱責。作家的窮困，尤其是詩人的窮困，在文藝史上幾乎成了定例，在社會上也成了必然的遭遇，誰也不敢倡導救濟詩人的話，因為"窮"已經成了詩人一件光榮的外衣了。

世上最值錢的東西是作家的原稿，但是同時也是最不值錢的。一隻錶，一本書，一套舊衣服，市場上總隨時有人出價向你收買，但是一疊原稿，在不蒙編輯先生的青睞之前，任是十年之後這將成為世界佳作也好，在目前總換不到一片麵包（外國作家），或是一碗粥（中國作家）。

對於這情形，穆萊（Christopher Morley）在一篇題名〈文藝當店〉（"The Literary Pawnshop"）的短文裡曾貢獻過一個補救方法。他說，目光遠大的文藝掮客，與其在出版家和作家之間賺一點佣金，不如設立一家押當，專收原稿，這樣，未成名的作家的原稿將滾滾而來，當時以一片麵包價格收入的作品，十年之後也許能獲到一千倍以上的利益。但老闆必須要識貨，有眼光，否則這筆生意便難免蝕本了。

穆萊感慨的說，這押店理該由"作家協會"之類的組織去設立的，但他們寧可等你死了給你開追悼會，或者等你得了諾貝爾獎金之後給你開歡迎會，卻不願在你未成名之先給你的作品想一點辦法。

我想，這當店若在中國能實現，那招牌上大約難免要注明"本店專當第一流作家"或"翻譯不收"的。

屠格涅夫論寫作

　　對於早年的屠格涅夫，批評家倍林斯基曾說過，他是長於觀察而拙於想像。這批評，屠格涅夫自己也承認，直到老年，他還是懷疑自己內在的意識而倚重外來的印象。他很羨慕英國作家，他說他們有一種成功的佈局的訣竅，而這種才能卻是大都俄國作家所缺少的。他說他所依賴的是記憶，他不創造人物，他只是從自己和人世的接觸中去發現他們。

　　據說，這是屠格涅夫的習慣，遇見一位生客之後，他便要在手冊上記下他所觀察到的特點。他和左拉一樣，也和一切偉大的作家一樣，不肯放鬆一絲感想或印象，一切都記錄下來，也許到五十年之後才應用，也許永遠躺在他的手冊中，但他必須隨時隨地將生活和他的作品聯繫起來。他曾仔細的研究拉費特關於人相學的著述。客廳、車廂、圖書室，這一切都是他愛好的觀察所。他很重視文件和記錄。他用藝術的熱力將這一切消化了，然後賦予他們以新面目和新生命。一隻水鴨和一位老年農奴的印象同樣重要的存在他的記憶中，他便是用這樣的記憶寫成了《獵人日記》。

　　名著《父與子》的形成也正是這樣。動機不是由於一個意念，而是由於一個人物。他在火車上遇見一位醫生，大談他的醫學，屠格涅夫為這人的旁若無人的態度所吸引，覺得這人正代表着那時正在顯露出來的一種新人物的典型，他頗想用這人寫一部小說。這是夏天的事，到了冬天，他的小說在他心中已經成熟，用了這火車上遇見的醫生作骨幹，再加上他獲得的另一個流放到西伯利亞去的人物的印象，便形成了《父與子》中的主角巴沙洛夫。

對於同時代的青年作家，晚年的屠格涅夫曾說過幾句忠告的話：

> 你們該用全力保存俄羅斯文字的力與美，因為這是給你們的最大的遺產。要真實，尤其對於自己的感覺：從研究上去加深，去發展你的經驗。保持對於一切事物懷疑的自由，切不要陷於任何"教義"的圈套。

屠格涅夫的這幾句話正代表着他自己。因為他正和自己筆下所創造的《處女地》中的列查達洛夫一樣，是一個面對着新生活，但是又不肯立刻就走上前去接受的人。

《死的跳舞》

　　留心西洋木刻的人，大約都知道荷爾賓（Hans Holbein）的傑作《死的跳舞》（*Danse Macabre*），這是以"死"為題材的有連續性的木刻，一共有四十多幅，不僅是最初的木刻連環圖畫，而且是最早的長篇諷刺畫。

　　荷爾賓是德國人，生於一四七九年，他的父親也是畫家，因此這以"死的跳舞"著名的兒子常被人稱為"小荷爾賓"。他除了木刻之外，還是人像畫家，為當時歐洲的各國帝王繪了不少有名的肖像，但他的《死的跳舞》更普遍的為人所愛好，使他與當時的木刻大師丟勒（Albrecht Dürer）齊名，成為中世紀木刻發展的一對先驅。

　　以"死"為題材的繪畫，正是當時十五世紀歐洲流行的傾向。不僅由於宗教觀念，勸善懲惡的寓意：而當時瀰漫於歐洲的天災人禍（瘟疫和宗教戰爭），也使人們對於"死"有一種無可避免的親切。在荷爾賓的筆下，"死"並不是冷酷無情，而是一個嘲弄世情的小丑。他隨時隨地監視着人類，檢點着手中的沙漏，只等時間一到，他便毫不客氣的拖你走，無論你是教皇也好，皇帝也好，農夫也好，小孩也好，他都是一律看待，不分貴賤。

老年人憧憬着一個永久的安息，看見死神來到，他微笑着迎上去，於是死神便小心的扶着他，將他當作朋友，送着他進墳墓。但是一位皇帝留戀着他頭上的王冠，或是一位商人捨不得他的財產時，死神便以冷笑的面孔，毫不留情的拖他走了。死神看透了人類的虛榮和貪婪，於是便以玩世不恭的態度執行着他的職務。

　　這便是荷爾賓的《死的跳舞》的諷刺。他對教皇帝王與農夫水手一視同仁，都受着死神的支配，倒是人類自己對於人世繁華的留戀或達觀，使得死神不得不採用和善或嚴峻的對付。

　　荷爾賓這種態度，當然遭受當時教廷的非議。因此脫稿之後，出版家不敢出版，直到十二年之後這《死的跳舞》才冒着為他雕版的技師的姓名與世人相見。

　　出版後立時風行，因此頗多翻刻，而且畫幅多少不一。但據考證，最正確的該是四十一幅，其餘大都是後來加添進去的，已非荷爾賓的手筆。

割耳朵的畫家

在畫家梵・谷訶的身上，龍勃羅索的話證實了："天才有時就是瘋狂。"谷訶的一生是一幕最可怕的悲劇，然而他的畫卻閃耀着天才的光輝。為了咖啡店女侍的一句戲言，他真的割下了自己的耳朵送上門去，不是瘋人是幹不出的。但是他耳朵上紮着紗布的自畫像，安詳的含着煙斗，卻又是從瘋狂中所產生的傑作。命運的悲劇正是一切藝術的一位知友。

我頗愛谷訶的畫。正和他的好友果庚一樣，他的畫充滿了南方的太陽，向日葵，幾乎可以燃燒起來的熱情的色調。但這一切又都不是空想和浪漫，而是從荒亂的草原或被世間所遺忘了的人們樸素的臉上流露出來的。他的畫，一株扁柏或是一雙破皮靴，他都注入了全身的熱情，於是他便不得不瘋狂了。

谷訶於一八九〇年自殺後，他的弟弟曾將他的遺書整理發表，這兄弟二人的手足之誼是最可羨慕的。沒有谷訶的弟弟，谷訶不僅早已摧殘夭折，而且更不會有這許多作品遺留。根據他們二人之間的書札，美國的歐文・司東（Irving Stone）再參考了其他的資料，前年曾將谷訶的一生寫成一部小說《生之欲望》（*Lust for Life*），這是所謂傳記小說，盡可能的運用着正確的史料，一面卻用小說的手法寫着這個人的一生。歐文・

司東的小說寫得很好，谷訶的悲劇的一生從他的筆下幾乎活現在我們的眼前。他的荷蘭鄉間生活，巴黎畫苑生涯，與他同時代的畫家塞尚、果庚等人的友情，以及不斷的貧困和悲劇，使人從谷訶的生活上更深一步的了解了他的作品。

歐文・司東的小說是前年出版的，今年美國新開的"遺產出版部"（The Heritage Press）將這書又印了出來。"遺產出版部"是出版事業的一種新試驗，他們並不出版新書，專門將好的舊書以精本形式印行，所謂"將過去所遺傳下來的傑作，以可以遺傳給將來的版本印行"，這兩句話正是他們的口號。定價一律，都是不高不低的五塊美金一冊，紙張和裝幀都比得上一般的十元限定版，而且大都附有出自名家之筆的彩印插繪。這出版部去年才開幕，已經出了六部書，歐文・司東的《生之欲望》是第七部。原來並沒有插圖，他們加上了一百五十幀的谷訶作品，其中有十多幅是彩色的，而且是外間不易見到者。原先廣告上曾說以谷訶的畫作封面，但我現在買來的卻是虎黃的真皮面，想是沒有適當的可以印彩畫的封面質料之故。雖失去想像中的燦爛，但卻另有一種溫軟舒適的感覺。谷訶的畫生前只賣五法郎一張，現在竟有人將他的傳記印得這樣豪華，這怕是他瘋狂的腦筋中怎麼也料想不到的了。

一篇小說題材

讀谷訶傳《生之欲望》，使我獲到了一篇短篇小說的題材。

谷訶自己割了耳朵以後，全村將他當作瘋人，傳為笑談，村上的小孩們，每天到他的畫室門外唱着：

> Fou-rou 是瘋子，
>
> 割了自己的耳朵。
>
> 任你怎樣叫，
>
> 他都聽不到！

他將門窗都閉上，小孩子們爬上窗口，將污穢的東西擲進來，向他嘲笑着：

> 把另外一隻耳朵也割下來。他們還要哩：喂，聽見嗎？將你的耳朵擲給我！

谷訶不能忍受，他將家裡一切的東西，他的畫，他的顏料，替代着他的耳朵向窗外擲去，真的瘋起來了。這樣的結果，使得全村都起了騷動，於是便被關進監獄去。清醒了以後，由於他的好友雷醫生的援救，當局答應放他出來，但是要立刻離境。醫生勸他到一家瘋人療養院去靜養，他不高興，他說自己並不瘋。醫生說，正因為並不瘋，所以勸他藉這機會去靜養一下，而且那地方風景很好。

“我可以作畫嗎？”他急急的問。

“當然，一切都任你自由，那裡實際上是醫院而已。”

這樣，谷訶於是住進了聖里美的瘋人院。

他住的是三等病房，同住的已經有十一個瘋人。每人一張木床，有床簾可以隔離，建築很鄙陋，一切都簡單光禿而無修飾。他第一天住進去，發現同住的十一個瘋人都很安靜，大家圍了一架沒有火的火爐坐着，不看書，也不說話，大家只是這樣沉靜的坐着，彼此不相理會，更沒有誰注意他的來到。

伙食很粗劣。菜湯，黑麵包，煮扁豆。大家在一張白木桌上聚食。瘋人們都一聲不響的貪婪的吃着，將麵包屑都聚在手掌心，用舌頭舐着。飯後又靜默的圍了沒有火的火爐坐着，好像在等晚餐消化，然後大家一句話不講的爬上床睡覺。

這情形當然使谷訶很納悶。但是住了兩星期，他發現這十一個同伴每人都有特殊的瘋病，而且幾乎是輪流的發着。有的哭，有的要自殺，有的昏迷不醒，有的擲物暴跳，但是發過以後卻又安靜如常。每當一個同伴發病的時候，其餘十人都立刻從旁照料，若無其事一般的靜待他的恢復，因為他們每人都知道下一次該是誰發病，什麼時候輪到自己發病。

醫生很少來過問。谷訶以一個清醒的腦筋去質問醫生，為何不使他們讀書閱報或談話的時候，醫生給他解釋這理由：

這是他們自己所得的經驗。他們如果一開口，彼此便要爭辯，神經興奮，立刻就有發病的危險。讀書也是一樣，最容易引起幻想和興奮。所以他們知道最好的生活是靜默，彼此靜默。

谷訶這才明白這些人的生活中，不僅有真理，而且彼此還有一種默契和互助存在，並不完全是冷淡和麻木，於是漸漸的他也和他們生活習慣起來，覺得這些人可憐而又可愛。

　　我以為這正是很好的一篇小說題材，因為第十二個發瘋的正是谷訶，他同樣的受到了那十一位同伴的照應。

歌德的教訓

關於歌德和悲多汶二人之間，有這樣一個故事：

一八一二年，兩人第一次在托普立茲會見，那時歌德已經六十三歲，悲多汶也有四十二歲。一個是舉世聞名的大詩人，一個是雄視歐陸的樂聖，兩人當然傾慕已久，而在一個公園內相會。正在談話的時候，突然有人報告說魏瑪公爵和皇后來遊園了，就要從這裡經過，立刻園中遊人紛紛閃開，立在一旁，預備等候公爵一群人從這裡經過時表示敬意。歌德也立刻脫帽在手，和眾人立在一旁，但是悲多汶勸他不必如此，歌德不可，於是悲多汶就將帽子向下一拉，向着公爵一群人走來的路上迎面大搖大擺的走去。結果反是公爵和皇后先向悲多汶招呼。

關於這件事，悲多汶自己在一封信上曾說起：

> 我們看見他們老遠來了，歌德連忙和我分手，站在一旁，說我也該這樣，我無法使他再走寸步。於是我將帽子拉得下下的，扣上大衣鈕扣，雙臂交叉胸前，向他們的人堆中走去。王子和侍衛們都讓開一條路，羅多爾夫大公爵脫下帽子，皇后先向我招呼。達班大人先生們都認識我。我回顧這一群人經過歌德面前時真有趣。他脫帽在手，站在一旁，低低的躬身到地。我着實嘲弄了他一場；我決不留情。

這情形當然使歌德很難堪，於是便終身和悲多汶不睦，說他的音樂"聒耳"，絕對不提起他。

　　歌德所以對於當世的權貴這樣低頭，實是他的生活使然。他從青年時代就做了魏瑪公爵的上賓，出入宮廷，在富貴榮華之中發展着自己的文學生命，因此不得不向他的主人們低頭。但悲多汶卻是一個血裡有反叛種子的天才，自從三十多歲聾了耳朵以後，他的音樂愈雄壯沉鬱，他對於世人的嫉視也愈甚；休說向權貴低頭，他甚至會以生命來維護他藝術上的孤高。

　　但歌德呢？在這事的五年之前，不可一世的拿破倫大帝侵入了魏瑪。他本是《少年維特之煩惱》的愛讀者，據說曾先後讀過七遍，這時便下令召見歌德。歌德已經五十九歲，拿破倫才三十九歲，但是我們的大詩人甘心在這青年的霸王之前低頭。拿破倫向歌德看了一刻，說道："你倒是一個人！"拿破倫這句話的意思是說歌德倒生得不錯。他問歌德今年幾歲，歌德說近六十了，拿破倫笑道："你倒保養得很好！"

　　有人對於這情形加以譏諷，說這樣的一問一答，倒頗像古代羅馬帝王購買奴隸時的對話，這未免過譖。但無論如何，將歌德和悲多汶二人比較起來，我們對於兩人的天才雖然一樣尊敬，但總覺得悲多汶更可愛一點。

　　假使歌德生在今天，不僅胡適之將是他的朋友，我們一定還可以看見歌德和當代許多要人合攝的照片。

左拉的技巧

　　有一種傳說，據說左拉為了要描寫一幕行人在路上被馬車輾傷的意外事件，為了體驗起見，這位自然主義的大師，曾自己親身去嘗試了一次。這傳說或有誇張過甚之處，但我們讀了他對於自己的作品所擬的大綱和札記之後，就知道他在這方面的用力確是驚人。

　　《左拉和他的時代》的作者約瑟夫遜曾將左拉的名著《小酒店》的原稿加以研究。這原稿現藏巴黎國家圖書館中，共分上下二冊，上冊為《小酒店》的最後一次的原稿，下冊是這小說的計劃和當初所搜集的材料，共有二百三十九頁，大約包括下列幾項：

　　（一）整個計劃的大綱（一至第三頁）。（二）詳細計劃（四至九十二頁）。（三）關於酒和酗酒的札記（十三至九十九頁）。（四）關於街道、酒店、舞場等（計劃和札記，九十九至一一六頁）。（五）人物（一一七至一三八頁）。（六）自參考書中所摘錄的材料（一四〇至一五五頁）。（七）斷片（一五六頁至一七四頁）。（八）關於洗衣作、洗衣婦、箍桶匠、銅匠等的札記（一七五至一九〇頁）。（九）零碎材料 —— 剪報 —— 俚語（一九一至二三九頁）。

《小酒店》是左拉的大著《魯貢・馬爾加家傳》的支流之一，是他描寫法國工人生活的第一部小說。從上面的計劃中，可知他為了這部小說曾經花費了怎樣的精力。但不僅這一部小說是這樣，左拉對於所有的作品在未動筆之先都經過這樣的一種工作。

　　他寫小說，必定先決定他的人物的性格，家世和遺傳，然後涉獵一切與這方面有關的著作，記錄隨時遇到的和這有關的見聞，一一分門別類。其次則拋開所得的參考資料，自己對於小說的內容加以擬定，隨想隨錄，由大化小，漸及每一個人物、以及習慣、容貌、關係等，將這一切也逐一記錄起來。再其次則根據上面的擬定，決定整個小說的結構和章節，穿插情節，佈置人物。然後將所獲得的資料分配於所擬定的情節或人物身上，再逐段審查一過。待這一切手續完畢之後，他才正式動手寫他的小說。這時，他其實不是"寫"，是在將材料加以"編輯"。每天四頁，很少改動，寫好後就擱在一邊，直到付印後才過目。

　　左拉的創作方法，正如目前的電影腳本的編輯一樣，先有故事，然後分幕，然後再分鏡頭，等到正式開拍時只要按照腳本的說明逐一拍去就成。

　　初看起來，這種方法太煞風景，似乎不像"藝術"；但用這樣方法攝成的電影在藝術上的成就已經不可否認，那麼，可知在支配材料，剪裁之際，其中已經有藝術手腕存在，決非真正的"文抄公"。

喬治摩亞和三卷體小說

目前的英國小說，每冊售價大都是七先令六便士的標準價，而且是一冊居多，難得有分為上下二冊的。但在四十年前，英國出版界流行的小說一定要分為上中下三冊，而且書價很貴，一部小說的一般定價總在三十先令六便士左右。那時的英國雖處於太平盛世，中產階級的紳士和主婦大都以閱小說消磨時日，但也苦於書價太貴，不勝擔負。同時，出版界流行這種三卷體的長篇小說，有些作家為了湊足篇幅起見，不得不在書中插入許多無謂的故事和插科打諢的閒話，簡直等於沖水的淡酒。這情形當然使得有些嚴肅的作家感到不滿，王爾德就曾對於這種三卷體小說加以譏笑，他說道：

> 誰都可以寫三卷體的小說。只要你對於生活和藝術二者都沒有了解就行。

三卷體小說既然售價昂貴，而且又為作家所不滿，所以還能流行的原因，實因為有當時正在盛行的流通圖書館的組織在支持它。流通圖書館是專門出借小說的，規模極大，取費極廉，勢力遍達各地。當時的小說讀者因了書價昂貴，多向圖書館借讀，很少有費三十先令買一部小說讀的。因此三卷體小說的銷路全仰仗各家流通圖書館，他們差不多包銷着一切新出的小說。如果他們不買，這小說就完全沒有銷路。

流通圖書館既有這樣大的勢力，因此不僅當時的出版家要仰他們的鼻息，就是一般作家也要看他們的氣色，聽他們指揮。否則他們一旦拒絕購買你的書，拒絕出借你的著作，你的書不僅銷路毫無，就是出版家也不肯再接受你的第二部原稿了。

能左右出版界和作家生殺權的這些流通圖書館，漸漸的成了一種惡勢力。他們為了討好和增加訂戶起見，任意要求出版家和作家供給適合他們口胃的作品。經營者又大都是守舊的頑固黨，對於思想上和他們衝突的新作家，輒以有背道德或文字不雅的藉口，拒絕將他們的作品收入出借目錄。當時一本小說如果遭遇各家流通圖書館的拒絕，便等於被禁，所以流通圖書館實際上成了書報檢查當局。

這樣，在一八八三年，喬治摩亞的新著《一位優伶之妻》出版時，便遭遇了這樣的命運，為當時勢力最大的"茂德氏流通圖書館"所拒絕，說是有傷風化。摩亞當時思想激進，對於三卷體小說及其支持者流通圖書館厭惡已久，便立時反抗，乘機加以攻擊，跑去向茂德氏質問，要他指出不道德所在。茂德氏加以拒絕，摩亞怒不可忍，當場指着他罵道：

> 茂德，我要摧毀你這整個的事業！我下次的新書將以廉價發售。我要訴諸大眾。

摩亞當時回去就起草《一位現代情人》，他當時聲譽正隆，一位出版家為他後援，將這小說印成一冊，以破天荒的六先令低價發售。

這對於流通圖書館當然是個威脅，於是他們便設法使摩亞的新著受了禁止，但是已經來不及，整個的出版界已認出了這條大路，紛紛以六先令一冊的小說問世，讀者也便於購買，於是整個的流通圖書館事業，正如批評家卡萊爾所說，像冰山一樣，這崔巍的勢力立刻崩潰粉碎了。

　　這可說是喬治摩亞一人之功。不過，流通圖書館的勢力雖已消滅，但是在英國，一直到今天，世界著名的大英博物院附屬的圖書館仍然拒絕購藏靄理斯的名著《性心理研究》，可證明另有一種惡勢力仍在活動着。

《大錢》

　　約翰・多士・帕索斯（John Dos Passos）是現代美國唯一可注意的一位小說家。他的作品的銷數也許比不上美國的其他流行作家；但在國外，他是擁有最多數讀者的一位美國作家。對於他的新著的出版，許多人是不肯輕易放過一個可興奮的機會的。

　　我正是他的讀者之一，最近又以愉快的心情讀完了他的新著《大錢》（*The Big Money*）。

　　帕索斯並不是一位新作家，出現於文壇已有近二十年的歷史，但在美國當代許多有希望的作家逐漸停滯或沒落的當兒（最顯著的是海明威，近兩年只知道釣魚打獵，寫一點遊記和通訊），他卻始終在不聲不響的生長着，為自己的文藝生命努力。

　　《大錢》是《四十二緯度》和《一九一九》的繼續，在形式上可說是這一個三部曲的終結，但也說不定，因為陸續在這三部小說中出現的人物有許多依然還在活動，帕索斯說不定也要使他們活到目前的歷史上。他的小說是無所謂終結的，和歷史的本身一樣，永遠是在"開始"。

　　《大錢》所描寫的是大戰後勃興的美國。背景和人物的複雜，是當代美國作家誰也不敢作這樣企圖的，更超過了帕索斯自己過去的作品。從紐約到好萊塢，以至訶羅拉多的礦山，舉凡議員、政客、發明家、工程師，以至資本家、掮客、跑街；富家女郎、風流寡婦，以至娼妓、舞女、電影皇后；社會主義者、工人領袖，以至共產黨、反革命者；這一切人物都在書中出現，而且都是在帕索斯生動的描寫之下出現。這書中沒有概念，沒有敘述，都是事實銜接着事實。

無疑的，帕索斯是讀過喬伊斯（James Joyce）的人，而且是竭力嘗試着新技巧的作家。但他有一個特長，他的技巧的運用，不是在愚弄讀者，賣弄聰明，而是在使他的讀者對於他的作品有一種立體感的嘗試。他在《四十二緯度》和《一九一九》二書中運用的"新聞片"和"開末拉眼"的手法，在《大錢》中依然採用着，而且還有了更好的效果。

對於複雜緊張的現代生活和社會機構，帕索斯的描寫手法可說是十分恰當的一種，但這必須有敏銳的觀察和巧妙的剪裁，先要從樸實的基本學習去着手，否則便難免成了"垃圾箱"和"機關佈景"；縱然複雜，縱然新奇，卻已經不是藝術了。

關於紀德自傳

　　去年冬季，美國以發行文藝作品著名的“朗頓書屋”，出版了法國紀德自傳的英譯本，譯文仍出自那著名的白賽女士之筆，是限定本，只印了一千五百部，聲明原版印後即拆毀，決不再重印。定價倒不十分昂貴，每部美金五元。我從《紐約時報》“書評報論”上見了廣告之後，隨即託一家書店去購，隔了一個多月，回信說賣完了；我又寫信去，我說我需要這書，就是出較高的價錢也不妨，但回信來仍說沒有辦法。我絕望了。

　　紀德這部自傳的原名是《如果這粒種子不死》（*Si le grain ne meurt*），英譯本的書名則作《如果它死了》（*If it Die*）。實際上並無出入，因為這書名是摘自《聖經》約翰福音的經文，大意是：“一粒麥子不落在地裡死了，仍舊是一粒；如果死了，就結出許多子粒來。”紀德最愛在著作中引用《聖經》，而且這幾句話是朵斯朵益夫斯基名著《卡拉瑪佐夫兄弟》中主角常用的箴言，紀德是朵斯朵益夫斯基研究家，所以不覺採用了這作書名。關於這意義，他在自傳中曾說及：一粒麥子必須死了始可結實，而人類在達到較高的境域之前，也必須先嘗一嘗罪惡和逸樂的滋味。

　　正如這句話所指示，紀德這部自傳就是他早年生活的自白，尤其是關於靈與肉的衝突方面，更牽涉到同性戀問題。紀德是一個新教徒出身的作家，他的全部著作可說都是在表現着善與惡的衝突，甚至近年的轉向，也不過是認為走上人類的真善之路而已。紀德在這部自傳裡，曾說及他早年從母親和叔父所受的教育，和表妹談戀愛的經過，第一次的非洲旅行，比爾路易的交情，以及第一次踏上文壇的經過。其中最重要的，是他在非洲的生活，因為這正是小說《不道德者》（*L'Immoraliste*）的由來。他自認有同性戀的傾向，坦白的在書中記敘着他的性生活。

　　我和許多紀德的愛讀者一樣，對於這位人類精神的發掘家，頗想知道他對於自己早年的罪惡生活所持的態度，但是既買不到原書，也就只好作罷。最近讀美國的《星期六文學評論》周刊，才知道不僅我不曾買到這書，就是許多美國讀者也不曾有這眼福，因為這書在出版六星期後，就被紐約風化維持會，認為這書有傷風化而向法院檢舉了。

　　穆萊（Christopher Morley）在這周刊上大聲疾呼，指斥紐約風化維持會的行為的可笑。他說，這是一種可恥的報復，因為紀德自傳的出版家"朗頓書屋"前年曾出版喬伊斯的《優力棲斯》的美國版，這在美國原是禁書，但紐約法院卻判決這書在目前已無庸禁止，於是風化維持會失敗了，這次便捉住了紀德自傳中的猥褻部分向"朗頓書屋"報復了。穆萊又說，紀德自傳正是一部高貴的著作，是一位大作家的精神和肉體生活的自白，決不是淫書。他不相信一千五百冊這樣的著作就能威脅了美國人的道德。尤其可笑的是，紐約風化維持會的重要贊助人物之一（指摩根氏），正是世界著名的版本收藏家。他的書架上也許早已有了這著作，而且恐怕還有紀德的親筆簽名本，但是一面卻又來了這樣的一套。

被禁的書

　　上次我談及《紀德自傳》的英譯本在紐約被控，忘記指出被控的並不是出版家"朗頓書屋"，而是寄售者"郭丹姆書籍市場"。因為紐約風化維持會的便衣會員，先到朗頓書屋購取《紀德自傳》，只印了一千五百冊的這書早已批售一空，於是這人再到郭丹姆書籍市場去購買。郭丹姆是新書兼舊書店，在紐約以出售珍本異書著名，曾經被風化維持會控告多次，這次果然還有不少《紀德自傳》的存書，於是來人拿到了發票之後，便以他作為被告而起訴了。

　　前天讀近期的《紐約時報》評論，在後頁發現郭丹姆書籍市場登了一小方廣告，說是還有《紀德自傳》存書數部，每部仍以美金五元發售。從這廣告上，知道這次官司是他們勝訴了，紐約風化維持會又碰了一鼻子灰，心裡很愉快，隨即又託書店第三次向紐約去買這書，這次能否如願，這要再隔一個多月才能知道了。

　　因了這件事，我想到亥特女士（Anne L. Haight）的有趣的小著：《被禁的書》（Banned Books）。這部書內充滿了笑話，充滿了人類在文化史上所留下的污點。據亥特女士記載，一九三一年，《愛麗斯漫遊奇境記》的中譯本曾在中國湖南省被禁，理由是"鳥獸不應作人言，尤其不應人獸不分"。我不曾知道這事，不知她所說的是否實在。若然，被人家譏笑我們連寓言和童話是什麼東西也不知道，這真比其他社會科學或性科學的著作被禁更可笑了。

當然，可笑的不僅是我們。美國海關曾經將文藝復興大師彌蓋朗琪羅為教皇所作的壁畫《最後的審判》的攝影當作淫書，加以沒收。蘇聯的檢查當局為了某一冊教科書上將"上帝"二字用了大寫字母，曾經將幾百萬冊教科書予以重印處分，為了有涉提倡"有神論"之嫌，巴黎警廳因了《惡之華》有傷風化，將作者波特萊爾加以逮捕時，這詩人正在孟巴納斯墓園中讀《約翰生行述》，態度莊嚴毫不輕薄。

亥特女士舉列了許多被禁過的書名，幾乎使人不敢相信人類既然一面產生了這樣優秀的文化，何以一面還殘留這樣的愚笨。她還舉了一個笑話，一九三五年美國菲列特菲亞的某音樂會上，奏演一闋俄國歌劇，有許多女聽眾認為某一隻喇叭的音調太淫蕩，曾當場退席，要求加以禁止。

古書與“英科勒布拉”

　　最近美國一種文藝刊物上發表了一張漫畫：一家書店的古書部，有一位老先生要買“英科勒布拉”，掌櫃的店員轉身過來和另一個店員搞鬼，問他店裡可有什麼“英科勒布拉”，而且可曉得“英科勒布拉”究竟是什麼東西。從另一個店員的面部表情上，可知他也莫名其妙，也不知道什麼是“英科勒布拉”。

　　中國書店的店員，對於顧客所舉出的書名或作者姓名不甚了解時，時常以“賣完了”或“還沒有出版”來搪塞了事，我不知道那張漫畫上的兩位店員要用什麼話來回答他們的主顧，若是不幸也用這類的話去搪塞，那就要鬧出更大的笑話了。

　　因為“英科勒布拉”既不是書名，也不是著作人姓名，更沒有“賣完了”或“還沒有出版”的可能。

　　所謂“英科勒布拉”（incunabula），乃是一種書籍的名稱。這字本來含有“搖籃”及“誕生地”之義，後來又轉為一切東西的起源。歐洲在十五世紀始有印本書籍出現，於是凡是十五世紀出版的書籍統名之為“英科勒布拉”，漸漸遂成了版本學上的一個專用名詞。古書店的店員竟不曉得“英科勒布拉”是什麼，這當然有資格成為漫畫資料了。

中國是發明印刷而且是世界有印本書籍最早的國家，敦煌石窟所發現的《金剛經》係在八六八年所印，所以中國在八世紀左右已有印本書籍流行，但歐洲的學者們向來以中國印刷發明對於歐洲並不曾直接有影響為理由，總以十五世紀為印刷發明時代，而以那時代所印的書為"英科勒布拉"，且以德國的格登堡（Johannes Gutenberg）為活版印刷發明人，他所印的《格登堡聖經》為世界第一冊印本書。

當時出版的書籍，以德國為最多，意大利次之，英國最落後，所用文字的大都是拉丁、希臘及希伯來文，因為這是當時歐洲各國通行的文字。流傳至今的十五世紀書籍（即所謂"英科勒布拉"），據說還有三萬八千冊左右。這些"英科勒布拉"都成了各國圖書館和私人藏書家的寶物，很少流落到古書市場上去。十年前有人贈了一部《格登堡聖經》給耶魯大學圖書館，贈送人竟是花了十萬六千美金的巨價從拍賣市場所購來。

歐洲人所謂"印刷發明五百年紀念"就要來到，我想，被旁人將事實抹煞了的中國，應該有一個有系統的關於印刷發明和版本流行的展覽會給歐洲人看，矯正他們狹隘的偏見和武斷，這總比將我們怎樣喝茶怎樣談天的情形介紹給他們好一些。

《奧貝曼》

　　誰都知道歌德的《少年維特之煩惱》，但是很少有人知道《奧貝曼》（Obermann）這本書，它的作者謝隆科爾（Étienne Pivert de Senancour）更為他同時代的法蘭西十九世紀初年作家們的光輝所淹沒了，幾乎沒有人提起。

　　少年維特所代表的是無望的熱情，奧貝曼所代表的則是無目的的苦悶，正與他的同時代作家沙多布易盎的小說《亥奈》一樣，是患着世紀病的青年，沒有宗教，沒有信仰，否定着舊的一切，但是自己也不知道新的究竟是什麼。

　　英國批評家安諾德很推譽這書，法國同時代的批評家聖柏甫也為世人對於這書的冷淡抱不平，鼓勵着作者將這小說重印問世，而且還給他寫了一篇序。

　　謝隆科爾本人曾說《奧貝曼》不能算是小說，但這小說的體裁正和當時流行的一樣，是第一人稱的書信體。信件包括的時間大約有十年，近一百封信。奧貝曼是一位二十一歲的青年，為了家務離開法國往瑞士，不久又為了產業糾紛遄歸巴黎。後來隱居在楓丹白露，時時往返於法瑞二國之間。曾偶然遇見舊時情人，觸動舊情；但是這情人業已結婚。最後又遇見她，丈夫已死，但是仍不能嫁他，奧貝曼終於一人孤獨的在日內瓦住下。

全書的情節大略這樣。寫信的對象大概是位朋友，這人究竟怎樣，奧貝曼始終未曾提及。謝隆科爾說這書不像小說，倒是實話。因為它既沒有情節，也沒有頂點，更沒有佈局。它只是瑣碎的寫着瑞士的景色，法國的鄉村。主人公的心情時好時壞，好時便樂觀異常，壞時則滿目皆非。他覺得自己一切都是空虛，但是又不知道自己究竟缺少什麼。

《奧貝曼》出版於一八〇四年，法國革命後不久，這書的主人公正代表着當時青年徬徨無定的心情，所以雖不曾為世人所注意，但是卻抓住了那時時代的脈搏。

謝隆科爾生於一七七〇年，著述很少，早年生活和《奧貝曼》相仿，雖然作者否認，這書實有濃厚的自傳成分。

《黑暗和黎明》

　　俄羅斯革命後的內戰，曾經過許多作家的描寫。高爾基的《克萊姆‧撒姆金的一生》，這部大著，原也將內戰時期包括在內，但不幸高爾基沒有完成這部大著就去世了。關於革命後的內戰，俄羅斯文學上也許就此失去了最可寶貴的一頁記錄。因為關於內戰的文學作品，雖然產生了不少，但都不是魄力偉大的多方面的巨著。

　　最近讀了亞歷克舍‧托爾斯泰的三部曲《黑暗和黎明》，這部小說雖然不是以內戰為主題，但在小托爾斯泰老練的筆下，內戰的場面在書中遂成了最精彩的部分。

　　小托爾斯泰是在革命以前就執筆的老作家，而且是詩人出身，是文體家，所以他的作品始終還保持着他的前輩屠格涅夫、托爾斯泰等人的藝術的氣息，不像目前的蘇聯青年作家僅以樸實和單純見長。

　　從另一篇文章裡，我知道小托爾斯泰的這部三部曲原名《經過苦難》，第一部名《兩姊妹》，第二部名《一九一八》，第三部似乎還未寫，英譯的《黑暗與黎明》實僅是前二部的譯文。小托爾斯泰於一九一八年離開俄國到巴黎，一九二一年開始寫這小說的第一部，曾在當時白俄在巴黎辦的文藝刊物上發表，一九二一年回到莫斯科，又寫了第二部，並將第一部修改了一遍，這才在蘇聯出版。

他的主要人物是姊妹兩人和一位冶金工程師特李金，雖然也描寫着革命和反革命勢力的爭鬥，但他寫得最好的還是關於內戰部分。小托爾斯泰還沒有脫離舊日的氣息，這裡面並不曾明白指出他的人物究竟該向哪裡走為是。就是書中人物有所表示，也還帶着浪漫的氣氛，如工人領袖羅布洛夫的口氣：

> 革命發生危難了……在六個月之後，我們就可以消滅一切的障礙，甚至金錢本身。那時將沒有飢餓，沒有貧困，沒有恥辱。你可以從合作社中取得你所需要的任何東西……同志們，那時我們可以用金子造小便處了……

如果是蘇聯青年作家，他們決不使他們小說中的工人露出這樣的口氣，但小托爾斯泰是生長在舊俄時代的人，他無法將這根株完全從地上拔去。蘇聯肯容許他這樣著作的出版，也許是愛惜他的才能的原故吧？

路德維喜的《歌德傳》

　　在三四年以前，歐洲新派傳記最流行的時候，產生了兩位這方面的名手。一是法國的莫洛亞（André Maurois），另一位便是德國的路德維喜（Emil Ludwig）。

　　莫洛亞曾寫過詩人拜倫、雪萊的傳記，根據新發現的參考材料，用生動有趣的小說筆法，他完全將沉悶的文學傳記生動化了。路德維喜是新聞記者出身，曾寫過小說和劇本，專心於傳記的著述是在大戰以後的事。他的作風和莫洛亞微有不同。莫洛亞致力於文筆的興趣化，務使沉悶的傳記近於小說而又不失其正確。路德維喜則運用極廣博的參考材料，深邃的觀察和解剖，根據他所描寫的人物的日記書翰和其他文件等，使這與他的生活和內心發展相印證。他不喜落旁人的臼窠。用它精闢的解剖，他能將他人物的靈魂赤裸裸的暴露出來。

　　《歌德傳》便是他的傑作之一，我讀的是英譯本。著者在英譯本前致蕭伯納的獻辭上說，為了便利外國讀者起見，他曾將引證和參考文字刪去了一半，但剩下的還是近五百頁的一巨冊。

　　關於歌德的傳記，最早出現的是英國女作家愛略亞特（George Eliot）的丈夫勒威斯（G. H. Lewes）的一部。雖是用英文所寫，但在德國也認為是最可靠的一種，這地位一直到拜爾斯卻斯基的權威的關於歌德的研究出現後才被攘奪。路德維喜的這本《歌德傳》，與其說是傳記，不如說是對於歌德的分析和研究。他並不仔細的敘述歌德的生涯，而是夾敘夾議的將歌德重要的著作和生活順序的加以分析。一個對於歌德的作品和生活不十分熟悉的讀者，着手讀他這部傳記的時候，一定要感到茫無頭緒。

但路德維喜關於歌德的生活和作品的深入的分析，是可驚的。歌德的作品和他的生活原有不可分離的關聯。他的每一部著作，每一個人物，都有他的背景。同時，他的每一次生活的變革，都是他內心爭鬥的表現。關於這種考察，路德維喜根據了歌德自己的日記和書信，以及他的友人們的文件，作了種種大膽的解說和推斷。雖然有些德國的歌德學者認為有些地方未免武斷和曲解，但在了解歌德的個性和著作上，仍不失是一部難得有的好書。

叔本華的〈婦人論〉

　　　　　沒有女人，我們生活的開始將乏人照料；中年將失去逸樂；晚年將缺少安慰。

　　這是著名的女性憎惡論者，哲學家叔本華在他的〈婦人論〉的開始，引用他的同時代的朱崖的話。粗粗看來，叔本華似乎在為女性捧場，其實是大不敬。因為他所以引用這樣的話，乃是說"女人"的用途僅此而已，除這一切之外，女人不應過問一切，而且根本上也無過問一切的資格。

　　有許多人愛讀叔本華的著作，尤其是他的這篇〈婦人論〉。著名的卓別林就是其中之一。但愛讀叔本華的人不一定也是女性憎惡者，因為叔本華是哲學家，同時也有詩人的氣質，也是散文家，浪漫的觀察和豐富的想像，他的所謂悲觀哲學實是很好的文學作品。叔本華也有女讀者，可知欣賞和信仰並不一定有聯繫。

　　叔本華與他的母親不睦，而且獨身以終。他輕視女性，但是並不"拒絕"女性，因此曾有患有花柳病的傳說，可知他並非禁慾主義者。他憎惡女性的理由，實因為吃過"她們"的虧，看不過她們的"神氣十足"的態度而已。

　　叔本華誠是女性解放論者的巨敵，但他的憎惡之中卻含有智慧，因此也就有真理閃耀。譬如，他說女人是有一個依賴天性、不慣自立的動物，他這樣的說：

> 每一個女人，一旦獲得了真正的獨立自由之後，往往立刻又和另一男子有一種聯繫，以便獲得他的指導或受他的指揮，這正是女人有服從的天性的明證。因為她需要一個上司。如果她是年輕，這上司將是她的情人；如果她已年老，這上司將是牧師。

這樣的話，雖未必盡然，但有時也難免是事實。因此他十分瞧不起女性，他說女人在一切方面都表現較男子低能，只宜管家燒飯，不宜學美術音樂，更無資格從事社會政治活動。據說希臘人禁止婦女入戲院，他說這是最有理的禁例，因為婦人最愛為聽戲而裝飾，而且愈是台上節目最精彩的時候，愈是她們在包廂裡談話最起勁的時候。可知她們對藝術根本不了解，而且不知尊重，一切只是虛榮和好奇而已。

這樣的話當然使“太太”、“小姐”們很難堪，但更難堪的是，他否認一切對於女性的尊稱，他說女人只是“女人”而已，既不漂亮，更較男子低能，實無值得誇耀的地方。對於這些“矮小、削肩膀、闊屁股、短腳的東西（叔氏原句），人們所以認為美麗，實不過有些人的智慧為‘性’的欲望所蒙蔽了而已。”

這樣的叔本華當然是一切女性的敵人，但他流利的文字卻值得一切文學愛好者一讀。你不一定要研究他的哲學觀念，你更不一定要贊成他的議論。

“在人生大道上，女人若避在道旁，那將是植在路旁的美麗的花；若站在路中，則將成為當道的荊棘。”這不知誰說的兩句話，正代表着叔本華對於女性的觀念。這幾句話雖未必是真理，但至少已是絕妙的“幽默”。

喬伊斯佳話

提起詹姆斯・喬伊斯（James Joyce），我有一件最得意和一件最痛心的事情。

得意的是：我以七角小洋的代價，從北四川路天福舊書店買到了一冊《優力棲斯》（*Ulysses*），這是巴黎"莎士比亞書店"的第七版，價值美金十元，而且無處可購，然而我竟以使人不肯相信的七角小洋低價得之。

痛心的是：我以二十五元的代價從中美圖書公司買回了司徒登・吉爾勃（Stuart Gilbert）的《優力棲斯研究》，隔了不到一星期再去買書時，我發現他們櫃上陳列着這書的普及版，內容裝幀如舊，定價只有美金一元，我問他們，他們說是昨天剛到。我如果遲一星期，我便可以省去二十元。而且吉爾勃這書是為了滿足美國讀者好奇心而作，因為他們不得見原書，便在書中盡是敘述"優力棲斯"的故事以供望梅止渴，並不是怎樣有意義的著作。我白花了這二十元。

這都是五年以前的舊事。當時喬伊斯的《優力棲斯》還受着英美兩國的"發賣禁止"，舉世只有莎士比亞書店的巴黎版可買，但一到國外又時常被當作"淫書"沒收，所以當時無意買到了這書，而且是那樣的低價，因此很覺高興，時常將這

"佳話"告訴愛跑舊書店的朋友。但如今的情形可不同了，喬伊斯的著作已在美國開禁，前年紐約"朗頓書屋"已出版了《優力棲斯》的美國版，書前還有喬伊斯的新序，可說是定本。此外，英國教會也不像以前那樣仇視喬伊斯。去年德國更出版了《優力棲斯》的新版，據說喬伊斯在書中曾有所校正；全書上下二冊，是袖珍本，不像巴黎版那樣笨重了。

巴黎版的《優力棲斯》確是笨重。藍封面，一寸多厚，差不多一尺見方，紙質不好，因此軟而且重，稱起來該有好幾磅，閱讀不易，收藏也不易，因此頗使當時私運這書者感受麻煩。然而就是這部大而且重的書，影響了近幾十年的整個文壇，現代作家可說沒有一人不直接或間接受過喬伊斯的影響。

《優力棲斯》的內容複雜而又簡單，是敘述三個人在某一天的行動和所想的一切，喬伊斯是想盡可能的記下一個人在一天中所做所想的一切。這書之受人重視，可說由於喬伊斯所採取的手法和他文章的風格。故事本身倒很簡單，而且並無所傳說的那種猥褻和荒謬，倒是這種種傳說增高了人們對於這書的好奇，誰都也要將這書翻閱一下，而喬伊斯的神秘和聲譽也愈來愈大了。

真的，現代作家可說誰都直接或間接受過喬伊斯的影響。這種情形，使得他曾經敢傲然向愛爾蘭現代詩壇祭酒夏芝說：

你可惜年紀已經太老，不能受我的影響了！

莎士比亞先生

　　提起喬伊斯的《優力棲斯》和巴黎的"莎士比亞書店"，使人想起這書店的主人瑟爾薇亞‧碧區女士。她不但是最早賞識喬伊斯才幹的人，而且還是當時戰後巴黎新文壇一個小小的中心人物。

　　席斯萊‧赫德斯頓（Sisley Huddleston）在他的《巴黎沙龍‧咖啡‧書室》一部記敘巴黎藝壇逸聞和回憶的書中，曾頗詳細的談到碧區女士。他和她的友誼很好，他不知道碧區女士究竟是什麼心血來潮，想到在巴黎的拉丁區開了這家販賣英美新文學書籍的小店，而且異想天開的用了莎士比亞的肖像做招牌，叫做"莎士比亞書店"！

　　巴黎文壇謠傳着赫德斯頓的像貌有點和莎士比亞相像，又加之赫德斯頓時常在碧區女士的書店中給她幫忙談天，這樣，一天竟發生了一個空前絕後的笑話，據赫德斯頓自己的記載是：

　　那一天他正在莎士比亞書店閒坐，忽然走進了一位法國紳士，這位先生大約對於英國文學和英國文學史的知識半點也沒有，他先向壁上掛着的"莎士比亞"招牌注視了一下，然後又對赫德斯頓看了一眼，於是便恭敬的走到赫德斯頓的面前，莊嚴的問道：

"請問，您就是莎士比亞先生嗎？"

赫氏幽默的回答道：

"不是，我並不是莎士比亞先生，我不過是這'公司'的一員而已。"

那位法國紳士還是莫名其妙，固執的又問：

"那麼，那招牌上的肖像呢？那不是莎士比亞先生而是'公司先生'嗎？"

赫德斯頓沒有辦法，只得將碧區女士介紹給他說：

"這位才是莎士比亞小姐！"

就是這位"莎士比亞小姐"所開的"莎士比亞書店"，第一次出版了喬伊斯的大著《優力棲斯》。碧區女士的膽力和眼光確是可驚的。那時喬伊斯的這部九百頁的大著，不僅無人敢印，而且無人賞識，但碧區一見之下，卻說她願意印行這部著作。

"不行"，喬伊斯說："你要虧本的。"

"世上沒有不行的事的！"碧區女士用着美國人的堅決態度回答。

於是，喬伊斯的這部寫了七年的大著便由碧區拿去付印。在巴黎排印英文書已經是難事，何況《優力棲斯》充滿了稀奇古怪誰也不識的生字，卷帙又重，喬伊斯又好改動，排字先生莫不叫苦連天，先後一共重排了七次才排好，但據說初版還有許多錯誤。

初版的《優力棲斯》只印了一千部，售價英金兩鎊，出版不久就在英美兩國遭禁，這情形不僅使得許多不知道喬伊斯的人也要**翻翻**這神秘的《優力棲斯》，而且使得碧區的營業相當的發達，於是莎士比亞書店的《優力棲斯》初版本便成為藏書家所渴慕的珍品了。

屋頂上的牛

有一個這樣的故事：

巴黎有一位先生，也許有點怪僻，在他公寓房間的洋台上養了許多鳥類和小動物。鄰人們群起非難，尤其因為鳥獸的氣味和所排洩的糞。他們抗議無效，便向法院控告這位先生的不合衛生和妨礙安寧。巴黎的法律手續是以緩慢馳名的，這位先生便利用了這弱點，率性買了一條小牛養在自己樓上的房間裡，天天用豐富的草料餵養着。官司果然打得很慢，等到被告終於敗訴，判決必須將這些鳥獸遷移他處時，他便請法院來執行這勒令遷移的手續。他們來了，他們發現他房裡養了一條龐大的牛，門口也牽不出去，窗口更牽不出去！

這就是所謂《屋頂上的牛》（*Le Boeuf sur le Toit*），是最典型的高克多（Jean Cocteau）型的故事：簡單、愚笨、無理性得好笑，但是卻新奇有味！高克多曾將一家那時剛在巴黎流行起來的爵士音樂團錫上了這樣的題名，他自己就在裡面打着大鼓。

中國對於高克多的作品和行徑最熟悉的該是詩人戴望舒先生。我對於高克多知道得很少，我僅讀過一冊《鴉片》和《寒星》的譯文；此外，我卻喜愛他許多充滿了幻想和諧趣的素描。

避免一切的術語，用最簡單的話說：在高克多，一切新的東西都是好的。同時，一切新的東西經過一次試用之後已經屬於陳舊，已為他所不顧。他不要人了解，他只願人驚異。我相信，你如果買到一本高克多的新著，打開來一看全書盡是空白，你那時所表示的驚異我相信將是高克多認為最得意之筆。

　　他避免"庸俗"，他追求"驚異"。為了使人驚異，他有時寧可接近"無理性"。

　　如果僅是這樣，高克多將不成其為高克多。在這一切之外，他還有天才，他對於作品的態度是嚴肅的，他努力創造自己的風格，永遠不停止的追求着新的生命。

　　這更是奇怪的事：這樣的一位作家卻出身於古典主義，而他的思想更逐漸傾向於天主教！

談翻版書

　　這兩天有人在報上提到新文藝的翻版書，說是在售價的便宜上，對於青年讀者至少是一件有益的事，但因為有些作品竟"張冠李戴"，未免太不負責任。其實，向翻版的書賈要求負責任，未免"與虎謀皮"，因為他們根本就不負責任。他將翻版書的售價減低，並不是為了讀者，實是為了自己的利益。所以在讀者熱烈的需要魯迅著作的時候，他們不僅將魯迅的全部著作改頭換面的重複翻印了，而且還為他"創作"了一些"創作"。

　　所以，翻版書的流行，不僅欺騙了讀者，而且還損害了"新文藝"的生命，至於作者和書店所受的損失還在其次。

　　翻版書所以能流行，而且能公然流行的原因，"售價低廉"固然是他們的武器，但被侵蝕的作者和書店始終容忍着，放棄了抗議甚或追究的權利，實是促成翻版書猖獗的最大原因。

　　翻版書並不始於今日。三四年前，北方就流行着翻版書，但那時出版界還未遭遇不景氣，書店和作者組織了"著作人出版人聯合會"，派人到北方專門調查翻版書，隨時加以搜查和追究，所以一時很有成效。但那時北方的翻版書是真正的"翻版"居多，冒用店號，一切裝幀和排印也刻意"魚目混珠"，所以很容易構成法律上的罪名，但後來書賈聰明了，他們不但自己開店，而且還自己編輯，利用着出版法上的漏洞，有時竟躲過法律責任，同時又因了出版界的不景氣，書店本身尚自顧不暇，作家又大都"管他媽的"，於是便從北到南，成了目前反客為主的現象了。

目前翻版書猖獗的情形，可說到了極點，許多平素並不經營出版事業的商人，也因了有利可圖，湊了一點資本來從事翻印書籍。作家作品的水準日見低落，書店的營業日見狹隘，獨是翻印和改編的書籍倒層出不窮。作品被翻印的作者不過問，商品被侵蝕的書店也不過問，這實是一個稀有的怪現象。

我不責怪作家。中國有許多作家一直到今天還抱着一種成見，以為文人是"清高"的，不該斤斤於"錢"的問題，所以急急要稿費的投稿人時常要受到編輯先生的瞧不起，而到期催討版稅的作家也要被書店老闆罵一聲"窮相"，以致"清高"到自己應享的利益被剝奪盡了，還在那裡肩着"更光明的更偉大的任務"，為書賈製造翻版的原料。

但被翻版的書店放棄了自己的責任卻是不該的。我以為目前正規的出版家應該聯合起來，和作家取得聯絡，一面徹底追究翻版書的來源，一面將所出版的書籍印行一類最廉價的普及本發售，售價更要低過翻版書（這是可能的），而形式和校勘的精密則過之（這更是可能的），以後有新書出版，一面發賣較高價的精裝本滿足一部分讀者的需要，一面同時則將這種普及版發賣，這樣，讀者是有眼力的，翻版的書賈當然要無所用其技了。

但現在上海的出版家卻並不想到這些。他們有的只要顧到自己的出版物不被翻印，就"坐觀成敗"；有的見翻版書銷場好，自己竟批到自己的門市部來賣，甚或也出版一些變相的翻版書，或者暗地裡自己也在經營翻版事業。於是，在這情形之下，書店的老闆愈瘦，便剝削作家愈厲害，只有翻版書賈拍着大肚皮，將讀者踐踏在腳下，在出版界上邁步了。

回憶《幻洲》及其他

　　昨天夜裡經過霞飛路，望見當年聽車樓的舊址如今已改作洋服店，真感到滄海桑田，就在我這樣小小年歲的人的身上，也已經應驗着了。誰知道在那間小小的樓上，當年橫行一時的《幻洲》半月刊就在那裡產生的呢？

　　談起《幻洲》，目前年輕一點的讀者也許連這刊物的名字都不知道了，遑論那薄薄的四十六開本的內容。然而在當時，短小精悍的《幻洲》半月刊，上部象牙之塔裡的浪漫的文字，下部十字街頭的潑辣的罵人文章，不僅風行一時，而且引起了當時青年極大的同情。漢年和我，年輕的我們兩個編者，接着從四川雲南邊境的讀者們熱烈的來信時，年青的血是怎樣在我們的心中騰沸着嘞！然而曾幾何時，《幻洲》終於被迫停刊了，當時的許多讀者、寄稿者，大部分都和我一樣，漸漸的達於銷沉衰老的心境，而另一位編者和有一些讀者，我們如今只能悄悄的低聲談着他的名字，有的甚至在頻年的大變亂中，墓草早已宿了。

　　《幻洲》創刊於一九二六年十月，停刊於一九二八年一月。這其中，因了北伐軍到上海時的混亂，我們曾停刊了幾個月，先後一共出了二十幾期。好奇的讀者們，如今從擺在地上的舊書攤中，或者偶然能發現一二本。

《幻洲》被禁不久，漢年在泰東書局出版了《戰線》，我也在光華書局出版了《戈壁》，然而僅僅出了四五期，隨着就來了更大的壓迫，我們各人都不能不先後停刊了。

　　在《幻洲》將停刊的時候，這時現代書局成立了，於是我們便為他發刊了《現代小說》。《現代小說》的壽命比較長一點，然而旋出旋停，到了一九三〇年，終於在那一次大壓迫之中，隨着《拓荒者》、《南國》、《大眾文藝》一同停刊了。接着我離開了上海幾個月，回來在現代書局又出了《現代文藝》。這時的環境更惡劣，歷年以來在文壇上結下私怨的人們都藉端報復，用盡了種種卑劣造謠的手段，於是在眾口鑠金之中，我編了兩期，便不得不無形休刊了。所幸刊物雖然停了，我並不曾如造謠的人們所期望的那樣，仍舊在沉默之中給了他們以反證，一直到現在。

　　在這以前，在一九二九年左右，那時，多年不見的周全平從東北回到上海，帶來了幾百塊錢，於是我們便組織了一個新興書店，為沫若發行了《沫若全集》，同時和漢年三人更編了一個小雜誌，名《小物件》。因為感到那時幾個刊物都停了，無處可以說話，也無人敢說話。《小物件》的小的程度真可以，只有一寸多闊二寸多長，四五十頁，用道林紙印，有封面，還有插畫，這怕是新文學運動以來，開本最小的一個雜誌了。出版的時候，我們在報上只登了三四行地位的極狹的廣告，然而初版三千冊在幾天之內便賣光了。可是，也許是形式小得太使人注意了吧，第二期剛出不久，便有人用公文來請我們停止出版，於是只好嗚呼哀哉了。

記蒙娜麗莎

　　五年前一個秋天的下午，我和施蟄存先生逛北四川路，在一家舊書店的櫥窗裡發現了一疊複製的西洋名畫。雖然是單色的，但是極好的英國影寫版出品，尺寸也很大。老闆的價錢討得很貴，雖然已經拆散得不成冊了，一張畫附一張說明，還要一塊錢一張。我和施先生選了一陣，他不知怎樣看中了一張郎克萊的風景，我卻選了一張達文西的“蒙娜麗莎”。施先生買的一張畫一直到今天還放在我的家裡，始終沒有拿回去，他也許早將這件事忘了，但我的“蒙娜麗莎”卻被我配起鏡框掛在牆上了。

　　我正是世上無數的“蒙娜麗莎狂”之一，是這張畫的愛好者。我最初還希望能有一張複製的原色版掛在我的牆上，但是讀了費薩利的《畫家傳》以後，知道這張畫在當時畫好不久就變了色，我就放棄這種奢念了。費薩利誠是一位幸福的人，他享受了幾世紀以後無數美術愛好者所嫉妒的眼福。據他說，當初的色彩是透明的，蒙娜麗莎眼睛的細部更精緻動人，後來完全灰黯了。我們今日對着那種帶着赤色調子的原色複製品，怎麼也想像不出當日的美麗了。

　　達文西的這張畫，時常被沒有美術知識的人當作聖母像。

這也難怪，這本是一張一般的畫像，但達文西卻注入了異常的精力，先後畫了四年還不肯擱筆，始終認為未完之作。據費薩利的傳記說，當時傳說達文西為蒙娜麗莎夫人繪這肖像，曾請了音樂師在旁奏樂，藉以沉靜蒙娜麗莎臉上的表情，所以畫像上那嘴角逗留着的微笑，遂成了千古之謎。這張畫現藏法國盧佛美術館，據說凡是見過這張畫一次的人，在所有其他名畫的印象從心中漸漸黯淡以後，這幅畫的印象總還存在。我們當然不想在這裡面加入神話的成分，但這幅畫的吸引力特別的大卻是事實。

佛洛伊德說達文西的這張畫，是對於他母親的追念，他從蒙娜麗莎夫人的微笑中看出了他母親的微笑，所以才有這樣的成功。如果佛洛伊德的精神分析論可靠，那麼，早年喪母的我，也許從這幅畫上尋出同樣可寶貴的記憶了。

這幅畫曾於一九一一年失蹤過，當時法國政府正不知花了多少秘密偵查費，以兩年的光陰才獲合浦珠還，據說是盜匪從盧佛美術館偷了去向政府勒索贖款的。這幸虧是以金錢為目的的盜匪，設若到了我的手中，也許不是金錢所能為力的了。

書癡

不久以前，我從遼遠的紐約買來了一張原版的銅刻，作者麥賽爾（Mercier）並不是一位怎樣了不起的版畫家，價錢也不十分便宜，幾乎要花費了十篇這樣短文所得的稿費，這在我當然是過於奢侈的舉動，然而我已經深深的迷戀着這張畫面上所表現的一切，終於毫不躊躇的託一家書店去購來了。

這張銅刻的題名是《書癡》。畫面是一間藏書室，四壁都是直達天花板的書架，在一架高高梯凳頂上，站着一位白髮老人，也許就是這間藏書室的主人，他脇下夾着一本書，兩腿之間夾着一本書，左手持着一本書在讀，右手正從架上又抽出一本。天花板上有天窗，一縷陽光正斜斜的射在他的書上，射在他的身上。

麥賽爾的手法是寫實的，他的細緻的鋼筆，幾乎連每一冊書的書脊都被刻劃出了。

這是一個頗靜謐的畫面。這位藏書室的主人，也許是一位退休的英雄，也許是一個博學無所精通的涉獵家，晚年沉浸在寂寞的環境裡，偶然因了一點感觸，便來發掘他的寶藏。他也許有所搜尋，也許毫無目的，但無論怎樣，在這一瞬間，他總是佔有了這小小的世界，暫時忘記了他一生的哀樂了。

讀書是一件樂事，藏書更是一件樂事。但這種樂趣不是人人可以獲得，也不是隨時隨地可以拈來即是的。學問家的讀書，抱着"開卷有益"的野心，估量着書中每一個字的價值而定取捨，這是在購物，不是讀書。版本家的藏書，斤斤較量着版本的格式，藏家印章的有無，他是在收古董，並不是在藏書。至於暴發戶和大腹賈，為了裝點門面，在旦夕之間便坐擁百城，那更是書的敵人了。

　　真正的愛書家和藏書家，他必定是一個在廣闊的人生道上嘗遍了哀樂，而後才走入這種狹隘的嗜好以求慰藉的人。他固然重視版本，但不是為了市價；他固然手不釋卷，但不是為了學問。他是將書當作了友人，將讀書當作了和朋友談話一樣的一件樂事。

　　正如這幅畫上所表現的一樣，這間藏書室裡的書籍，必定是辛辛苦苦零星搜集而成。然後在偶然的翻閱之間，隨手打開一本書，想起當日購買的情形，便像是不期而然在路上遇見一位老友一樣。

　　古人說水火和兵燹是圖書的三厄，再加上遇人不淑，或者竟束之高閣。所以一冊書到手，在有些人眼中看來正不是一件易事，而這亂世的藏書，更有朝不保暮之虞。這在情形之下，想到這幅畫上的一切，當然更使人神往了。

書齋趣味

　　在時常放在手邊的幾冊愛讀的西洋文學書籍中，我最愛英國薄命文人喬治‧吉辛的晚年著作《越氏私記》。因為不僅文字的氣氛舒徐，能使你百讀不厭，而且更給為衣食庸碌了半生的文人幻出了一個可羨的晚景。此外，關於購買書籍的幾章，寫着他怎樣空了手在書店裡流連不忍去的情形，也使我不時要想到了自己。

　　十年以來，許多年少的趣味都逐漸滅淡而消失了，獨有對於書籍的愛好，卻仍保持着一向的興趣，而且更加深溺了起來。我是一個不能順隨我買書的欲望任意搜求的人，然而僅僅是這目前的所有，已經消耗我幾多可驚的心血了。

　　偶一回顧，對於森然林立在架上的每一冊書，我不僅能說出它的內容，舉出它的特點，而且更能想到每一冊書購買時的情形，購買時艱難的情形。正如吉辛所說，為了精神上的糧食，怎樣在和物質生活鬥爭。

　　對於人間不能盡然忘懷的我，每當到了無可奈何的時候，我便將自己深鎖在這間冷靜的書齋中，這間用自己的心血所築成的避難所，隨意抽下幾冊書攤在眼前，以遣排那些不能遣排的情緒。

在這時候，書籍對於我，便成為唯一的無言的伴侶。它任我從它的蘊藏中搜尋我的歡笑，搜尋我的哀愁，而絕無一絲埋怨。也許是因了這，我便鍾愛着我的每一冊書，而且從不肯錯過每一冊書可能的購買的機會。

對於我，書的鍾愛，與其說由於知識的渴慕，不如說由於精神上的安慰。因為攤開了每一冊書，我不僅能忘去了我自己，而且更能獲得了我自己。

在這冬季的深夜，放下了窗簾，封了爐火，在沉靜的燈光下，靠在椅上翻着白天買來的新書的心情，我是在寂寞的人生旅途上為自己搜尋着新的伴侶。

舊書店

　　每一個愛書的人，總有愛跑舊書店的習慣。因為在舊書店裡，你不僅可以買到早些時在新書店裡錯過了機會，或者因了價錢太貴不曾買的新書，而且更會有許多意外的發現；一冊你搜尋了好久的好書，一部你聞名已久的名著，一部你從不曾想到世間會有這樣一部書存在的僻書。

　　當然，有許多書是愈舊愈貴，然而那是 rare book，所謂孤本，是屬於古書店，而不是舊書店的事。譬如美國便曾有過一家有名的千元書店，並不是說他資本只有一千元，乃是說正如商店裡的一元貨一樣，他店裡的書籍起碼價格是每冊一千元。這樣的書店，當然不是一般人所能踏進去的地方。

　　上海的舊西書店，以前時常可以便宜的價格買到好書，但是近年好像價格提高了，生意不好，好書也不多見了。外灘沙遜房子裡的一家，和愚園路的一家一樣，是近於所謂古書店，主人太識貨了，略為值得買的書，價錢總是標得使你見了不愉快。卡德路的民九社，以前還有些好書，可是近來價錢也貴得嚇人了，而且又因為只看書的外觀的原故，於是一冊裝訂略為精緻的普及版書，有時價錢竟標得比原價還貴。可愛的是北四川路的添福記，時常喝醉酒的老闆正和他店裡的書籍一樣，有時是垃圾堆，有時卻也能掘出寶藏。最使我不能忘記的，是在三年之前，他將一冊巴黎版的喬伊斯的《優力棲斯》，和一冊只合藏在枕函中的《香園》，看了是紙面毛邊，竟當作是普通書，用了使人不能相信的一塊四毛錢的賤價賣給了我。如果他那時知道《優力棲斯》的定價是美金十元，而且還無從買得，《香園》的定價更是一百法郎以上，他真要懊喪得爛醉三天了。不過，近來卻也漸漸的識貨了。

沿了北四川路，和城隍廟一樣，也有許多西書攤，然而多是學校課本和通俗小說，偶爾也有兩冊通行本的名著，卻不是足以使我駐足的地方。

對於愛書家，舊書店的巡禮，不僅可以使你在消費上獲得便宜，買到意外的好書，而且可以從飽經風霜的書頁中，體驗着人生，沉靜得正如在你自己的書齋中一樣。

藏書票與藏書印

關於藏書票，我以前曾寫過一點文章，對於讀者，該不是一個全然生疏的名詞。因為每一個愛好書籍的人，總願將自己苦心搜集起來的書籍，好好的保藏起來，不使隨意失散。這種意念具體的出現，在西洋便是所謂藏書票，在我們便是鈐在書上的藏書印。因為西洋書多是硬面的厚冊，適宜於粘貼，正如軟薄的線裝書紙張適宜於鈐印一樣。西洋的藏書票和中國的藏書印，正是異途同歸的事。

西洋的藏書票在形式和圖案方面是千變萬化。丟開了書籍本身，僅僅對於這東西的收集，已經和郵票一樣，是茫無止境的事，而我們的藏書印，卻因了形式的限定，除了字句的變動之外，幾乎保持着一定的規模。

據說中國的藏書印在宋宣和時代已經應用，不過那是一般的收藏印，鈐在書上，也鈐在碑帖書畫上，這界限，一直到現在也還是含混的，譬如一顆"某某鑒賞收藏考訂之印"，便可以鈐在書上，也可以鈐在一張拓片上。

純正的藏書印是該作"某某藏書"或"某某珍藏書籍之印"的，其他作"讀書"、"校訂"或"經眼"的圓記，都不能算是正式的藏書印。

中國近代的藏書家，為了顧計流傳子孫和保留的問題，曾由這方面使印章的字句有了一點新的面目。這便是，將詩句或銘語鐫成了印章鈐在書上。可是，有的是曠達不羈，有的卻迂腐可笑了。從葉德輝的《書林清話》中，我們可以發現明代施大經的"旋氏獲閣藏書，古人以借鬻為不孝，手澤猶存，子孫其永寶之"，如錢谷的藏書印竟用了一首詩："百計尋書志亦迂，愛護不異隋侯珠。有假不還遭神誅，子孫不讀真其愚。"正因為都計及子孫，於是許多藏書家，真能身後不散的便很少了。

西洋藏書票大都是貼在書面的裡頁，我們的藏書印則向來鈐在正書第一面的下角，但也有鈐在卷末的。至於鈐在版框之上正中的，則不外是皇帝內府的收藏印。

冬天來了

　　哦，風啊，如果冬天來了，春天還會遠嗎？

　　這是雪萊的《西風歌》裡的名句，現代英國小說家赫欽遜曾用這作過書名：《如果冬天來了》。郁達夫先生很賞識這書，十年前曾將這小說推薦給我，我看了一小半，感不到興趣，便將書還了給他，他詫異我看得這樣快，我老實說我看不下去，他點頭歎息說：

　　　　這也難怪，這是你們年輕人所不懂的。這種契訶夫型的憂鬱人生意味，只有我們中年人才能領略。

　　時間過得快，轉瞬已是十年，而且恰是又到了雪萊所感歎的這時節。黃花已瘦，園外銀杏樹上的鵲巢從凋零的落葉中逐漸露出來，對面人家已開始裝火爐，這時節不僅是誰都幻想着要過一個舒適的冬天，而且正是在人生上，在一年的生活上，誰都該加以回顧和結算的時候了。

　　我是最討厭契訶夫小說中所描寫的那類典型人物的人，因此便也不大愛看契訶夫的小說，誠如高爾基在回憶中所說：

　　　　讀着安東·契訶夫的小說的時候，人就會感到自己是在晚秋底一個憂鬱的日子裡，空氣是明淨的，裸的樹，狹的房屋，灰色的人們的輪廓是尖銳的。……

人是該生活在光明裡的，每個年輕人都這樣想；但實際上的人生，實在是灰黯和可恥的結合。到了中年，誰都要對契訶夫所描寫的生活在卑俗和醜惡裡的人們表同情，十年前達夫愛讀《如果冬天來了》的理由正是這樣，但那時的我是全然不理解這些的。

　　十年以前，我喜愛拜倫，喜愛龔定盦。我不僅抹煞了契訶夫，而且還抹煞了人生上許多無可逃避的真理，在當時少年的心中，以為人生即使如夢，那至少也是一個美麗的夢。

　　今年冬天，如果時間和環境允許我，我要細細的讀一讀契訶夫的小說和劇本，在蒼白的天空和寒冷的空氣中，領略一下這灰黯的人生的滋味。但我並不絕望，因為如果有一陣風掠過窗外光禿的樹枝的時候，我便想起了雪萊的名句：

　　哦！風啊！如果冬天來了，春天還會遠嗎？

文藝隨筆

關於《伊索寓言》

　　《伊索寓言》傳入中國很早，在明末就有了中文譯本。除了佛經以外，這怕是最早的被譯成中文的外國古典文學作品了。據日本新村出氏的研究，明末印行的伊索寓言中譯本，從事這工作的是當時來中土傳教的耶穌會教士。這是由比利時傳教士金尼閣口述，再由一位姓張的中國教友筆錄的。當時取名《況義》，況者比也譬也，《漢書》有"以往況今"之語，這書名雖然夠典雅，可是若不經說明，我們今日實在很難知道它就是伊索寓言集。

　　據新村出氏的考證，《況義》係於一六二五年，即明天啟五年在西安府出版，至今僅有巴黎圖書館藏有兩冊抄本，所以不僅見過此書的人極少，就是知道有這回事的人也不多了。

　　到了一八三七年左右（清道光十七年），廣州的教會又出版過一種英漢對照的《伊索寓言》選譯，書名作《意拾蒙引》，譯者署名作"蒙昧先生"。"意拾"即"伊索"的異譯。這書我未見過。雖然出版至今不過百餘年，據說也很難見到。據一八四〇年廣州出版的英文《中國文庫》（第九卷二〇一頁）所載這書的介紹，譯文是由一位湯姆先生口述，再由這位"蒙昧先生"用中文記錄下來的。湯姆是當時廣州渣甸商行的行員，這位"蒙昧先生"就是他的中文教師。據《中國文庫》的介紹文所載，這部英漢對照的《伊索寓言》譯本一共譯了八十一篇寓言，全書共一百零四頁，每頁除了英漢對照以外，還有羅馬字的漢字音譯，中文居中，譯音居右，英文居左。它是專供當時有志研究中國文字的外國人用的，出版後很獲好評，所以在一八三七年在廣州出版後，一八四〇年又再印了一次。可惜現在已經不易見得到了。

這部《意拾蒙引》在廣東出版時，曾被當時官府所禁。英國約瑟雅各氏撰《伊索寓言小史》曾提及這事。周作人先生在〈明譯伊索寓言〉（見《自己的園地》）一文裡對這事曾表示懷疑，說看去好像不是事實，而且認為"現在無從去查考"。但是據上述《中國文庫》那篇介紹文所載，其中也提起初版《意拾蒙引》出版後被中國官廳所禁的事。既然在當時（一八四〇年）的出版物上都提及這事，看來該是可信的了。

從這以後，"伊索寓言"就在中國生了根，雖然我至今還不曾找出是誰首先將 Aesop 這名字譯成我們今日通用的"伊索"這兩字的。在清末以至民初的蒙童讀本和小學教科書裡，我們已經讀到烏龜與兔子賽跑，蝙蝠徘徊飛鳥與走獸之間受奚落，插上孔雀毛的烏鴉被嘲笑的一類故事了。可惜除了兒童讀物中偶有採錄以外，我們至今還沒有像樣一點的譯本，更談不到將它當作古典文藝作品來讀閱。因此我們雖然早在明朝就有了第一次的譯本，但是對於伊索的歷史和他的寓言集的由來以及流傳經過，幾乎至今仍是所知不多。有許多讀過一兩篇《伊索寓言》的人，甚至不知道伊索是個人名，以為是古代的國名或地名。

讓我在這裡先將他的生活加以簡單的介紹。

伊索是古希臘時代的人。因了被保存下來的有關這位大寓言家的記載本來已經不多，而且其中有許多記載的真實性又不甚可靠，因此關於他的生平，我個人所知道的實在有限。今日一切有關伊索的古代文獻，最可靠的是出自古希臘有名的史家希羅多德的著作中，因為他與伊索的生存年代，相差不過百餘年，而且他的歷史著作中的其他記載，已經從各方面獲得了可靠的證實，所以關於伊索的部分，自然比別人所記載的較為可信了。

有些古希臘作家，認為伊索並無其人，甚或認為不過是一個假設的箭垛式的人物，因為有許多被稱為伊索"寓言"的寓言，後來被發現早在伊索生存時代以前流傳各地，有的則顯然是在伊索去世以後多年才首次出現的，現在都被當作"伊索寓言"了。但這只可證明伊索的寓言家的聲名太大，所以有這現象，並不能由此推翻伊索這個人的存在。何況，既然希羅多德的"歷史"中也提到了伊索，他的真實性自然不容懷疑了。

據希羅多德氏的記載，伊索這位寓言家生於埃及法老王阿瑪西斯的時代，這時代係公元前六世紀中葉，但是據近代可靠的考證，一般都公認伊索的出世年代為公元前六二〇年。他的世家是奴隸，因為是奴隸，所以他的故鄉不詳。希羅多德氏說他生在希臘的薩摩斯島上。但是像後人爭論大詩人荷馬的故鄉一樣，現在至少有四個地點被人爭執着說是伊索的故鄉，並且也各有各的理由。這四個地點是：

一：薩地斯，萊地亞的都城；二：薩摩斯，希臘一小島；三：米桑姆布利亞，泰拉斯的一處古代殖民地；四：柯地阿姆，費萊基亞外省的一座大城。

對於這四個地方，究竟哪一處應是伊索的故鄉，因為大家都找不出十分可靠的文獻，所以至今仍是一件疑案。

伊索是奴籍出身這件事，雖然也有人加以懷疑，說沒有什麼確切的資料可以證明。但說他不是奴隸出身，也同樣拿不出證據，因此我們不如還是信任希羅多德氏的記載，因為他說伊索是薩摩斯島的埃德蒙的奴隸，而且在隸屬於埃德蒙以前，已經轉手了一次，上一次的主子是薩斯奧斯，第二次才賣給埃德蒙，由於伊索的機智和學問，埃德蒙便免除了他的奴籍，使他獲得自由之身，取得了希臘公民的資格。

有些傳記家，如為伊索作傳的英國羅吉爵士，則說伊索至少曾經被輾轉販賣過三次，最早的提及伊索名字的文獻，乃是說他隨同其他奴隸一同到埃費索斯的奴隸市場去等候買主。正是在這市場上，他才給埃德蒙看中了買下來的。羅吉爵士又轉述了一則有關伊索的故事，證明他的富於機智。據說，就在這次赴埃費索斯奴隸市場途中，主人命令眾奴隸背負行李和途中應用物件，幾個奴隸都揀較輕的包裹來拿，伊索卻拿了最重的麵包箱。同伴都譏笑他笨，可是麵包是沿途的食糧，愈吃愈少，分量也愈輕，因此走了一半路程，伊索的擔負已經減輕了一半。及至將近目的地時，除了空籃以外，他早已什麼也不用拿了。

這故事很有趣，幾乎像《伊索寓言》本身一樣的有趣，只可惜不大可信，因為關於伊索這樣的傳說太多了，我們只好存疑。至於他被賣兩次或是三次，那也無關緊要。因為既是奴隸，被賣兩次或是三次又有什麼區別呢？最緊要的還是遇見了能賞識他的埃德蒙，使他恢復了自由。

　　按照古代希臘的法律，一個恢復了自由的奴隸，他就有資格享受一般公民應享的權利。因此伊索就有機會旅行各地，一面增廣自己的見聞，吸收新的學術，一面用自己的機智和說故事的本領來吸引別人，不久就像一般哲學家一樣獲得了很受人尊敬的崇高地位。雅典和科林斯都發現過他的行蹤，他後來到了薩地斯，這是萊地亞的都城，是當時的學術文化中心之一。伊索成了克洛蘇斯王的謀士，並受邀請在薩地斯住下，擔任各項公私職務。後來有一次，奉了克洛蘇斯之命，以使臣的名義到特爾費去料理一筆債務。不知怎樣，特爾費的市民觸怒了他，他也觸怒了他們。他本來是受命去償付債務的，這時他竟拒絕付款，命人將債款攜回薩地斯。這樣當然更激怒了特爾費人，他們便不顧伊索是個使臣的身份，將他當作普通罪犯一樣，處了死刑。相傳他死得很慘，是被特爾費人從懸崖將他推下去粉身碎骨跌死的。

　　伊索究竟是在哪一年被特爾費人所殺害的，這事至今沒有一點可靠的資料可資考查。倒是對於他被特爾費人殺害的情形，有着許多不同的記載。一說伊索之死，是由於他不肯將帶來的債款付給特爾費人，激怒了他們，以致被他們處死。一說由於伊索所愛說的機智的寓言，有損特爾費人的尊嚴，他們便指他污言褻瀆神明，所以將他判處死刑。據亞里斯多芬的記載，特爾費人說伊索從他們的神廟裡偷了一隻金杯，此事干犯天怒，所以他們將他處死。但是又有些古代作家記載，說由於特爾費人不喜歡伊索，他們故意將一隻金杯塞到他的行囊裡，說他偷竊，故意陷他於罪。這些記載都很動人，可惜不大可信。因此現在被人認為可以信賴的事實只是：伊索的死，是死在特爾費人的手裡，時間和原因都不明，大概總不免同他喜歡用寓言來教訓人諷刺人有關。

因了伊索的死，似乎是無辜而死，古代又有關於伊索死後向特爾費人復仇的傳說。據說自從他們謀殺伊索以後，特爾費地方就災難迭現，疾病流行，這是伊索的靈魂向天控訴之故，後來全體公民向伊索之靈懺悔，這才平安無事。因此古代就有一句"伊索的血"諺語，表示為惡終必受罰之意。

這位大寓言家的像貌如何，至今也成了一個謎。希臘史上記載在伊索死後二百年，希臘人為這位大寓言家在雅典建立了一座雕像，出自當時名雕刻家里西普士之手。這座雕像是怎樣的，我們至今一點也不知道。有許多關於伊索像貌的古代記載，說他生得跛腳駝背，五官不正，像貌奇醜，說話口吃。這些古怪的記載，現在已被證實都是虛構的，一點也不可靠。

在十七世紀英國出版的羅吉爵士的伊索寓言譯本前面，附有一幀伊索的畫像，這幅畫像可以代表自古以來一般人對於伊索這個人的概念。在這幅畫像上，伊索被畫得如一般傳說那樣的奇醜殘廢，他的腳下有一隻猴子和一隻狐狸，身後有一隻獅子，前面有一隻老鷹正在吃着兔子。畫上還有一株樹，樹上站着一隻孔雀，一隻貓頭鷹，以及一隻古怪的烏鴉。伊索身上披着胄甲，用來裝飾他的駝背和突胸。一手拿着一卷古紙，一手拿着一柄刀筆。

這幅畫像可說代表了自古以來一般人對於伊索的印象。他是大寓言家，他自己也顯然變成了一個寓言中的人物。

　　儘管我們對於伊索生平的許多古怪的傳說，要採取審慎的態度去辨別真偽，但對於最基本的一件事實，伊索乃是古希臘最有名的一位寓言家這事實，是應該深信不疑的，而且他簡直是自古至今最偉大的一位寓言家，我們只要看一看二千多年以來，他的寓言在全世界各地流傳的情形就可以知道了。

　　自公元五世紀以後，《伊索寓言》和關於伊索的傳說，在希臘已經流傳很廣，尤其在文化中心的雅典，當時許多著作中都提到伊索，如亞里斯多芬、茲諾芬尼、柏拉圖、阿里斯多德等人的作品，都提及伊索這人和引用他的寓言。據柏拉圖的記載，大哲學家蘇格拉底在獄中等候死刑消息的時候，曾將若干伊索寓言憑記憶用詩的形式寫了出來。但是據今日所知，最早的伊索寓言集，在公元前三世紀就已經出現，這是由一個名叫特米特利奧斯的人編的，他是雅典的哲學家之一，可是他的本子並未流傳下來。稍後，法特魯斯的拉丁文本出現了，這是最早的伊索寓言的拉丁文本，而且也是用詩歌的體裁寫成的。這真是巧合之至，法特魯斯也是奴隸出身，但是由於他的才學，後來由奧古斯德大帝御赦為自由人了。他所編纂的伊索寓言集，有的採自希臘古本，有的源出於無名氏的著作，更有些顯然是法特魯斯自己的創作，因為撰述寓言已經成了當時學人流行的一種風尚。法特魯斯的本子，是流傳至今的最古的伊索寓言集的祖本。

　　我們現在已經無法找出證據，伊索曾否有關於他的寓言的原稿被保存下來，他自己是否動筆記述過這些寓言，以及至今所傳的伊索寓言集，其中究竟哪一些才是真正的伊索著作？這些問題現在已很難解答了。

正如荷馬的史詩是荷馬的作品，可是又不是荷馬所手寫的那樣，今日我們所知的伊索寓言，顯然在最初是由伊索所口述，然後再輾轉由別人口述，然後才有人各隨自己的意見記述下來的。由於伊索是寓言家的聲名太大，凡是寓言就必然是"伊索寓言"，所以我們今日所讀的伊索寓言集，可能有許多都是與伊索無關的，至少有若干篇寓言已被查出在伊索時代以前就已經在希臘流行，有些則甚至在公元以後始首次有人提起過的。這些顯然都不是伊索的著作。

在歐洲中世紀時期，《伊索寓言》曾一度被人遺忘，倒是在近東一帶流行起來，直到君士但丁堡陷落，東羅馬帝國衰亡以後，伊索寓言才隨着西遷的文化潮流重入歐洲。有一時期，除了《聖經》以外，它是影響人心最大的古典作品。事實上，早期的教會就非常看重《伊索寓言》，從其中找出了許多與基督教脗合的教訓。馬丁路德自己就曾經翻譯過好多篇伊索寓言。

一六一〇年，瑞士人伊薩克‧尼費勒特，搜集了當時所能得到的各種古本伊索寓言集，將它們彙集在一起，又從梵諦岡所藏的古稿本裡新譯了若干篇，構成了自希臘時代以來的最完備的伊索寓言集。目前各種文字的譯本，差不多都是直接或間接根據尼費勒特的底本翻譯出來的。最多的一種有四百二十六篇，另一種也有三百多篇。毫無疑問，其中有許多篇乃是伊索的同時人，以及他的以前或以後流行的作品。真正可靠的屬於伊索的作品，大約在兩百篇左右。

褒頓與《天方夜譚》

　　許多年以來，我就想買一部理查褒頓的《天方夜譚》英譯本，這個願望一直到最近終於兌現了。

　　本來，我早已有了馬特斯根據馬爾都路的法譯重譯本，這是八巨冊的限定版，譯文清新流麗，讀起來很方便，應該可以滿足了。但是我始終念念不忘許多人一再提起的褒頓的淵博的注解，以及他以三十年的精力完成的那完整的譯文，總想一見為快，所以即使早已讀過近年印行的褒頓譯文的選本，我仍堅持要買一部十六冊的褒頓原刊本。

　　在北窗下，翻開書本，迎着亮光檢視每一葉紙上那個透明的褒頓簽字的浮水印，並不曾看內容，我的心裡就已經十分滿足了。

　　褒頓精通近東各國語言文字多種，他的《天方夜譚》譯文，是直接從阿拉伯文譯出來的。世上精通阿拉伯文的人本來就不多，就是有這樣的人才，也沒有褒頓那樣淵博的學力和興趣，更難得有他那樣的毅力，所以這部《天方夜譚》，儘管在褒頓以前和以後另有多種譯本，但是沒有一種能比得上他的那麼忠實完整。在有些地方，如追溯書中有些故事的淵源加以比較，以及對於某些風俗和辭令的詮釋，就是在阿拉伯的原文裡也看不到的。

在〈譯者小引〉裡，理查襃頓這樣敘述他立意翻譯《天方夜譚》的經過：

一八五二年冬天，襃頓同他的老友斯泰恩亥塞談起《天方夜譚》這書，認為當時英國讀書界雖然知道這書的人很多，但是除了能直接讀阿拉伯原文的以外，很少人能有機會領略這座文學寶庫的真正價值，於是他們兩人便決意合作，將這部大著忠實的、不加修飾的、不加刪節的原原本本翻譯出來。因為原文有些地方是散文，有些地方插入韻文，他們兩人便分工合作，斯泰恩亥塞負責散文，襃頓就負責韻文部分。這樣約定，他們就分了手。不久，襃頓到了巴西，忽然接到斯泰恩亥塞在瑞士逝世的噩耗，而且因為遺物乏人照料，斯氏已經完成的一部分譯稿也從此失了蹤。

但是襃頓並不氣餒，他決定個人擔起這艱巨的工作。其中幾經艱辛，時譯時輟（襃頓的職業是外交官），終於經過了二十餘年，在一八七九年春天完成了全部譯稿，只要稍加整理，就可以出版了。

在整理譯稿期間，襃頓忽然從當時文藝刊物的出版預告上發現另有一部《天方夜譚》的英譯本要出版，出自名翻譯家約翰潘尼之筆。襃頓對於自己的譯文很有自信，不想同他競爭，便寫信同潘尼商量，寧願讓潘氏的譯本先出版，給他五年的銷售時間，將自己的譯本押後至一八八五年春天再出版。

約翰潘尼的譯本共分九大冊，僅印了五百部，號稱是前所未有的最完備的英譯本。他自己說，"比加郎德氏的譯文多出了四倍，比其他任何譯者的譯文也多出了三倍"。他很客氣的在譯本的獻辭上將這譯文獻給理查襄頓。襄頓後來在自己譯本的序文上對潘尼的譯文也加以讚揚，尤其佩服他的選詞用字，說是有些地方同阿拉伯原文對比起來簡直天衣無縫。美中不足的是，潘氏的譯文自承有些地方仍是經過"閹割"的，仍不是完整的譯本。

於是，到了一八八五年，襄頓依照他同潘尼訂立的協定，將自己的譯本發售預約了。他的譯本，恰如他自己所說，不僅完整沒有刪節，而且竭力保存阿拉伯原本的格式和構造。設想如果當年阿拉伯人不用阿拉伯文而用英文寫《天方夜譚》，他們應該寫成怎樣。

襄頓的譯本也是以預約方式發售的，在一八八五年至一八八六年之間印出了十冊，這是正集，這已經比潘氏的譯本多出了一冊，到了一八八七年至一八八八年，他又印了續集六冊。這一共用十六巨冊構成的《天方夜譚》譯本，它的引證的淵博和譯文的浩繁，簡直斷絕了任何想再嘗試這工作的後來者的野心。在襄頓的譯本出版以後，半個世紀以來，雖然也有一兩種其他語文的譯本出版，有的以文詞淺易取勝，有的誇張猥褻字句引人，但是在完整和篇幅的數量上，比起他的譯本來，始終仍是侏儒與巨人之比而已。

《天方夜譚》裡的故事，來源不一，作者也並非一人，這是經過相當年代的累積，由後人逐漸搜集整理而成者，所以不僅不能知道那些作者是誰，而且最初形成我們今日所見的《天方夜譚》的時間也無法確定。有人說出現於十三世紀，又有人說遲至十五世紀。

最初的法譯本譯者加郎德氏，他認為《天方夜譚》裡的故事，大部分源出印度，經過波斯傳入阿拉伯；但褒頓則認為故事的來源，波斯比印度更多。他在那篇洋洋數萬言的尾跋裡，對於這些問題，根據他自己的考察所得，歸納成如下幾點綱要：

故事的骨幹源出波斯。其中最古老的故事，可以追溯至八世紀左右。最主要的一些故事共約十三個，這可說是《天方夜譚》故事集的核心，這些故事都產生在十世紀左右。全書中最新的幾個故事，顯然有後來編入的痕跡，可以證明是十六世紀的作品。全書大部分則形成於十三世紀。至於作者是誰，根本未有人提及過。因為傳述者不一，各人隨意筆錄，所以根本沒有作者。至於這些抄本的流傳經過和筆錄者的事跡，則還有待於新發現的資料去考證。

以上是褒頓關於《天方夜譚》這本書的產生和來源的意見。他猶如此，別人更沒有資格隨便下斷語了。

這位《天方夜譚》的譯者理查褒頓（一八二一 —— 一八九○）是英國人，牛津出身。後來為了他在外交上的功績，獲得爵士銜（卻不是為了他翻譯《天方夜譚》！），所以人稱“褒頓爵士”。他曾在一八四二年隨軍赴印，又化裝為印度商人到麥加去朝聖，是英國人去謁穆罕默德墓的第一人。因為當時非回教徒是不能去的，否則有生命的危險，似褒頓卻大膽的化裝為印度回教徒去參加了。在途中因了早起如廁不遵照回教徒的習慣以左手取沙拭穢，幾乎被人認出破綻，但終於靠了機智被逃過了。他又到過波斯、埃及、阿拉伯、非洲、敘利亞等地，任過英國駐大馬士革等地的領事和專員，又曾替法老王到阿拉伯去查勘過古埃及人在那裡所開發過的金礦。所以褒頓關於近東各國的言語，和史地知識非常豐富，這就奠下了他後來翻譯《天方夜譚》的基礎。

褒頓除了翻譯《天方夜譚》以外，又曾寫過好幾部敘述印度和近東的旅行記，但這一切都給他的這部偉大翻譯的成就所掩蓋了。他又譯過古阿拉伯人著名的愛經《香園》。

褒頓後來在意大利的地里斯德港任上去世。這時他的《天方夜譚》譯本雖然早已出版，但仍有許多未及刊行的有關資料。據傳在他死後，這些譯稿都被他的太太燒掉了。據她事後對人說，這是為了要保持她丈夫在道德和名譽上的純潔。可是我們知道，這對於褒頓在文藝上的貢獻，該是一種怎樣大的損失。

《天方夜譚》的正式譯名該是《一千零一夜的故事》。除了褒頓的譯本以外，其他的譯本大都不曾保存這個“一千零一夜”的形式，但是理查褒頓卻堅持這一點，認為這個形式最為重要。因為書中那位美麗機智的沙娜查德小姐確是將她的故事講了一千零一夜，每逢講到緊要關頭，恰巧天亮了，她便停住不講，等到天黑了再繼續講下去，就這樣一連講了一千零一夜，一點不折不扣。對於這形式，褒頓曾說過一句警句：“沒有一千零一夜，根本也就沒有故事”，因此他對於原文那種“說到這裡，天已經亮了，於是沙娜查德就停止說下去”的形式，堅持保存原狀。所以我們如果將他的譯本章節統計一下，確是一千零一夜，不多也不少。

　　這雖然只是一種形式，然而就是從這方面，我們就不難推想褒頓的譯文在其他方面的完整和認真。

　　對於《天方夜譚》裡的故事，我們最熟悉的是阿拉丁的神燈和阿利巴巴四十大盜的故事。這不僅因為在電影中屢次見過，也因為我們在英文讀本裡早就讀過。然而，普通給中學生讀的《天方夜譚》故事，比起褒頓的全譯本，那差異簡直比《沙氏樂府本事》與沙翁原著之間的差異更大。因此能有機會翻一下褒頓的十六巨冊譯文，即使還不曾真的讀下去，我也認為是一種福氣了。

《十日談》、《七日談》和《五日談》

一　卜迦丘的《十日談》

　　像一切偉大的文藝名著一樣，卜迦丘的《十日談》也是被人談論得很多，可是很少人曾經讀完過的一本書。我們雖然早已有了刪節過的不完全的中譯本，但看來恰如其他國家的許多卜迦丘的讀者一般，我們所欣賞的也不過是其中捉夜鶯的趣談或魔鬼進地獄的故事而已。

　　在意大利文學史上，卜迦丘的《十日談》曾與但丁的《神曲》並稱。但丁的長詩題名是《神曲》，《十日談》則被稱為"人曲"。一個是詩，一個是散文，一個描寫未來的幻想生活，一個描寫眼前的現實生活。兩部作品的風格和目的雖然不同，但在文藝上的成就卻是一樣，都是十四世紀所產生的一時無兩的傑作。其實，卜迦丘所描寫的和但丁所描寫的都是同一個世界，不過但丁着重這一個世界的生活和另一個想像中的未來世界的關係，卜迦丘則拋開了人和"神"的未來關係，全部着重眼前這個世界的一切活動。在他的書中，世界就是世界，人就是人，不管他或她的職業和地位如何，他們都受着人性的支配。這就是這部作品被稱為"人曲"的原因。西蒙斯在他的大著《意大利文藝復興史》中說得好：

> 但丁在他的神曲中企圖對於世界的基本現象予以揭露，並且賦予它們以永久的價值。他從人性與神的關係去着手，注意這個世界的生活與墳墓那邊生活的關係。卜迦丘則僅着重現世的現象，無意去尋求經驗的底下還有什麼。他描繪世間就如眼見的世間，肉就是肉，自然就是自然，並不暗示還有什麼靈的問題。他將人類的生活看成是運氣、詼諧、欲望和機智反覆的遊戲。但丁從他靈魂的鏡子中視察這個世界，卜迦丘則用他的肉眼；但是這兩個詩人和小說家卻從同一人類中去採取題材，在處理上都顯示同樣深切的理解。

正因為卜迦丘在他的《十日談》中將這個世界描寫得太真實了，太沒有顧忌了，遂使這本該是歡樂的泉源的好書（作者自己曾表示寫這本書的用意是這樣），卻招惹了許多愚昧的紛擾和偏狹的嫉憤。從它初出版以來，這本書就被梵諦岡列入他們的《禁書索引》中，經過了五六個世紀，至今仍未解禁。同時，在這期間，偽善者對於這本書所表示的誤解和愚昧，並不曾因了人類文化的進展而有所醒悟。

喬奧伐里·卜迦丘，這位《十日談》的作者，父親是意大利人，母親是法國人。他是在巴黎出世的，出生年代和日期沒有準確的記載，這是因為他父親是在巴黎作客期間結識這個法國婦人的，年代大約是一三一三年左右。他父親後來似乎並未與這個法國婦人正式結婚，因此有人說卜迦丘像達文西一樣，也是一個私生子，甚至有人說他根本不是這個法國婦人生的。但無論如何，他含有法蘭西的血統卻是一件沒有人否認的事實。也許就是這一點淵源，使得他的《十日談》充滿了法國中世紀文學特有的機智諷嘲和詼諧趣味。

卜迦丘的父親是商人，他跟隨父親回到佛羅倫斯以後，父親有意要使他成為商人，後來又想他學習法律，但這一切安排都不能阻止卜迦丘對於文學詩歌的愛好。他成為但丁的崇拜者，曾寫過一本《但丁傳》，這書至今仍是研究但丁生活的最可靠的資料。像但丁的伯特麗斯一樣，他也有一位愛人，這是一個有夫之婦，卜迦丘將她理想化了，取名為費亞米姐，用來媲美但丁的伯特麗斯，後來並用這美麗的名字寫了一部小說。

除了上述的兩部作品外，卜迦丘又寫過好些長詩和散文，但他主要的作品乃是《十日談》，而且僅是這一部書也盡夠他不朽了。《十日談》作於一三四八年至一三五三年之間。當時歐洲人還沒有發明印刷，這書只是借了抄本來流傳，直到一四七一年才有第一次印本出版，因此這書也是歐洲最早的印本書之一。

《十日談》（*Decameron*）的巧妙的結構和它得名的由來，是這樣的：

一三四八年左右，佛羅倫斯發生了一場流行的大瘟疫，死亡枕藉，人煙空寂，倖存的都紛紛逃往他處避疫。這其中有七位大家閨秀和三個富家青年，也都是從佛羅倫斯逃避出來的，偶然大家不約而同的在一座山頂上的別墅中見了面。因為是萍水相逢，大家無事可做，便互相講故事消磨客中無聊的歲月。當時大家約定每天推一人輪流作主人，每人每天要講一個故事。這樣一共講了十天，總共講了一百個故事。恰好疫氛已過，大家便互相告別各奔前程去了。因為這些故事都是在十天內講出來的，因此這書就名為《十日談》。

卜迦丘實在是古今第一流的講故事能手。在《十日談》裡，他的態度冷靜莊重，不作無謂的指摘和嘲弄，也不拋售廉價的同情。他不故作矜持，也不迴避猥褻，但是從不誨淫。那一百個故事，可說包括了人生的各方面，有的詼諧風趣，有的嚴肅淒涼，但他卻從不說教，也不謾罵。他將貴族與平民，閨秀與娼婦，聰明人與蠢漢，勇士與懦夫，聖者與凡夫，都看成一律，看成都是一個"人"。而且在人生舞台上，有時娼婦反比閨秀更為賢淑，蠢漢更比聰明人佔便宜，而道貌岸然的聖者卻時常會在凡夫俗子面前暴露了自己的真面目，引起一般聽眾的喝彩，同時卻激起了偽善者和衛道之士的老羞成怒。正因為這樣，這《十日談》雖然時時受到指摘和詆譭，但仍為千萬讀者所愛好，使他們從其中享受到了書本上的最大的娛樂。

《十日談》裡的故事，多數並非卜迦丘的創作，而是根據當時流傳的各種故事加以改編的。因為說故事和聽故事正是中世紀最流行的一種風尚。這些故事大都來自中東和印度，有的出自希臘羅馬古籍，有的更是歐洲各國流傳已久的民間故事。經過了卜迦丘巧妙的穿插和編排，便成了一部古今無兩的富有人情味的故事寶庫。有一時期，法國有些學者指摘卜迦丘的《十日談》抄襲法國民間流傳的寓言故事頗多，但這並不能損害《十日談》在文藝上的價值，正如莎士比亞和喬叟雖然也從《十日談》汲取他們的劇本和長詩題材，但也並不減低他們的成就一般。

為了反抗僧侶們所標榜的不近人情的禁慾主義，出現在黑暗的中世紀的這部《十日談》，可說是給後來的文藝復興運動照耀開路的一具火把，因為他首先將"人"的地位和權利從桎梏中解放出來了。

二 拉瓦皇后的《七日談》

拉瓦皇后瑪格麗的《七日談》（*Heptameron*），顯然是直接受了卜迦丘的《十日談》影響的作品，但也只是在書名和結構方面而已。並且瑪格麗最初僅是將她的故事集命名為《幸運情人的歷史》（*Les Histoice Des Amants Fortunes*），《七日談》的題名還是後人給她加上去的，因了這名字很恰當動人，於是原來的書名反而被人遺忘了。

《七日談》雖然是直接受了《十日談》影響的作品，但決不是像《紅樓續夢》、《紅樓圓夢》那樣，是狗尾續貂的東西。《七日談》的故事都是作者根據自己的見聞來撰述的，有些更是當時時人的逸事，作者只是將人名和地點略加以更換而已。像《十日談》一樣，這些故事都充滿了諧謔和風趣，更不缺少猥褻，但卻敘述得那麼文雅悠閒，真不愧是出自一位皇后的手筆。

拉瓦皇后瑪格麗（Margaret, Queen of Navarre），生於一四九二年，是法蘭西斯一世的姊姊，一五〇九年嫁給亞倫恭公爵，後來公爵死了，她又改適當時法國的鄰邦拉瓦王亨利，因此被稱為"拉瓦皇后"。她自己愛好文學，並且執筆寫作，當時法國著名作家如拉伯雷等人都是她宮廷中的座上客，因此她的作品也就那麼充滿哲理和機智的嘲弄，有時對於僧侶的偽善生活也有一點輕微的譏諷。她寫過好幾種喜劇和長詩。但使她的名字得以不朽的卻是這部繼續寫出來的故事集。這部《七日談》，開始於一五四四年，她原來的計劃本是像《十日談》一樣，使十個人每天講一個故事，講滿十天再分手，這樣便恰好寫滿一百個故事的，但是為了別的事情時時擱置，這樣，直到一五四九年，她剛寫到第八天第二個故事時，便不幸逝世了。因此《七日談》裡僅有七十二個故事，而且也沒有結局，誰也不知道那十個人後來是怎樣分手的。因了這些故事是在七日的時間內由書中人講述出來的，後來一個聰明的編者便給她題上《七日談》這個名字。

《七日談》的結構，毫無疑問是受了《十日談》影響的。作者假設在某一年的秋天，有一群紳士淑女到溫泉去沐浴休假，回來時因大雨成災，河水氾濫，各人不得不各自設法繞道回家去。這其中有十個人為雨水所阻，停留在某一處的僧院裡，十人中恰好男女參半，大家客居無聊，便約定每天飯後在草地上講故事，每人每天講一個，講完之後便大家討論故事的內容或隨意談天。這遣悶的方法很成功，因為發現僧院裡的僧人也躲在籬外來偷聽，有時聽得出神，甚至忘記了去做晚禱。

《七日談》的原名是《幸運情人的歷史》，因為大部分的故事，都是有關不忠的妻子和不忠的丈夫的。有的是丈夫用巧計瞞過了妻子去會情婦，有的是妻子欺騙丈夫去會情郎，當然佔便宜的多數是情人。除此之外，更有一部分是諷刺僧侶生活的。此外便是經過隱名改姓的時人趣事和當時所流傳的真實發生的奇聞。

法國中世紀著名的一件母子父女兄妹亂倫奇案，便是出在這書裡的。一位守寡的母親為了要試驗兒子是否同婢女有私情，竟在黑夜之中一時忘情同自己的兒子發生了關係，而且竟因此受孕，她託辭離家養病，後來將生下來的女兒寄養在遠方，不使兒子知道。哪知兒子後來出去遊學，偶然遇見這女兒，又彼此相愛在外邊偷偷結了婚回來，於是便鑄成了這一個千古未有的大錯。瑪格麗將這一段奇聞收在第三天最末一個故事裡。後來曾使許多作家採作了劇本和敘事詩的題材。

　　《七日談》的第一次印本是一五五八年在巴黎出版的，在這以前僅是借了抄本流傳。目前巴黎國家圖書館還藏有十二種不同的抄本，多數是殘缺不齊的。就是第一次的印本也僅有六十七個故事，而且次序顛倒，不分日期。現在流行的最好的《七日談》版本，是一八五三年巴黎出版的林賽氏的編注本。他根據各種不同的古抄本，努力恢復了拉瓦皇后原來所計劃的面目，並且增加了許多有趣的注解和考證。一九二二年倫敦拉瓦出版社曾根據林賽的版本譯成英文，附加了七十三幅鋼版插圖和一百五十幅小飾畫，又增加了若干注釋，再請喬治・桑茲伯利寫了一篇詳盡的介紹文，印成五巨冊的限定本出版，可說是最完美的《七日談》英譯本。

三　巴西耳的《五日談》

　　意大利拿坡里十六世紀作家，吉姆巴地斯達・巴西耳（Giambattista Basile, 1575-1632），也許很少人會知道他的名字或提起他，若不是因為他是《五日談》（Pentameron）的作者。

這部故事集，它的原名本是《故事的故事》，正像拉瓦皇后的《幸運情人的歷史》被改題作《七日談》一般，原書出版後不久，也由於它的體裁和《十日談》相近，被人改題作《五日談》，並且使得原來的書名反而棄置不用了。

《五日談》和卜迦丘《十日談》相同的地方實在很少。雖然書中的人物也是每天講一個故事，五天的時間一共講了五十個故事，但是那些講故事的人物，卻沒有一個是紳士淑女，全是年老的醜婦，跛腳的、駝背的，缺牙齒的、鷹鈎鼻子的，全是嘵舌罵街的能手，因此也都全是第一流的故事講述者。

並且所講的故事也與《十日談》和《七日談》微有不同，它們多數是民間流傳的故事，恢奇、古怪、想入非非，有些還帶着濃厚的童話色彩。因此這部故事集成了後來歐洲所流傳的許多的童話的泉源。著名的德國格林兄弟所採集的民間故事，有許多便源出於巴西耳的《五日談》。

巴西耳一生以採集民間故事為自己唯一的嗜好，他漫遊各地，直接用巷里的口語記載他所聽到的故事，因此他可說是歐洲第一個民間故事的記錄者。

巴西耳的《五日談》是用拿坡里的方言寫的，能讀這種文字的人不多，一八九三年理查襄頓爵士的英譯本出版後，這才擴大了它的讀者範圍。這時襄頓剛完成了他的偉大的《天方夜譚》的翻譯工作，以餘力來譯述這部十六世紀的民間故事集，實在駕輕就熟，遊刃有餘。他的譯文最初是以一千五百部的限定版形式出現的，後來才印行了廉價的普及版。

除了襃頓的譯文以外，意大利的著名美學家格羅采也曾將巴西耳的原文譯成了意大利文，目前另有一種英譯本就是依據格羅采的譯文重譯的。

英國十八世紀以寫想像人物對話著名的散文家蘭多爾，也曾同樣以《五日談》的題名寫過一本對話集，想像《十日談》的作者卜迦丘和他的朋友詩人伯特拉克談話，談話的中心是討論但丁的《神曲》，但有時也提及卜迦丘的作品和旁的問題，談話一共繼續了五日，所以書名也稱為《五日談》。

喬叟的《坎特伯雷故事集》

　　十四世紀英國大詩人喬叟的《坎特伯雷故事集》，最近已有很好的中譯本出版。想到這樣冷僻的西洋古典文學作品，在目不暇給的新出版物中也佔了一席地，情形真令我見了神往。

　　喬叟是《十日談》的作者卜迦丘的同時代者，《坎特伯雷故事集》也是一部《十日談》型的作品，不過不是用散文而是用韻文寫成的（只有兩篇是例外）。喬叟與卜迦丘相識，而且也到過意大利，他又自稱是《十日談》的嗜讀者，因此《坎特伯雷故事集》採用了當時最流行的《十日談》型的說故事形式，正不足異。

　　喬叟假設有一群香客，到坎特伯雷的聖多瑪教堂去進香朝聖。他們在一家旅館裡歇腳，約定大家一起結伴同往。連詩人自己在內，一共有三十一人，有男有女。他們的品流是很複雜的，包括有水手、廚師、鄉下紳士、老闆娘、農夫、教士，以及兜售宗教符籙的小販等等，差不多代表了中世紀英國中下社會的各階層。

　　這一群香客聚集在一家名叫塔巴的旅館裡，大家餐後閒談，由旅館老闆提議，為了解除旅途寂寞，大家在進香途中以及歸途上每人各講兩個故事。講得最好的人，進香完畢之後由大家請他吃一餐晚飯。

這樣，一共三十一個人，每人來回講四個故事，根據喬叟原定的寫作計劃，一共該有一百二十四篇故事。可是我們今日所讀到的《坎特伯雷故事集》，僅有故事二十四篇，這是因為喬叟的這部作品，是在晚年寫的，刻意經營，但是未及完成便在一四〇〇年去世了。

相傳這位詩人寫這部作品，為了要體驗各階層的生活真象，曾隱名改姓雜在眾香客群中，到坎特伯雷去觀光過一次。因此在這部故事集裡，有些故事雖是流行在當時民眾口中的傳說，或是採自其他古本故事集裡的，但是他能將每一篇故事與講故事者的身份配合起來，尤其是各個香客的個性，和他們的職業背景，勾劃得最生動深刻。因此這雖然是一部產生在中世紀時期的作品，而且喬叟所用的是英文古文，但是並不妨礙它至今仍是許多人愛讀的文藝作品。

直率坦白，有笑有淚，富於人情味，而且不避猥褻，這正是這部故事集能流傳不朽，為人愛好的原因。有人甚至將喬叟比成了英國的拉伯雷，這比擬可說很恰當。因為即使是這樣的一部韻文的故事集，由於有些偽善者的嘴臉被刻劃得太逼真了，使得梵諦岡看了不高興，有一時期竟將它列入"禁書目錄"中，不許教徒讀閱。

巴爾札克和他的《人間喜劇》

在文學史上，巴爾札克的名字永遠是光輝的。因為這位十九世紀法國大作家，不僅他的作品受到世人的愛讀和讚揚，還有他的洋溢的天才，充沛奮鬥的精力，對於人世正義的同情，以及他一生在金錢上所受到的磨折，都使愛好文藝的人對他特別尊敬和同情。

巴爾札克的名字，是與他的《人間喜劇》分不開的。這是他為自己計劃要寫的小說所題的一個總名。在他擬定的寫作計劃上，這部《人間喜劇》將由一百四十四部小說構成，預定出現在書中的人物將有四千人以上。他後來雖然不曾全部完成這個計劃，但在他去世時，已經寫下了六十多部，在他筆下創造出來的人物典型也達二千人以上。僅是這一點文學成就，在歷史上已經很少有人能夠比得上他了。

《人間喜劇》這題名的由來，是由於意大利詩人但丁的傑作《神曲》的暗示。一八四二年四月間，巴爾札克同一位出版家訂立了合約，全權出版他的作品。他將已出版過的重行加以整理，又準備續寫計劃中的作品。他自己和出版家都覺得"全集"這一類的名稱太空洞平凡，他想給自己的全部小說題一個有意義的總名。想了許久還想不出一個恰當的，因為他的寫作計劃是要描寫一個整個的時代，這時代的各種面貌，活動在這時代的每一種典型人物，都在他的分析和批判之列。後來偶然有一位從意大利旅行回來的朋友，同他談起意大利文學和大詩人但丁的《神曲》。巴爾札克忽然靈機一動，這時就想到了《人間喜劇》這題名。因為但丁的《神曲》原題的意義，乃是神的喜劇（按：但丁的原題本是如此，中國譯為《神曲》，因沿用已久，所以這裡不再改動），所描寫的乃是地獄天堂和淨罪天的種種事情。那麼，描寫天上的詩篇既可稱為"神的喜劇"，他的描寫現世人間的小說，自然不妨題作《人間喜劇》了。巴爾札克對於這個題名很喜歡，自己曾寫過一篇長長的自序來加以解釋。

巴爾札克為自己的《人間喜劇》所擬定的寫作計劃，預定將他所要描寫的人物和故事，以及他們的背景，分為數組，題為私生活，外省生活，以及巴黎人生活等等。其中有幾部以小孩和青年男女為主題，有些則寫鄉下人和外省人的生活，有些則寫巴黎人的靡爛罪惡生活。此外還有軍事生活，政治生活和哲學研究各小部門。所謂"哲學研究"，也仍是以小說方式出之，目的是分析那些決定社會上各種人物形態性格的基本因素。在《人間喜劇》計劃的最後部分，巴爾札克還擬下了"社會生活的病理學"，"改善十九世紀的哲學和政治的對話"等等專題，這些也同樣不是論文，都是要採用小說方式用人物故事來表現的。總之，依據巴爾札克《人間喜劇》原定計劃，他要將整個法國社會寫入他的小說內。

在那篇有名的《人間喜劇》自序裡，巴爾札克這麼闡明他的計劃輪廓道：

私生活景象的部分要描寫童年和青年，他們所經歷的那種不可靠的路程。外省生活景象部分將顯示這些人所經歷的情慾、計算、自私和野心階段。巴黎人的生活景象部分，則描寫各種趣味和罪行的發展面貌，以及在毫無拘束之下的各種不軌行為，因為這正是都市生活的風格和道德特徵。在這裡，善和惡就不免要發生強烈的鬥爭了。

完成了社會生活的這三個部門後，我仍有未完的工作，要表現某些生活在特殊情況下的人物典型，他們是某些生活興趣的代表或集合體，而這些人，乃是站立在法律之外的。為了這些，因此我要寫政治生活的景象。當我完成了社會生活這一部門的廣大景象後，我仍不免要描寫一下它的最兇猛的發揮它的功能的面貌，這就是說，當它為了自衛或是征服的目的而邁步前進的景象。這種景象，我將收在我的"軍事生活景象"內。最後，我還要寫"鄉村生活景象"，這將是我所從事寫作的這種社會戲劇的最後部分工作。在這一部分作品內，將出現我的最純潔的人物，以及對於秩序，政治和道德的最高原則的運用。

巴爾札克對於他的這個寫作計劃顯然很自負，稱之為前所未有的"人類分類學"，要將當時社會生活和人物的每一種典型，毫不遺漏的表現出來，每一個腳色代表一種典型人物，每一個插曲代表社會生活的一面，而這一切又不是單獨各不相關的，而是不可分割的互相有連帶關係，構成整個社會生活的全部面貌："完成一部完整的社會生活歷史，每一章由一部小說代表，每一部小說就代表一個時代。"

他在《人間喜劇》自序的最後說：

> 這個無可比擬的計劃的範圍，不僅要包括一部現社會的歷史和批判學，更要從事對於它的罪惡的分析，以及應有的基本原則的闡明。這一切將表示我現在給我這些作品所擬定的一個總名：人間喜劇，將是十分恰當的。這有點太自詡嗎？它果真能名符其實嗎？當全部作品問世之後，我靜待讀者大眾的高明判斷。

前面已經說過，巴爾札克在一八五○年八月間去世時，他並不曾來得及完成他的《人間喜劇》全部計劃，但他已經先後寫下了六十多部小說。這些有的是長篇，有的是由幾個中篇和短篇構成的，而且發表先後不一，但都是屬於他所計劃寫作的《人間喜劇》中的一部分。我們今日所讀到的他的作品，如《老戈里奧》、《表妹彭絲》、《歐基尼·格朗地》，還有許多短篇，都是屬於《人間喜劇》的作品。

巴爾札克生於一七九九年，一八五○年去世，活了五十一歲。這位偉大的天才作家，他的天賦和精力都過人，因此在寫作和生活計劃上也具有驚人的野心，他一面從事寫作，一面又投資從事各種企業。他的住宅附近有一片空地，他甚至也擬定了一個計劃，利用這空地來種植鳳尾梨，預期不久之後，就要成為法國的"鳳尾梨大王"。不用說，他的事業計劃都是一個接着一個的失敗了，因此他在寫作方面的收入，全部耗廢在這些計劃上，賠了本還不夠，還要常年的負債。甚至他的《人間喜劇》的計劃的擬定，也是為了償付逼人的債務而作的一種努力。

在私生活上，巴爾札克完全表示了一個天才的風貌，他的食量驚人，曾經一次吃了一百隻生蠔，十二塊羊排，一隻全鴨，一對山雞和一條魚。他習慣午夜寫作，喝着濃烈的咖啡，直到黎明才停筆。他的原稿改了又改，有時改至二三十次，以致最後的定稿和他的初稿完全是兩篇文章了。

左拉和他的《魯貢·馬爾加家傳》

在法國文學史上，承繼了現實主義大師巴爾札克光榮傳統的，乃是愛彌爾·左拉。這不僅在文藝的成就上是如此，就是在題材的選取和作品的規劃上也相彷彿。左拉的《魯貢·馬爾加家傳》，可說正是受了他的先輩的《人間喜劇》的啟發而寫成的。

所謂《魯貢·馬爾加家傳》，乃是以魯貢·馬爾加這個家族的幾代男女老幼為中心，寫他們這一家族人物的故事，是用許多長篇小說來連續構成的。巴爾札克寫作《人間喜劇》的全部計劃，是預定要由一百四十四部長短篇小說構成的，出現在書中的人物將有四千以上，不幸他僅寫成了六十多部，就已經去世了。在這方面，左拉比他的先輩幸運多了，他的《魯貢·馬爾加家傳》的預定計劃，沒有《人間喜劇》那麼龐大，是由二十部長篇小說構成的。他從一八六八年開始這個寫作計劃，繼續工作了二十五年，到一八九三年終於完成了家傳的最後一部。

這部法國十九世紀現實主義文學最偉大的作品：《魯貢·馬爾加家傳》，包括了左拉的二十部長篇小說。依照這家族的世系來說，這二十部長篇小說是依照這樣的次序排列的：

一、魯貢家族的家運，一八七一年出版；二、貪慾，一八七一年出版；三、巴黎的肚子，一八七三年出版；四、普拉桑的征服，一八七四年出版；五、莫內教士的過失，一八七五年出版；六、歐舍魯貢大人閣下，一八七六年出版；七、小酒店，一八七七年出版；八、愛之一頁，一八七八年出版；九、娜娜，一八八〇年出版；十、家常小事，一八八二年出版；十一、婦女福利商店，一八八三年出版；十二、生命的歡樂，一八八四年出版；十三、萌芽，一八八五年出版；十四、作品，一八八六年出版；十五、土地，一八八七年出版；十六、夢，一八八八年出版；十七、人類的獸性，一八九〇年出版；十八、金錢，一八九一年出版；十九、敗北，一八九二年出版；二十、巴士加醫生，一八九三年出版。

左拉和巴爾札克一樣，都是精力過人的多產作家。他的這部《魯貢·馬爾加家傳》自一八七一年出版了第一部《魯貢家族的家運》，差不多即以平均每年一冊的寫作速率繼續下去，這中間雖有許多別的事情消耗了他的寫作時間，但他終於在一八九三年依照預定計劃，完成了這部家傳的最後一部：《巴士加醫生》。

左拉這二十部小說的個別成就，無論從出版當時的批評來說，或是從讀者的愛好和它的銷數來說，顯然都是不一致的。這是當然之事，但這並不能斷定最銷行的一部就一定寫得比別一部更好，因為左拉這一部偉大的作品是應該就全部來論斷它的成就的。就一般情形來說，最為人熟知的是《娜娜》，這部以一個風塵女子的生活為中心的小說，曾受過許多人的攻擊，說其中有些部分寫得有傷風化，至今在有些國家尚列為禁書，它在現代也曾改編過為舞台劇，拍過電影，毫無疑問是左拉作品之中最為人熟知的一部，然而左拉本人卻並不認為這是他的得意之作。

除了《娜娜》之外，在《魯貢‧馬爾加家傳》裡面，較為人熟知的幾部是《巴黎的肚子》，這是以巴黎蔬菜魚肉市場為背景的小說，描寫巴黎這大都市每天所消耗的食物的內幕故事。《小酒店》是描寫酒徒和勞動者的故事；《作品》是描寫巴黎藝術家的故事，左拉的這部小說具有相當的自傳成分，因為他將他的那些畫家朋友，印象派的馬奈、塞尚、谷訶等人都寫入了書內；還有《土地》，這是描寫法國農民的作品，由於他暴露農民生活過於露骨，曾引起許多人的抗議。

《魯貢‧馬爾加家傳》這部由二十部長篇小說構成的"長篇小說"，左拉還給它加了一個副題："一個家族的自然史和社會史"。看了這個副題，我們就不難明白這位偉大小說家的描寫中心所在。關於這一點，左拉自己也曾將他的《魯貢‧馬爾加家傳》和巴爾札克的《人間喜劇》加以比較。他在遺留下來的寫作札記裡曾作過這樣的分析道：

> 巴爾札克的《人間喜劇》，他的基本思想是由人類與獸類相比之下所發生的。他認為人類之中有藝術家、官員、律師、教士等等，正如獸類中有獅虎狗狼一樣，他們的職業是具有一定的本性的，而決定產生這種本性的就是社會。至於我的作品，則更富於科學性，而沒有那麼偏重社會性。巴爾札克運用他的作品中的三千人物的幫助，想寫成一部生活狀

態的歷史。他把這個歷史建立在宗教和王權的基礎上。他的整個要點乃是想敘述正如世上有狗有狼一樣，所以人類之中自然也有律師也有官員等等。他想用他的著作構成一面當代社會的鏡子。我自己的著作將完全是另外的東西，範圍是比較更狹小的。我不想描寫整個當代社會，我只想描繪一個家族，以及這一個家族由於環境的影響所發生的各種變化……

斯蒂芬遜和他的《金銀島》

　　文藝愛好者，想來一定知道斯蒂芬遜的傑作《金銀島》這部小說的。這書早已有了好幾種中文譯本，一名《寶島》，有些學校還用它的原文作英文課本。它的作者斯蒂芬遜是一位生活很不尋常的作家，一般人知道的不多，而且他除了《金銀島》之外，還有很多別的作品。

　　羅伯·路易斯·斯蒂芬遜是英國作家，一八五〇年十一月十三日，出生在愛丁堡，他的父親是工程師，所以家庭的環境很好。可惜的是，斯蒂芬遜自幼就身體健康不好。因此這個體弱的獨生子，一向受着家人的特別愛護。他的外祖父是當時愛丁堡大學的哲學教授，斯蒂芬遜時常住在外祖父的家裡。就這樣，他從小就生活在一個學術研究氣氛濃重的環境裡，耳濡目染，再加上他那天賦的好奇心，他自幼便喜歡東塗西抹，時常投稿到當地的報紙上。這時，他不幸承受了母親的衰弱體質和神經衰弱症，發病時就不能讀書，因此他的學業時歇時續。

　　為了體力關係，刻板的學校課程使他生厭，他時常逃學，可是並非貪玩，而是帶了紙筆到外面去，把眼中所見的人物和事情記了下來。他喜歡同各種生活不同的人往來，將他們的個性和特點，細心觀察和記錄。這些筆記簿，後來就成為他著作構思時的底本。每逢他為病痛所困擾，不得不躺在床上休息的時候，事實上他的頭腦反而加倍的活躍。這時他那豐富的幻想力，便把日常所見的那些古怪的人物和事件，再加以渲染，成為他的想像中的英雄。等到他起床後，這些人物便出現在紙上了。

起初，斯蒂芬遜接受家人的期望，決心秉受父志，去專習工程，但是因了體力衰弱，不適宜於辛勞的工作，便改學法律。但這種刻板拘謹的工作，和他那種疏懶不羈的個性完全不相稱，因此他又放棄了成為律師的計劃，開始到各處去旅行，希望能找到一個適合的地點，可以適合療養他的病體。這種旅行生活，使他的足跡踏遍了歐洲大陸德法荷意諸國的國土，隨手寫下了許多遊記。

斯蒂芬遜對英國本國各先輩作家的風格和寫作技巧，曾經下過苦功研究。因此他自己的作品，不論是詩歌，小品文隨筆，短論和小說，都能夠採取英國各名家之長，融會貫通，然後自成一家，清新絕俗。這正是他長期苦心學習的成果，這才能夠達到青出於藍而勝於藍的境界。

有名的冒險小說《金銀島》，出版於一八八二年。這部小說一經出版，一紙風行，使他立時成為英國文壇上最為人愛戴的作家，書中人物呼之欲出，故事又新奇有趣，很快的就被譯成多種外國文字，成為全世界少男少女最喜歡讀的一本小說了。

接着，他又寫了《鬼醫》，這部小說的原名是《傑克爾醫生和亥地先生》，描寫一個能改變自己像貌的怪醫生的故事。他的像貌改變時，他的個性也隨着改變，因此幹出了許多驚心駭目的事情，使讀者毛骨悚然，但是又不忍釋卷。這是描寫人類心理變態的一部傑作。同《金銀島》一樣，這部小說曾經一再拍成了電影。

此外，他又寫下了《給少男少女》、《新天方夜譚》、《綁票勒索》、《驢背旅行》等等，共有四十多種作品。斯蒂芬遜的寫作生活並不長，他寫得又十分審慎，下筆很慢，但是在疾病纏綿之中居然產生了這許多作品，實在令人佩服。他的寫作範圍很廣，包括了長篇小說、短篇故事、隨筆論文、遊記、詩歌。此外他又是寫信的能手，留下了四冊文情俱勝的書信集。

在私生活方面，他和奧斯波夫人的戀愛也轟動一時。奧斯波夫人是一位有夫之婦，斯蒂芬遜為了愛上了她，弄得人言嘖嘖，不惜遠渡重洋，一直到美國去追求她。雖然他父親和親友們竭力反對這事，但是有情人終成眷屬，奧斯波夫人終於同丈夫離婚，嫁給了斯蒂芬遜。這一對有情人的婚姻生活十分美滿，斯蒂芬遜在病苦之中能夠繼續不斷的從事寫作，可說完全得力於這位賢良溫柔的夫人的體貼和照顧。

斯蒂芬遜在早年就染上了肺病。他旅行各地療養的結果，愛上了南太平洋熱帶的柔媚風光，於是決定卜居薩摩亞島。這種世外桃源的生活使他非常愛好，每日除了定時寫作外，便徜徉在風光明媚的椰林海灘上，或是扶杖和島上的土人閒談。斯蒂芬遜為人和善，又富於仁俠精神，因此在島上和土人相處得極好，隨時在精神上和物質上幫助大家，使他的家成為島上的社交中心。土人十分愛戴他，知道他是一位名作家，稱他為"故事專家"。可惜的是，他在島上雖然生活得很愉快，但是病體日漸沉重，有一天同愛妻在散步途中，突然昏厥不醒，竟此不治。他在一八九四年去世，僅僅活了四十四歲。他的逝世，不僅使他的愛妻十分傷心，就是島上的土人也同聲哀悼。他的葬儀是按照土人的風俗舉行的，在他自己生前早已擇定的墓地上，由六十多位垂淚的土人扶棺下葬。墳上的墓碑，刻有他自己生前所寫的輓詩：

　　　　在這寥闊的星空之下，
　　　　掘好墓穴讓我躺下來罷，
　　　　歡樂的生，也歡樂的死去，
　　　　我十分願意這麼躺下。

　　　　請為我鑴上這樣的墓銘，
　　　　這裡是他渴望的所在，
　　　　像萬里破浪歸航的水手，
　　　　像獵罷回家的獵人。

　　斯蒂芬遜的《金銀島》，現在已經成為全世界少男少女所最愛讀的一部冒險小說。據他自己說，這部小說的產生是很偶然的，因為他有一天偶然畫了一幅想像中的《金銀島》寶藏地圖，不覺嚮往起來。由於荒島寶藏和海盜冒險家的傳說故事很多，一經他穿插，便成了一部絕妙的冒險故事。再加上斯蒂芬遜那種細膩的描寫，引人入勝的曲折佈置，使得書中人物呼之欲出，讀者也彷彿置身其境，因此這部小說便令人一拿到手上就捨不得放下來了。

霍桑和動人的《紅字》故事

文學史上有許多作家因一本書而名垂不朽。《紅字》的作者霍桑就是如此。

拉撒奈爾‧霍桑是美國人，生於一八○四年。他本是稅關職員，可是性愛寫作，寫過不少童話和故事，並且也獲得相當成功。但是直到他失業之後，才無意寫出了他的傑作，這就是成為十九世紀美國著名小說之一的《紅字》。今天，霍桑就憑了這一部小說而永不會被人忘記。他雖然後來也寫過好幾部其他作品，但它們的有無已無關重要了。

《紅字》這部小說，是霍桑在四十五歲時寫的。這是一八四九年的事，這時霍桑已經結婚，他的妻子索菲亞是個典型的賢妻，他們已經有了兩個孩子，稅關職務的薪水本來已足夠他們生活，不用有什麼憂慮。可是這一年由於人事上的變動，他的職位忽然被裁撤了，於是霍桑突然失業起來。由於平時沒有什麼積蓄，眼看一時又找不到新的職位，他的前途不覺顯得十分黯淡。

可是賢慧的索菲亞，這時反而安慰丈夫道："你既然不用去辦公了，你豈不是反而有時間可以安定的坐下來寫你許久要寫的小說了？"據霍桑的傳記所載，這時他妻子鼓勵他，給他收拾乾淨書桌，又給他在壁爐裡生了火，請他舒服的坐下來，然後跑上樓拿了一個小包裹來給霍桑看，裡面是一百五十元現款，這是她平時辛苦撙節下來以備不時之需的。現在這筆小款項至少可以夠他們一家人兩個月的生活費。

此外，他的朋友詩人朗費羅等人，知道他失業了，大家也湊了一筆錢寄給他，囑他安心寫作。於是霍桑就在這種既感激又興奮的心情下，坐下來開始寫他許久想寫的長篇小說。他當時對於自己所寫的東西並沒有什麼自信，因此當一位出版家來拜訪他，問他可有什麼現成的稿件可供他們出版時，他起先還謙遜的不肯拿出來，直到再三詢問，他才勉強從抽屜裡拿出一卷原稿來給他說：

請你拿回去看看，這東西行不行？

就在當天晚上，這位出版家就寫了一封信給霍桑，對他交來的這部原稿大加稱讚。這部原稿不是別的，就是《紅字》。

《紅字》的故事非常動人，霍桑是用回敘的方法來寫這部小說的。小說的背景是美國的波士頓城，一開始，女主角亥絲特正從監獄裡釋放出來。她因丈夫不在家，與人通姦有孕，不為當地美國清教徒的嚴厲法律所容，被判入獄。這時刑滿放出來，但是早已在獄中分娩，孩子已經有三個月大了。她被釋後，還要再經過示眾一次，才可以完全恢復自由。她被命令穿上一件特殊的長袍，胸前繡了一個紅色的 "A" 字，這是 "犯通姦罪的婦人"（adulteress）一字的縮寫。當地的法律規定她要終身穿上胸前繡有這個字（這正是這部小說題名《紅字》的由來）的衣服，並且在出獄之際，還要站在刑台上示眾一次。

亥絲特都這麼做了，但是她只有一件事始終不肯做，那就是洩露姦夫的姓名。

亥絲特站在刑台上，身穿胸前有紅字的恥辱長袍，懷抱通姦懷孕而來的獨生子，在那裡示眾之際，出門兩年的丈夫正從外地抵埠了，他雜在人叢中來看熱鬧，因為他根本不知道這件事情，一看站在示眾台上的竟是自己的妻子，這才知道出了亂子。霍桑的小說就是從這一幕緊張的場面來開始敘述描寫的，因此一開頭就吸引了讀者。

丈夫站在人叢中，自然又羞又惱。但是人叢中還有一個心中更難過的人，那就是當地那個年輕而受人敬重的牧師。他這時心裡難過，並非因為他的教區內出了這件有悖道德禮教的風化案，而是他正是亥絲特懷中所抱的私生子的父親。但是由於亥絲特堅決拒絕透露她的情夫姓名，他們發生關係的經過又十分隱秘，大家更絕對不會疑心她的通姦對手乃是受他們敬重的牧師，因此誰也不會疑心到他。但是這年輕的牧師實在是個好人，只不過他對亥絲特的愛情戰勝了他的道德觀念，這才做出這樣的事。因此他見到亥絲特勇敢的一人單獨受過，又拒絕牽連到他，站在台下受到良心的譴責，十分難過。

牧師的秘密，別人雖看不出，但是由於亥絲特出獄以後，他對她的特別關懷和同情，使得丈夫漸漸的猜中了這秘密。這丈夫是個醫生，他因了牧師的健康不好，便藉了給他看病為名，用種種言語磨折他，使他的內心增加苦痛，用來向他報復。

最後，牧師和亥絲特都受不了這種精神的譴責了，她勇敢的同牧師商議，要求帶了私生的女兒一同逃到別處去生活。但是牧師拒絕了，因為他決定要懺悔自己的罪過。

有一天，在一次極為動人的盛大說教之後，這牧師便挽了亥絲特的手，帶着這時已經七歲的私生女兒，一同走上那座示眾的刑台，在全體市民極度驚異之下，莊嚴的向大家宣佈，他說他早應該在七年之前就同亥絲特一起站在這裡了，但是現在遲了七年，請大家原諒，不過他終於有機會這麼做了，因為他正是那個"姦夫"，也就是這個私生子的父親。他說完之後，就因為激動過甚，病體支持不住，倒在亥絲特的懷裡死去了。

這就是霍桑的這部傑作的動人內容。《紅字》出版於一八五〇年，他那時已經是四十六歲。後來又寫了幾部其他作品，但都趕不上這部動人的傑作。他活了六十歲，於一八六四年去世。

莫泊桑的短篇傑作

　　自十九世紀以來，歐洲有兩個以短篇小說馳名的作家，一個是契訶夫，一個是莫泊桑。有人認為在短篇小說的藝術成就上，契訶夫比莫泊桑更大。但是由於契訶夫的風格比較冷靜樸實，沒有莫泊桑那麼輕鬆活潑，因此愛讀莫泊桑短篇作品的人，比讀契訶夫作品的人更多。尤其因為莫泊桑到底是法國人，他的作品以男女愛情關係為題材的居多，這就更容易吸引一般讀者的趣味了。其實，他們兩人在短篇小說上的成就，可說各有千秋，是不容易輕易下論斷的。

　　莫泊桑生於一八五○年，出身於一個破落的貴族家庭。父親平庸無能，母親倒是一個才女，這才造就了莫泊桑未來的文學前途。因為母親是與福樓拜相識的，看出了自己兒子對於文藝寫作的愛好，便有意叫他投身到福樓拜的門下，拜他為師，這位自然主義文學大師，當時已經因《波瓦荔夫人》這部小說而馳名一時，他也看出莫泊桑這青年對文藝寫作很有真摯的熱情，便接納了這託付，答應在文藝寫作上悉心予以指導。就這樣，差不多有七年的時間，每逢到了星期日，莫泊桑便帶了他新寫的作品原稿，登門拜訪他的老師，當面領受他的指導，站在一旁眼看福樓拜用藍鉛筆在他的原稿上修改，然後再在口頭上給以指點，直到夜晚才告辭而去。

這位自然主義大師，可說將他的衣缽傳給了他的這個弟子。他給莫泊桑的寫作箴言是："觀察，然後再觀察，再觀察！"

福樓拜告訴莫泊桑說，在文學描寫上，對於每一件東西，只有一個最恰當的形容詞。如何找到這個恰到好處的形容詞，乃是作家的責任，同時也是成為好作家的必須條件。

他又說：這裡有三十匹馬，你如果要想描寫其中的一匹，你一定要描寫得使別人一望就認得出是牠，並且知道牠與其他二十九匹馬不同之處何在。

秉承了這樣的指導，莫泊桑在寫作上養成了特別敏銳的觀察力。他起初寫詩，寫劇本，後來也寫長篇小說，但是最成功的是他的短篇小說。

在他的短篇之中，最為人稱讚的是〈脂肪球〉和〈項鍊〉這兩篇小說，不僅是莫泊桑的傑作，同時也可說是世界短篇小說之中數一數二的傑作。

〈脂肪球〉寫於普法戰爭之際，莫泊桑在這篇短篇中，不僅發揚了他的愛國思想，還無情的嘲弄了當時法國上流社會紳士淑女的虛偽和愚蠢。

所謂"脂肪球"，乃是當時法國一個私娼的綽號。因為她生得豐腴肥胖，所以別人稱她為"脂肪球"。故事開始時，一群男女乘了長途馬車往巴黎某地去。這些乘客多是所謂上流社會人士，但是脂肪球恰巧也是乘客之一。那些自命高尚的男女乘客一旦打聽出脂肪球的身份後，都坐得遠遠的離開了她，不屑與她說話。可是在這次旅途中，除了脂肪球以外，誰也不曾攜帶食物。因此當大家餓得正慌的時候，脂肪球拿出自己攜帶的食物來請客，大家都忘記了紳士淑女的身份，紛紛搶着吃，不再嫌她的東西"污穢"了。

當時正是普法戰爭時期，馬車抵達夜晚的停宿站時，不料那地方已經被普魯士軍隊佔領。普魯士軍官下令將這一批法國男女乘客全體扣留。後來軍官發現了脂肪球，便提出條件，說是如果脂肪球肯伴宿一夜，第二天便可以將大家無條件釋放。

脂肪球當然不肯，因為這時普魯士人正是法國的敵人。可是那些紳士淑女為了自私起見，這時竟異口同聲的用種種理由勸她接納這條件，甚至埋怨她如果拒絕了軍官的要求，連累大家被拘，問她於心何忍。有些太太們更是聲淚俱下的懇求她。脂肪球在這情勢之下，只好答應了軍官的要求。

第二天，普魯士軍官果然如約釋放了大家。可是，當脂肪球走上車來時，那些紳士淑女對這個為了他們大家的利益而毅然自己犧牲色相的同伴，竟又傲然不加理睬了。脂肪球冷落的坐在一個角落，思前想後，忍不住傷心的掉下淚來。可是那些太太們還在竊竊私議，說脂肪球因為自慚形穢而流淚了。

莫泊桑就這麼毫不留情的諷刺了當時法國上流社會男女的自私和愚昧。

在他的另一篇傑作〈項鍊〉裡，莫泊桑則除了諷刺薪水階級婦女愛虛榮以外，還對她們善良誠實的本性予以讚揚和同情。故事是說一個愛虛榮打扮的小家庭主婦，為了要參加一個宴會，想撐門面，便向一位女朋友借了一副鑽石項鍊。不料宴會完畢回來，竟將這副項鍊遺失了。夫婦兩人不敢使物主知道，決定設法買回一副賠給她，一共花了三萬六千法郎。他們當然沒有這些錢，除了拿出積蓄變賣所有之外，又向親戚朋友借貸，總算將這事彌縫過去了。後來夫婦兩人為了清償這筆巨大的債務，省吃儉用，一共捱了十年辛苦的生活，才將為了購買那副項鍊所負的債務還清。直到還清之後，他們才敢將當年遺失項鍊又暗中另買一副賠還的真相，告訴那位物主。可是那位物主聽了之後回答他們的話竟是：

　　　　我的天啦，你們為什麼不早點說呢？我當年借給你們的那副項鍊根本是假鑽石的，至多只值五百法郎！

　　莫泊桑的這篇小說，使得許多人讀了不禁要同聲一歎，可憐那個愛虛榮的主婦太誠實了。

　　當然，除了這兩篇以外，莫泊桑還寫過許多極好的短篇小說。但是僅是這兩篇，已經足夠使他不朽了。

　　莫泊桑晚年神經受了刺激、瀕於錯亂。一八九三年起曾屢圖自殺，後來進了神經病院，七月六日去世，僅僅活了四十三歲。

可愛的童話作家安徒生

我們雖然還沒有安徒生童話全集的中譯本，但他最為人愛讀的一些童話，都已經有了譯文，因此我們對他的童話很熟悉，也非常愛好。我們喜歡安徒生的童話，不僅因為他的童話寫得好，更因為他的童話裡時常提到我們中國，告訴孩子們說，這是遠在東方的一個美麗的神話一般的國家，雖然有可怕的喜歡殺人的皇帝，但是同時也有美麗的公主和可愛的會唱歌的夜鶯。相傳有這樣的一個故事，在安徒生的故鄉奧登斯，市中有一條小河，現在已經成了紀念安徒生的公園，人們傳說安徒生在少年時代，家裡非常窮，母親每天要到這條小河裡來為人洗衣服，安徒生也跟了母親一起來，坐在河邊，對着那些樹木和河上的天鵝野鴨出神，他時常幻想，如果從這條河裡往下挖，往下挖，一直挖到地球的另一角，就可以抵達東半球，到達中國。安徒生最喜歡旅行，一生曾多次出國旅行各地，一直到過土耳其。可惜那時交通還不便，他不曾到過東方，他若是有機會能親眼見一見我們中國，對他該是一件多麼高興的事呀。

漢斯‧克利斯丹‧安徒生，這位世界最偉大的童話作家，他的一生，也幾乎像他自己所寫的有些童話一樣，有些遭遇令人為他同情流淚，有些遭遇又令人為他拍手高興。他是丹麥人，一八〇五年四月二日出生於奧登斯的一個貧苦的家庭。這個小小的城市，現在已因了這位可愛的作家，成為世界知名了。

安徒生的父親是個補鞋匠，就靠了這收入不多的小手藝養家活口，因此生活異常貧苦。安徒生從小就生性不喜歡熱鬧，愛好僻靜和沉思，寧可自己一人躲在一邊獨自去玩，不肯同其他的孩子們一起去胡鬧。為了家裡窮，小時不曾好好的受過教育。幸虧父親雖然是個小手藝匠人，卻讀過書，又喜歡文學戲劇，很痛愛這個孩子，有空的時候就讀故事和戲劇給他聽，又為他製造各種小玩具和木偶，使它們在一座小舞台上來演戲取樂。這種家庭教育適合了這個喜歡幻想的孩子的個性，幫助了他發展愛好音樂戲劇的天性。安徒生的父親又是個剪紙藝術的能手，他又將這技能傳給了他的孩子。

不幸的是，潦倒一生的安徒生的父親，鬱鬱不得志，一八一二年棄業從軍，想找個機會改善自己的生活，不幸竟因此染上了病，在一八一六年便去世了，只活了三十五歲。兩年之後，安徒生的母親改了嫁，後父也是個鞋匠，安徒生從此失去了家庭的溫暖，而且家裡對他的期望和他自己的志願相差太遠。家裡希望他學習一種手藝來謀生，安徒生則希望成為歌唱家和戲劇家，於是在一八一九年的秋天，十四歲的安徒生，這個孤獨沉默，早熟古怪的孩子，便毅然離開了故鄉和家庭，搭了一部郵車，到京城哥本哈根去實現他的夢想了。他身邊僅帶了幾封介紹信和少得可憐的旅費，決定要去成為一個歌劇演員。

到了哥本哈根，不用說，安徒生的計劃就首先碰了壁，因為歌劇院的負責人認為他既沒有歌唱天才，也沒有演戲天才，而且其貌不揚，也不適宜過舞台生活。其後雖然獲得有些熱心人士的幫助，使得這個有志趣的年輕人有入學求深造的機會，以後甚至自己可以動筆寫詩、寫劇本，甚至寫長篇小說，而且獲得了相當的成功了，但這種使他不得不改變初衷，放棄做一個音樂家戲劇家的願望，他自己當然是很不高興，但從另一方面來說，實在是世人的大幸，也是他自己的大幸，因為這樣一來，才使我們獲得了一位最偉大的童話作家。

安徒生在未曾寫童話以前，曾寫過好幾本長篇小說和劇本，出版後在當時也獲得相當成功。可是，在今天有誰還讀他的小說和戲劇呢？正如他的朋友奧爾斯地，讀了他的一部小說和一些童話後，對他說得好："你的這部小說也許能使你成名，但是那些給孩子們看的故事將使你名垂不朽。"當時安徒生完全不同意這個朋友的看法，現在我們可以知道他說得多麼正確。

說起來真有點令人難以相信，今日被全世界無數男女老幼所愛讀的安徒生這些童話，在當時不過是他毫不經心之作，是他從事那些刻意經營的劇本和長篇小說餘暇的副產品。他自己曾說，在文藝花園裡，他培植的乃是參天大樹，而不是小花小草。他將自己的劇本和小說比作大樹，這些偶然信手寫成的童話比作小花小草。不料使得他在文藝花園裡獲得不朽地位的卻正是這些花草，這真是他自己也意料不到的事情。

安徒生的童話集，第一次出版於一八三五年，這一集裡的作品，包括了有名的〈火絨盒〉和〈真正的公主〉。在第二年（一八三六年）又出版了第二集，一八三七年又出版了第三集。今日為人所熟知的〈人魚姑娘〉和〈皇帝的新衣〉，都是在這一集裡第一次與世人相見的。這三集童話就奠定了安徒生在世界文壇不朽的地位。它們起先銷得並不多，而且很慢，但是一兩年之後，他的名字和這些童話，在丹麥本國已經成為家喻戶曉的東西了。今日在安徒生的故鄉奧登斯，他的紀念館裡所藏的童話譯本，共有六十多種文字的版本，這個補鞋匠的兒子，實在也可以自豪了。

安徒生的童話，一小部分取材於固有的民間傳說，大部分都是他自己的創作。這正是他與德國的格林兄弟的童話大不相同的地方。他的童話，往往直接採用向孩子們講故事的口吻，如他在那篇有名的敘述中國皇帝和夜鶯的故事，一開頭就這麼說：

在中國，正如你們所已經知道的那樣，皇帝是中國人，他的左右一切也都是中國人……

他的敘述就是這麼的天真，使得孩子們一聽到就歡喜，再加上其中有些又有極微妙的諷刺（如〈皇帝的新衣〉那樣），於是成人也覺得津津有味了。

安徒生後半生的享盛名和到處受人歡迎，正和他年輕時候的窮困和到處碰壁，成了有趣的對照。他最喜歡旅行，曾在歐洲大陸周遊過幾次。當時鐵路正在開始發展，他是這種新的交通工具的最熱烈的擁護者。他曾兩次到過英國，狄根斯對他的童話非常傾服，兩人結下了深切的友誼。自一八四八年以後，安徒生將他的全部精力，放在童話寫作上面，因為他終於看出這才是他最值得獻身的工作。

一八六七年，他的故鄉奧登斯，為了對他表示敬意，特地選他為榮譽公民。於是在四十多年前子然一身離開故鄉的這個窮孩子，現在是在全城張燈結彩，自市長以下全城居民夾道歡迎的盛況下回來了。安徒生這時真可以說得上是衣錦榮歸。他的榮譽公民證書，至今還和他的一些遺物，陳列在奧登斯的安徒生紀念博物館裡。這個小小的城市，就因了產生這樣一位偉大的作家，成為舉世皆知了。

安徒生逝世於一八七五年八月四日。至今在丹麥京城哥本哈根的海濱，建有一座美人魚的銅像，就是紀念他的，因為這是根據他的那篇〈人魚姑娘〉童話而設計的。這座銅像成了丹麥的名物，每年不知有多少遊客和安徒生的崇拜者，特地來到這裡瞻仰。

蘇格蘭農民詩人彭斯

　　彭斯是充滿了泥土氣息，不折不扣的農民家庭出身的詩人。他的一生的光陰，差不多都花費在蘇格蘭鄉下的田地裡。務農生活雖然使他很辛苦，但他自幼就熱愛勞動和土地，屢次將他積蓄起來的錢全部用在農莊上，雖然蝕光了也毫不躊躇，因為他始終不願忘本。正如他在一首向他的毛驢賀年的詩裡所說：

> 多少次我們一同辛苦幹活，
> 跟那疲憊的世界爭奪！
> 在不少日子裡我曾感到焦灼，
> 怕我們會倒地不起；
> 你想到能活到這麼大年紀，
> 還能勤苦不息！

　　詩人的家庭和他的童年生活，他自己在留下來的日記裡曾說得非常清楚："我一出世就是一個很窮苦的人的兒子。我父親結婚很遲，我是他的七個子女之中的長子。在我六七歲時，我父親是愛耳附近一位小財主家裡的園丁。若是他的環境不曾有什麼改變，我一定不免要成為什麼農家一個小打雜的了。但是我父親卻渴望他的子女們能一直留在他自己的身邊。"

彭斯家庭的窮困，還可以從他兄弟的一則回憶裡看出來。"在一個狂風暴雨的早上"，詩人的二弟吉爾勃這麼寫道：

　　　　這時羅伯特剛出世只有九天或十天，在黎明之際，屋頂的一部分忽然倒下來，其餘的也搖搖欲墜，因此我母親和羅伯特就不得不冒着風雨，被抬往鄰人家裡暫避，他們在那裡住了一星期，直到家裡房屋修理好了為止。

　　由於家裡窮，彭斯小時幾乎沒有機會讀書，他只能在農作的餘暇，到離家一里以外的一家學校裡去唸書。教師茂杜訖本身就是一個十八歲的青年。彭斯直到十四五歲，他的學校教育還只是半工半讀，這就是說，一到收割和播種的時候，他就要輟學回家下田去幫忙了。因此到了十五歲，他已經是一個老練的小農夫了。

　　彭斯的學校教育受得很少，他的對於故鄉傳說和民歌的知識，全是從他母親那裡得來的。在十六歲時，彭斯已經寫出了他的第一首情詩：《漂亮的尼爾》，這是為了田裡的一個女伴而作。彭斯在自己的日記裡曾經寫着，這女子很會唱歌，彭斯握着她的手給她拔去手掌上的荊棘小刺時，他說他的心弦震動得像五弦琴一樣。

　　彭斯的詩，大部分是用蘇格蘭的方言所寫，而且這正是他的作品的精華，只有一小部分是用通行的英語寫的。彭斯雖然不曾明說他不喜歡英語，但他正如每一個忠實的蘇格蘭人一樣，熱愛他的故鄉，熱愛故鄉的土地、語言和流傳在這土地上的無數傳說、歌謠和故事。彭斯的詩，有許多是古老民間歌謠的改作，或是舊歌新詞。經他潤色過的蘇格蘭民間歌曲，無不注入了新的生命，同時又保存着原有大眾喜見樂聞的格調。彭斯是一位真正生活在田間的詩人。他的詩不是坐在城市書房裡的民間文學研究家的作品。

彭斯的父親勞苦了一生，一七八四年因肺病去世。彭斯的鄉下種耕生活也無法維持自己和家庭，在一七八六年，他決定離開蘇格蘭到遼遠的西印度群島去謀生，因為有人介紹他到牙買加的一個林場去當記賬員，但是旅費卻要自己籌劃。旅費並不多，只要船資九鎊左右就夠了。可是彭斯哪裡拿得出這一筆旅費？他的田地主人漢密登倒是個有心人，一向知道彭斯喜歡寫詩，這時便向這個二十七歲的佃戶提議，何不把他所寫的詩湊在一起，印一本詩集，託人四處推銷，這樣豈不是可以籌到了旅費？漢密登先生願意代墊印刷費，彭斯自然高興的答應了，因為這是一舉兩得之事，哪一個詩人不願自己的作品印成詩集？漢密登為這事奔走甚力。三個月之後，這就是一七八六年七月三十一日，我們大詩人的處女作，第一部詩集：《詩集，大部分是用蘇格蘭方言寫的》居然出版了。據後人的考證，這部現在已價值巨萬的彭斯第一部詩集的初版本，一共印了六百冊，事前已推銷了三百五十冊左右，其餘的出版後也很快就有了主顧，因此不僅漢密登所墊的本錢能夠收回了，還使彭斯獲得了約廿鎊的收入。

旅費有了，彭斯的牙買加之行自然可以實現了。哪知就在他籌劃行裝期間，由於這本詩集的出版，使得彭斯結識了一批新的知音。就由於這一點新的發展，他的牙買加之行忽然又取消了——這對彭斯自己和蘇格蘭來說，可說是萬幸之事。因為西印度群島不過少了一個無足輕重的事務員，英國文學史上卻多了一位大詩人了。

這件事情是這樣的：有一位名叫布萊克洛克的老詩人，也是蘇格蘭人，雙目已盲，住在愛丁堡，在當地的文人中間頗有影響力量。這時讀到了彭斯新出版的詩集，覺得是一個可造之才，便在這年十一月間，託人寫信給彭斯，勸他到愛丁堡來走走，表示不僅可以使他有機會接近當代許多文人，而且還有機會使他的詩集再版一次。大約是後一項動議最使彭斯聽了高興，因為他曾經向原來的印刷人接洽再版，被拒絕了。於是在十一月二十二日，彭斯就單人匹馬（據他自己在日記上說，這匹馬是借來的）向愛丁堡出發去闖世界了。

彭斯的愛丁堡之行，是成功的。他的詩集果然有人願意再版了，而且一紙風行，使他獲得了五百鎊巨款的收入。他在名譽上的收穫更大，周旋在愛丁堡當代文人和上流社會之間。誰都想結識一下這位充滿泥土氣息的鄉下詩人。自然，有些高貴的仕女們不免像看猴子一樣的看他，但彭斯毫不以為意。這正是我們詩人的性格最偉大之處，他絲毫不曾被城市繁華和客廳文士的榮譽所吸引，依然保持着自己的本色，一塵不染的離開了愛丁堡。

彭斯的詩，在文字上有蘇格蘭方言和英語的分別。在性質上，也約略可以分成三種，即短小抒情的愛情詩，採用民歌民謠形式歌詠蘇格蘭田野生活和民間傳說故事詩，此外還有一種是具有強烈正義感和嘲弄偽善頑固分子的諷刺詩。在後一種的作品裡，他曾經歌頌過蘇格蘭歷史上民族英雄們，又向當時法國大革命寄託了他的同情。不用說，彭斯最大的成就，乃是他承繼了蘇格蘭方言文學的傳統，用鄉間的土話所寫出的那些歌頌土地和勤勞生活的親切真實的作品。

彭斯在私生活上有一個缺點，就是太喜歡喝酒，這和他一向在生活上受盡了折磨有關。可是就因為他經常喝酒，得了一種風濕病，最後竟在這上面送了命。彭斯生於一七五九年一月二十五日，死於一七九六年七月二十一日，年紀很輕，只活了三十八歲。

詩人小說家愛倫‧坡

在十九世紀美國文學史上，愛倫‧坡是一個傑出的人物，同時也是一個少有的例子：寫下的作品不多，可是質量極高，留下的影響很大，同時在國外比在他自己本國更有名。當然，今天美國也仍有愛讀愛倫‧坡作品的，但他在法國受到的尊重更大。

艾地加‧愛倫‧坡，生於一八〇九年，生日是一月十九日。由於生活不好，受到貧病和失意的磨折，他僅僅活了四十歲便死去。文學生活不長，留下的作品也不多，可是他的文學活動卻是多方面的，這些數量有限的作品，包括了抒情詩、短篇小說和文學評論，在質量上可說都是第一流的。

愛倫‧坡的一生，從一開始便遭遇了不幸。他出生在美國波士頓，父親是一個走江湖賣藝的，三歲便父母雙亡（按：父親未死，只是出走），成了孤兒，由一個富有的煙草商人將他收養為義子。至今他的姓名上的“愛倫”，便是義父的姓氏。這位愛倫先生是一個古板的商人，雖然對待愛倫‧坡很好，卻不喜歡這孩子的性格。因為愛倫‧坡秉受了他生父的江湖流浪血統，從小就喜歡過着放蕩不羈的生活，而且愛好賭錢和喝酒。愛倫‧坡在十七歲時就考進了維基尼亞大學，他雖然聰明過人，卻不喜歡學校裡的功課，在校繼續過着酗酒賭錢的生活，還欠下了不少的債，因此不到一年便被迫退學了。離開學校以後，義父要他練習經商，愛倫‧坡為了不願繼續過這樣受拘束的生活，毅然脫離了愛倫先生的家庭關係，獨自到外面去謀生。他在學校裡就早已學着寫詩，這時就決定用寫稿來維持生活。

這個決定，對於愛倫‧坡可說是極重大的，因為他從此開始了正式的文學寫作生活。這時正是一八二七年的事情，他在這一年就自費出版了一冊小詩集：《塔瑪郎及其他》。我們的年輕詩人不曾署名，作者是"一個波士頓人"。且不說這本小詩集在文學上的價值，僅是這薄薄的四十頁的小冊子，目前在美國珍本書市場上，已經要賣到三萬元美金一冊。這還是前幾年的拍賣紀錄。但是即使有錢，也未必能買到愛倫‧坡的這部初版的第一本詩集，因為現在殘存的一共只有七八本。

愛倫‧坡離開義父家庭以後，就搬到他的一位姑母家裡去暫住。在這期間，他的個人生活上就發生了兩件大事，一是愛上了他的小表妹薇琴妮亞，另一是為寫稿的收入不夠維持生活，他曾經應徵入伍當兵，靠了"糧餉"來貼補生活，後來更率性投考西點軍校，可是過不慣那種嚴厲的軍事訓練生活，不到半年便因了不守校規被革退了。愛倫‧坡從此就死心塌地的靠了寫作來謀生，不再作從事其他職業的打算。

他和小表妹薇琴妮亞的戀愛，是愛倫‧坡短暫的一生最大的幸福，同時也是最大的悲劇。他同薇琴妮亞結婚時，薇琴妮亞只有十三歲，為了不足法定年齡，不得不在證婚的教士面前說了謊。這位表妹，可說是一個難得的賢淑小妻子，但是身體健康卻不好。他們在一八三五年結婚，由於愛倫・坡的收入不多，一直過着貧乏的生活，再加上愛倫・坡嗜酒成性，這位賢淑的妻子要一面維持家計，一面照顧丈夫，身體經常受到磨折，染上了肺病，從一八四二年起就不斷的咯血，到一八四七年便去世了。在她患病的最後幾年，愛倫・坡雖然在美國文壇上已經相當有名，可是只靠了在報章刊物上發表短篇小說和評論，哪裡能夠維持生活。冬天家裡沒有燃料，患病躺在床上的薇琴妮亞，裹了丈夫的舊大衣在發抖，只能將家中所豢養的一隻貓兒抱在懷裡取暖，嘗盡了貧賤夫妻的苦味。

短短的十年恩愛夫妻生活，由於貧病的磨折，生生的被毀壞了，這對於愛倫・坡自然是一個莫大的打擊，因此他也無法活得下去，掙扎了兩年，自己也在一八四九年十月去世了。在這最後兩年裡，愛倫・坡幾乎日日借酒澆愁，所過的幾乎是一種半瘋狂的生活。但他在臨死之前還留下了一首悼亡詩：《安娜貝爾・李》，這是懷念薇琴妮亞的，是一首抒情詩的傑作，使得許多人至今讀了仍不禁要為他流淚。

愛倫・坡的抒情詩，除了《安娜貝爾・李》以外，較長的作品，還有一首更有名的《大鴉》，此外多是短詩。在小說方面，他不曾寫過長篇，所寫的全是短篇小說，共有七十多篇，有的是分析心理變化的幻想故事，有的是獵奇恐怖的偵探短篇，這裡面〈金甲蟲〉、〈亞撒家的沒落〉、〈紅色的面具〉、〈黑貓〉、〈驗屍所街的謀殺案〉等篇，在描寫和結構上，都是短篇小說的傑作。在愛倫・坡以前，沒有人曾經像他那樣，從整個人生中切下一個斷片來給人看。愛倫・坡的短篇所採用的卻是這個手法，而這正是現代所有的優秀短篇小說作者一致遵循的途徑，因此愛倫‧坡被批評家尊為"短篇小說之父"。莫泊桑、契訶夫、海明威等人的小說，全是奉這方法為圭臬的。

他所寫的短篇偵探故事，篇數雖然很少，但所採用的推理分析方法，在他以前也是沒有人嘗試過的，而現在一切好的偵探小說，都仍採用着他的這種結構佈局方法，因此許多人都認為現代偵探小說也是從愛倫‧坡才開始的。現代有名的《福爾摩斯探案》作者英國柯南道爾爵士，也承認他的作品曾經從愛倫‧坡那裡獲得了可貴的啟示。

愛倫‧坡所寫的文學評論集，有《詩的原理》和《創作哲學》兩種。在文學批評方面，他的成就也很高。他雖然是抒情詩人，但是在《創作哲學》裡，卻能夠用客觀的理智去分析自己的那首《大鴉》，說出了詳細的創作過程，並且主張寫詩決不要僅憑靈感，一定事前要在理智上有周密的準備。他的詩論，曾深深的影響了法國象徵主義文學。大詩人波特萊爾是他的作品愛讀者，曾經翻譯過他的作品。現代法國意象派大詩人梵樂希，他所寫的有名的《詩論》，也有些是複述愛倫‧坡《詩的原理》裡的見解。

巴爾札克的 《詼諧故事集》

　　巴爾札克寫信給他的愛人韓斯卡夫人，談到他自己哪一些作品寫得最滿意時，曾特別推薦了《詼諧故事集》。他說：

　　　　如果你不喜歡拉封丹的故事，不喜歡《十日談》，如果阿里奧斯多也不能使你開心，那麼，你最好不必讀《詼諧故事集》，雖然我認為我自己將來的聲譽，大部分將依賴在這本書上。

　　規劃了《人間喜劇》那樣大著的巴爾札克，自己特別推重這本故事集，並不是他自己的偏嗜或是故弄狡獪，實在是另有一種見解的。因為這些故事雖然都是早期的作品，但是巴爾札克卻在取材和敘述這些故事的手法上，承繼了法國文學的光榮傳統，這就是說，他像他的那偉大的先輩拉伯雷一樣，嘲弄了貴族階級和僧侶的頑固與貪婪荒淫，同時也歌頌了戀愛的神聖和婦人的智慧與美麗。他認為《人間喜劇》為法國小說開拓了新的疆域和視野，《詼諧故事集》則承繼了拉伯雷、拉封丹以及拉瓦皇后等人的光榮傳統，保存了法國文學那種中世紀的諷嘲和樂天的精神。這種精神，自巴爾札克以後，僅在法朗士的作品上略微有一點反應，現在差不多已經後繼無人了。

　　巴爾札克的《詼諧故事集》，本來是想像卜迦丘的《十日談》那樣，寫滿一百個故事的，但是先後寫了三十篇便停了手，後來在一八五三年搜集在一起印行，便成了今日所見的這部《詼諧故事集》。因了內容充滿了法國中世紀文學特有的那種大膽和諷嘲的描寫，許多巴爾札克作品集都不敢收入這書，因此知道的人也就不多了。其實這種見解是愚昧而且可笑的，因為巴爾札克自己就認為這是他的重要作品之一，還說他的未來聲譽大部分要建築在這本書上哩。

拉封丹的寓言

　　我很喜歡讀拉封丹的寓言。他的寓言與伊索的寓言不同。伊索的寓言，是借了狐狸和獅子的口來說人話，來灌輸人的道德，因此認為狐狸偷吃小雞是不該的。其實，人可以吃母雞，狐狸為什麼不能吃小雞呢？而且，你憑了什麼來裁判狐狸的罪名是"偷"呢？狐狸的社會沒有金錢，牠如果肚餓了要吃東西，除了憑自己的本領去獵取以外，是沒有肉食商人給牠送上門來的。

　　拉封丹的寓言便有點不同了，出場的同樣是狐狸獅子和猴子，但牠們所說的不一定是"人話"，牠們說的全是牠們自己的話。這就是說，是從各種鳥獸本身的立場來發表意見，而不是模擬或複述人的意見，這正是拉封丹寓言最大的特色。他非常同情自然界的一切生物，從不使它們道貌岸然的向人類說教。

　　這位十七世紀法國的偉大寓言家，曾任過鄉下的園林官，所以對於自然的知識很豐富。正因為有過這樣的生活體驗，他才能夠不像一般的寓言家那樣，用人的道德尺度去衡量狐狸的行為，才能夠使自己走進牠們的世界，使他所寫的寓言充滿了自然的機智和諷刺。

　　我們且來看看他筆下的狐狸，這是關於一隻老狐狸斷了尾巴的笑話：

有一隻老狐狸，捉雞捉兔子是牠的拿手好戲，牠能夠從半里之外就嗅到好東西的氣息。可是有一天終於失手，跌進了獵人的陷阱。幸虧牠的本領高強，到底設法逃了出來。可是也並非一無損失，原來牠失掉了牠的尾巴。

一隻狐狸沒有尾巴，這簡直太不像話。這老東西也多心計，既然自己沒有了尾巴，何不使別人也像自己一樣。於是牠召集同類開了一個大會，在會上當眾慷慨的宣佈：

"我們的尾巴真是一個累贅，除了拖在後面掃地之外，可說一無用處。這東西全然是多餘的，我提議大家一起將它剪去！"

"好有見識的一個提議！"有一隻小狐狸這麼說，"請你老人家暫時站開，讓我們來付表決。"

當老狐狸回身站開時，大家發現牠原來早已失去了尾巴，這才譁然大笑，明白了牠的提議的用意。於是大家一哄而散。各人仍舊拖着自己的尾巴，誰也不去理睬牠。

拉封丹的寓言，全是用韻文寫的，並不是散文。他另外還有幾部小故事集，寫得也很有風趣。

喬治・吉辛和他的散文集

　　凡是愛讀郁達夫先生作品的人，總該記得他在文章裡時常提起的這位十九世紀英國窮愁潦倒的薄命作家喬治・吉辛（George Gissing, 1857-1903）和他的一部小品散文集《越氏私記》（*The Private Papers of Henry Ryecroft*）。

　　這部小品散文集的書名，也有人將它意譯作《草堂雜記》。不用說，達夫先生自己是曾經有意思想將它譯成中文的，但是始終未果。這部小品集很使人讀了愛不釋手，可是其中有些有地方色彩和談論古典作品的地方，要想譯得好實在不容易，這也許就是大家對它拿起筆來又屢次放下的原因吧。

　　吉辛的這部小品集是在晚年寫的，出版於一九〇三年，就在這一年，他自己也去世了。一九五三年是他的逝世五十周年紀念，同時也恰是這部小品集的初版出版五十周年紀念。吉辛生前雖不為英國文壇所看重，但近年的英國讀者則漸漸愛讀他的作品，尤其是這部小品集。因此英國一部分文藝愛好者曾為他舉行了紀念會，又將這部絕版已久的《越氏私記》發行了一種很精緻的紀念版。

　　吉辛一生都在窮困中掙扎。他對於人生有兩大"希望"。一是文學上的，他希望做一個英國的巴爾札克；一個是生活上的，他希望能夠每天吃得飽。為了實現後一個希望，他拚命的寫，可是在早年仍時常捱餓（在倫敦時，他每天利用大英博物院圖書閱覽室的盥洗間去洗臉洗衣，日子久了，被管理人發覺了，將他奚落了一陣。他的早年生活窮困由此可見）。晚年生活比較好一點，但“英國巴爾札克”的夢卻由此被犧牲了。許多文藝寫作者在早年的工作計劃上都有一個壯志，結果總是被無情的社會和生活擔子磨折得乾乾淨淨，這種情形古今中外一律，這就是許多人一提起了吉辛就對他同情的地方。

吉辛的古典文學修養甚深，但為了生活，他只好拚命的寫小說。他的小說裡有許多描寫生活窮苦的場面，寫得非常淒惻動人，都是他自己的親身經驗。為了這些小說都是寫倫敦窮人生活的，當時銷路並不怎樣好。所以寫作的收入不多，結果只好拚命的多寫，吉辛的一生就這樣的浪費掉了。

一九〇〇年以後，吉辛的生活稍好，但他的身體卻不好了。這時他才四十三歲，於是移住到鄉下。就在這期間，據傳他以七星期的時間，寫了這部《越氏私記》。在自序裡，他解說這部作品不是他自己的，是一位朋友託他保管的。這位朋友為了生活而寫作，窮苦了一生，到了晚年，忽然意外的獲得一筆遺產，使他可以安居在鄉下，不必每天為了生活而執筆。於是他立意要任隨自己的心意寫一部作品，不是迎合書店老闆的生意眼，也不是迎合讀者的口味，而是完全為了自己的高興而寫作的。結果就是這部《越氏私記》。

不用說，這是吉辛的假託，這位亨利·越科洛福特就是他自己，不過不是真的他，而是他的幻想，因為他並沒有獲得什麼遺產。吉辛初擬將這部小品集題名作《一位休養中的作家》（*An Author at Grass*），後來才改用了今名。一九〇三年初出版，出版後不久吉辛便去世了。但是就憑了這部作品，使得吉辛的文名從此不朽。

淮德的《塞爾彭自然史》

　　想要買一種版本比較好一點的淮德的《塞爾彭自然史》，以便閒暇的時候可以隨意攤開來讀一兩節，既可以從這位業餘的自然學家不朽的筆下領略鳥獸蟲魚的奧妙和美麗，又可以同時鑒賞插圖和裝幀上的藝術成就，但因為沒有適當的機會，這奢望至今還不曾實現。不久以前，從倫敦《泰晤士報》文學副刊的新書廣告上，見到克利塞出版部有一種新的版本，附有奧特罕姆的木刻插繪，是由英國當代著名自然學家費沙編輯的，售價僅八先令半，倒是很理想的版本，隨即託當地的書店去定購一部，最近居然寄到了。

　　《塞爾彭自然史》的版本很多，而且新的版本還繼續不斷的出現，前幾年說是已有一百四十四種不同的版本，今年的統計，則說已經超過一百五十種以上了。好的版本都是兼有插圖和注釋的，開本很大，價錢大都很貴。我目前所買到的這一種，在廉價本中，怕是最理想的了，編者是這方面的專家，而且據說是研究《塞爾彭自然史》的權威。"企鵝叢書"本的《塞爾彭自然史》，就是他編的，很得好評，這一次是第二次，除了將注解增多之外，他重新寫了一篇長序，介紹作者淮德的個性，他的文筆以及在生物學上的成就，因為這三者對於這本書都是同樣重要的。缺少一樣，《塞爾彭自然史》將是一部普通的散文集或自然史，早已被人遺忘了。插圖共有二十四幅，都是木刻，可惜不夠精細，而且作風也太新了一點，因為像《塞爾彭自然史》這樣一部書的插圖，是該像《伊索寓言》、卜迦丘的《十日談》、狄根斯的《畢克威克俱樂部小史》、迦諾爾的《愛麗斯漫遊奇境記》一樣，最好採用舊版本的原有插圖，若是換用新的，便該注意畫家的風格是否與原著調和。亞倫氏編的一種附有插圖一百八十幅，是大版本，可惜未見過，想來一定是保有那種古雅的銅版精細風格的。

《塞爾彭自然史》是用書信體寫的，塞耳彭是倫敦西南五十里的一個小教區，作者淮德（Gilbert White）是當地的助理牧師。他愛好自然，喜歡觀察生物動態。因了職務清閒和生活安定，他便利用自己的閒暇從事這種心愛的自然觀察工作。他將自己觀察所得，大至氣候景物的變化，小至一隻不常見的小鳥的歌聲，一匹蝸牛生活的情形，都詳細的記下來，隨時向遠方兩位研究生物學的專家朋友通信，一面向他們報告自己的觀察所得，一面向他們請教。《塞爾彭自然史》便是這樣的一部書信集。

這本小書出版於一七八九年，至今已逾一百五十年，但仍保持着他的清新和美麗，在英國文學中佔着一個光榮的位置，繼續不斷的為男女老幼所愛讀。這件事情看來很神秘，但原因也很簡單。第一，淮德不是有心要寫這本書的；他寫信的動機，完全是為了自己愛好，同時實在清閒，便將自己心愛的事情不厭瑣碎的告訴遠方另一些同好的朋友，因此這些信便寫得那麼親切自然可愛。同時，他研究生物，觀察自然，態度完全是業餘的。他從不曾將那些鳥獸蟲魚當作死的，被生物學家分門別類的標本來研究；他將牠們當作是自己的鄰人，自己的朋友，或是偶然路過塞爾彭的一位過路客人（那是一隻偶然飛過的候鳥）來觀察，因此書中到處充滿了親切，同情和人情味，超越了時間和環境的限制，至今為人們所愛讀。

品托的〈遠東旅行記〉

　　英國的查理·大衛賴，最近替英國鄧脫書店的"萬人叢書"編了一本《葡萄牙人旅行記》，他在這書的序文裡說：至今還沒有人能作滿意的解釋，說明葡萄牙人海外探險拓殖事業突然興起和突然衰微的原因；這樣小的一個國家，在歐洲文藝復興初期，竟能突然有力量開拓至遠方，突破當時歐洲人認為神秘的遠東和荒蠻地帶，建立了一個大帝國，然後又突然萎縮，喪失了過去那種長征探險的壯志。誰也無法探索出這種變化的因素。

　　葡萄牙人向海外開拓殖民地，建立帝國，開始於十五世紀初年。到了十六世紀末年，她的全盛期已過，海上勢力已經被這時新起的西班牙、荷蘭、英國所替代了。今天，有許多地方雖然還有葡萄牙當年殖民地的殘留，事實上只能看作是這個過去的帝國的一種紀念物而已。

　　大衛賴所編的這部葡萄牙人旅行記，記載的年代是從一四九八年至一六六三年，這正是葡萄牙人的海外開拓事業的全盛時代。他在這本書裡一共選錄了七篇這類的旅行記，包括著名的伐士科·達伽馬的〈印度旅行記〉在內。七篇之中有一篇是孟地斯·品托的〈遠東旅行記〉，其中所描寫的當時中國情形，使我們今天讀起來很感到興味。

孟地斯·品托是在一五三七年到東方來的，這時正是明嘉靖十六年，距離第一個到中國來的葡萄牙人阿爾瑪勒斯（他在明正德九年到廣東屯門）的活動，已經後了二十多年了。他的旅行記中的一個主要人物，乃是安東尼奧·地·法里亞。這人是葡萄牙的冒險家，同時也是海盜。有人甚至說，法里亞就是品托的化身。他們所據的理由是，除了在品托的這部旅行記裡有他的記載以外，此外不再有關於這位冒險家法里亞的記載了。

品托曾經到過中國的普陀、定海和寧波，又到過南京和北京。據他自己的記載，他和法里亞的一群船員，在中國有時被當作上賓，有時又被當作階下囚。不過其中有許多誇大的描寫，連他的同時代人也認為是空中樓閣。這在我們今天讀起來，其荒誕不經之處，更不用說了。

但是，品托的態度有時又很忠實，法里亞的許多海盜行為，以及在當時葡萄牙人眼中認為是異教徒的中國人的公正道德觀念，他都一點也不隱瞞的照實記載了下來。

有一次，法里亞在東方的航程中遇見了一艘送嫁的花船。對方誤認法里亞的船隻就是新郎的船，他們將新娘送過來，並送上聘書和嫁妝。法里亞搶了這隻船，殺死船員，並將新娘擄去。品托將這種海盜的行為如實的記載下來。

品托於一五五八年回到葡萄牙，帶去了若干種中國書籍，他曾經送過一部他在旅行記中提起過的中國書給羅馬教皇，據說這書至今仍在梵諦岡的藏書樓中。可惜我一時查不出這本中國書的書名是什麼。

〈猴爪〉和三個願望的故事

英國傑科布斯有一個題名〈猴爪〉的短篇，是我所讀過的西洋短篇鬼怪故事中寫得很成功的一篇。

〈猴爪〉的故事，顯然脫胎於印度有名的三個願望的故事。這是古印度的一種典型的故事：某一種實物能使人隨心所欲的達到他的願望，但這種願望以三種為度。本來，一個人如果有機會能夠任他選擇三種願望來完成，照情理講他是應該有極滿意的結局的，可是在事實上，一旦有了這種機會，一個人往往不知選擇什麼才好，正如俗話所說的，又要買官做，又要買馬騎，結果往往所選擇的總是極可笑的願望，於是有了願望等於沒有願望，結果白白錯過了機會。這就是印度古典的三個願望的故事發人深省的地方。它們的變化很多，但結果總是指出，造化弄人，即使有機會使你隨意實現三個願望，你往往仍是一無所得，或是得不償失。

傑科布斯的這篇〈猴爪〉，便是採用印度的這個典型的故事方式，應用到鬼怪故事上。他大約不想掩飾這是脫胎於印度古典三個願望故事的，特地說明他所講的這個〈猴爪〉，正是一個退伍軍人從印度帶回來的。這是一具有不可思議的巫術魔力的猴爪，你將它握在手裡說一個願望，它就能將你的願望實現。不用說，所要求的願望，以三次為度。

那個帶這猴爪回來的軍人說，這實在是個不吉利的"寶物"，因為它雖然非常靈驗，但是卻靈驗得很不正常，往往用極古怪而可怕的方式使你的願望實現。

這退伍軍人想將這不吉利的猴爪拋入火爐中燒了，可是給他的朋友阻止了，說是拿回去當作玩物。這是一對老夫妻，僅有一個獨生子。

老夫妻和他的孩子在自己家裡玩弄這猴爪，他們半真半假的說了一個願望，說是需要兩百鎊意外之財。因為家裡要修理房屋，正需要這筆額外費用。

老夫婦的兒子是在一家工廠裡工作的，不料第二天在工作中就遭遇了意外。廠方事後送來的撫恤費恰是兩百鎊。老夫婦的第一個願望實現了，可是卻是用兒子的生命換來的。

兩人當然又傷心又懊悔。在送葬歸來的晚上，母親念子心切，忽然想起猴爪還有兩個願望可以實現，便哀求丈夫說第二個願望，要求他們的孩子復活回來。

丈夫起先不肯，後來拗不過妻子的哀求，便說了這願望。這時已是半夜，不久就聽到樓下有敲門聲，聽得毛髮悚然，母親說是兒子復活回來了，搶着下樓去開門。可是父親是見過兒子死狀的，他是給機器輾死，血肉模糊，現在即使真的從墳墓裡走出來，也無法見人，便在妻子下樓開門之際，拿起猴爪說了最後的一個願望，請他兒子還是回墳墓裡去。於是妻子開門之後，便只見到空寂的街，什麼也沒有，失望哀號回到了樓上。

《天方夜譚》裡也有一則〈三個願望〉的故事。《天方夜譚》

裡的許多故事，據考證多源出印度，因為印度實在是古代故事傳說的主要源流之一，許多今日在世界各地流行的故事集，它們最初總是由印度古代流行的故事衍變而來。〈三個願望〉的故事既是古代印度最受人歡迎的故事方式之一，自然也就被組織到規模宏大的東方故事總集《天方夜譚》裡面去。

《天方夜譚》裡的〈三個願望〉故事，是沙娜查德公主在第五百零二夜向沙爾雅耳王所講的一組小故事之一，稱為"源出香園的幾個諷世軼聞"。她在未說之前先向沙爾雅耳王聲明，這是極有道德規勸作用的故事，因此在心地狹邪的人的耳中聽來也許會覺得有點猥褻。沙爾雅耳王叫她不必顧慮，於是沙娜查德公主就講了出來，並且表示："在純潔清淨的人的眼中，一切都是純潔清淨的。並且，提到腰眼以下的那些東西，也並無什麼可恥之處。"

因此出現在《天方夜譚》裡的這個〈三個願望〉的故事，便是有一點像中國《笑林廣記》式的富於諷刺趣味的笑話。它是說在那些從事修煉的方士道流所信奉的經典上，其中曾記載有一種日子，稱為"無所不能的萬靈聖日"。若是修真之士有緣遇到了這樣的日子，他就可以向天神要求實現他的願望，無不立驗。自然，所要求的願望以三個為限。

於是，有一個自命有道行的修真之士，在某一夜忽然心血來潮，表示自己已經獲得啟示，已經遇到了"萬靈聖日"，於是他喊醒了妻子同她商量，說他有三次可以實現任何願望的機會，問她首先應該要求什麼。妻子說人生最大的幸福和快樂出於男女之愛。丈夫聽了妻子的話，便請求天神使他的性器官擴大到可以驚人的程度。

　　他的這個願望立時實現了，但是太大了，大得比他本人還大，連走路也不可能。這樣自然無用，於是在妻子埋怨、丈夫懊悔之下，只好第二次請求天神，收回他的"恩賜"。不用說，他這願望又立時實現了，但是不曾料到天神竟連本帶利都收回了，使他變成了"太監"。

　　自然，這樣更不行了，妻子認為丈夫如果這樣，即使擁有其他繁華富貴，也無人生樂趣了，只好叫丈夫運用他的最後一個願望，請求天神恢復他的"本來面目"。

　　天神當然又實現了他的這個願望。於是這位有道之士，雖然遇到了千載難逢的"萬靈聖日"，雖然曾使天神三次實現了他的願望，但是結果仍是"依然故我"。

紀德關於王爾德的回憶

　　紀德第一次會見王爾德，是在一八九一年，那時王爾德的聲譽正在峰巔狀態。他來到巴黎，巴黎文壇和社交界紛紛傳說這個來自倫敦的了不起的英國天才，說他抽金頭的紙煙，手持向日葵行路。紀德請求朋友介紹他與王爾德相識，從此兩人發生了很好的友誼。後來王爾德被控入獄，出獄後朋友多潔身遠避，紀德正是始終同他保持往來的那少數知己中的一個。王爾德死後，紀德曾出版過一冊短短的關於王爾德的回憶（一九一〇年）。這不僅是最親切最能理解王爾德的回憶文字，同時也是優美可讀的紀德早年作品之一。

　　以下是紀德回憶他第一次同王爾德在一起進餐，領略他那滔滔不絕的談話天才的情形：

　　　　王爾德並非在談話，而是在敘說。在進餐的整個過程中，他不曾停止過敘說。他敘說得文雅，緩慢；他的語聲非常奇妙……進餐完畢之後，大家都起身走了。當我的兩位朋友走到一起的時候，王爾德將我扯到一旁。

　　　　"你在用你的眼睛傾聽"，他近於突然的對我說，"這正是我現在要告訴你這個故事的原因：當水仙之神納西蘇斯死了的時候，田野的花草請求河水給他們幾滴水以便哀哭。

‘哎’，河水回答道，‘即使我所有的水全部變成淚水，也還不夠我自己為納西蘇斯所流的淚。因為我愛他！’‘哦！’田野的花草回答道：‘你又怎能不愛納西蘇斯？他太美麗了。’‘他美麗嗎？’河水問道。‘你還用再問別人嗎？每天，俯在你的岸邊，他從你的水中見到他自己的美麗。’”

王爾德說到這裡停了一下……

“‘如果我愛上了他’，河水回答，‘那是因為，當他俯在我的水邊的時候，我從他的眼中見到我自己的水的反映。’”

於是王爾德就突然的哈哈大笑，補充一句說：這篇故事名為弟子。

紀德在他的關於王爾德的回憶錄裡，還記敘王爾德向他所說的一個故事，這是關於僅存在於想像中的藝術世界的：

有一個人，因為他善於說故事，為全村的人所愛戴。每天早上，他離開村莊去工作，晚上回來時，全村的工人，在一整天的勞役之後，這時便圍着他向他說："來，講給我們聽，你今天見到些什麼？"他於是便會這麼說："我見到一個小神仙在樹林中吹牧笛，一群林中的仙人應着樂聲圍了他跳舞。""還有什麼呢？你還見到些什麼呢？"那些人說。"當我到海邊去的時候，我見到三條美人魚，她們浮沉浪間，用黃金的梳子梳着她們碧綠的頭髮。"於是那些人都非常喜歡他，因為他講故事給他們聽。

這樣，有一天早上，正如每一天早上一樣，他離開村莊——可是當他來到海邊的時候，看哪，他真的看到有三條美人魚用黃金的梳子梳她們碧綠的頭髮。當他繼續往前走，走近樹林的時候，一個神仙正對着圍繞他的一群仙人吹牧笛。這一晚，當他回到村中，正如平日一樣，大家向他問着："來，講給我們聽，你今天見到了什麼？" 他回答道："我今天什麼也不曾見到。"

紀德說，王爾德將這個故事說到這裡便停頓一下，以便紀德可以有足夠的時間加以領略，然後繼續向他說：

我不喜歡你的嘴唇；它們太直率了，像那些從不曾說過謊的一般。我想教導你如何說謊，以便你的嘴唇可以變得美麗，曲扭得一如那些古雅的面具。

《贋幣犯》和《贋幣犯日記》

　　一九二六年出版的紀德的《贋幣犯》，我曾讀了再讀。這是一部小說，紀德認為是自己重要作品之一。雖然嚴格的說，這部作品有點不像小說，因為除了第三人稱的敘述之外，書中又插入了人物的日記、書翰，以及片斷的第一人稱的自白。但我當年就愛它的那種清新的描寫、結構和形式，所以讀了再讀。

　　也許由於着力太過，紀德這部自負很大的小說，出版後的反應並不如他所期望的那麼好，當時法國年青的一代作家甚至對這部書有反感。紀德的書中描寫那種有國際組織背景的贋幣犯，專門唆使法國青年和少年來兜售和行使贋造的貨幣。他好像藉此來諷刺當時法國青年作家的思想和作品都不可靠，都是像書中人物那樣的在兜售"贋幣"。這使得馬爾洛等人着惱了，認為是一種惡意的誣衊，他們公開的指責紀德，表示年青的一代雖然存意在"製造新的價值"，但所製造的卻是清白乾淨的東西，並不是"舊貨幣"的模仿和贋造。

　　紀德受了打擊，為了表示他寫作這部《贋幣犯》時所花費的精力，特地將寫作時所作的札記和搜集的資料，整理了一下發表出來，取名《贋幣犯日記》。

　　有人嘲笑他，《贋幣犯》已經失敗了，《贋幣犯日記》的出版，恰好成了紀德這部作品怎樣失敗經過的供狀。

我雖然早已讀過紀德的《贗幣犯》，但是一直沒有機會讀一下他的《贗幣犯日記》。後來看見倫敦嘉賽爾書店的預告，說是將有奧勃郎氏的英譯本出版，便去訂了一本。寄來的是限定版，薄薄的六七十頁一小冊，雖然裝幀排印和紙質都很考究，而且注明這是限印五百冊之中的第三一七冊，但是代價很高——三十先令。

翻閱了一遍，六七十頁的小書是經不起幾翻的。紀德的寫作計劃對我並不發生興趣，我注意的乃是他為寫那部小說所搜集的資料，如下面這樣的記載，最使我感到興趣：

> 如果對於他們之中的有一些人，這種犯罪的生意乃是可以取得家中所給的零用錢之外的較高生活享受的一種方法，但是對於另一些人——至少他們自稱如此——這乃是一種人道主義的工作："不時，我會施捨一點給那些經濟困難的人，以便他們用來補助他們的家庭生活……這舉動並不曾使任何人受損害，因為蒙受損失者乃是國庫，並非個人。"

我就喜歡紀德對於生活所持的這種態度，誠如他自己所說，這種態度可愛之處，乃是好像一柄對於天堂的大門和地獄的大門同時都適用的門匙。

潘的性格和故事

在希臘神話裡，牧羊神被稱為"潘"（Pan）。它的形狀很古怪，人身羊腿，滿面鬍鬚，頭上還有角，閒暇的時候好吹用蘆管編成的編簫。潘的畫像，我們隨時可以在希臘雕刻和古典繪畫上看得到。

潘是牧神，它白晝漫遊山林，照顧牛羊牧群和牧人以及獵人，保護他們，驅逐侵襲他們的野獸。但它有一種怪脾氣，中午的時候要午睡，午睡的時候不許別人驚吵，若是不慎被什麼聲響吵醒了，它便要大發脾氣，降災禍於人，往往使人突然驚慌發狂。因此希臘時代的牧人，在中午照例相戒不許吹牧笛或呼喚牧群，又禁止犬吠，以免驚醒午睡中的牧神，惹來災禍云云。就因為這樣，至今英語"極度的恐怖"（panic）一字的語源，還殘留着這個神話的痕跡，因為這個字意譯起來正是"潘的恐怖"。

這幾天正在讀《伊索寓言》，發現其中也有一則潘與人的故事，順手譯述於下，以見它雖然脾氣古怪，但到底還不失天真和純樸：

有一時期，潘和人相處得很好。有一天，是一個寒冷的冬天，潘和人在一起談天。為了天冷，人不停的將手指放在嘴邊呵氣取暖。潘看了不解。人便告訴它為了天冷，這樣可以使手指和暖。後來到了下午，大家在一起進食。因了食物非常熱，人又將食缽放到嘴邊去吹。潘看了又不解，人便告訴他為了食物太熱，這樣放在嘴邊可以吹冷。

潘聽了怫然不悅道：「我不能同你做朋友了，因為你的一張嘴居然冷暖無定。」

歌德和席勒的友情

　　歌德與席勒，這兩位德國偉大的詩人，他們是同時代人。不過，在年歲和輩分上來說，歌德卻長了一輩，席勒算是他的後輩，但是兩人的交情極好，他們的友誼是經過彼此悠久的考驗和深刻的理解才建立起來的，在德國文學史上可說是一段佳話。

　　席勒和歌德兩人所建立的深厚交誼，可以從保留下來的兩人書信集中看得出來。然而兩人並非一開始就"一見傾心"的。在兩人第一次相見時，年輕的詩人席勒，對他的老前輩歌德的印象，簡直很不好，甚至可以說得上是失望，大有"見面不如聞名"之慨。同時，在歌德方面來說，當時雖然已經聽到過年輕詩人席勒的名字，而且曾經有朋友要為他們兩人介紹，歌德都一再婉辭了，不想會見這個新詩人。甚至有一時期兩人同住在一個城市內，歌德也一再迴避不與席勒相見。這並非歌德的驕傲，而是他已經讀過席勒的作品，覺得這位年輕詩人在作品中所流露的那種強烈如火的反抗熱情，與自己當時的那種沖和廓大的作風完全格格不入，所以一直不想與他相見。他們兩人第一次有機會相識，可說是偶然的。因為並非是歌德邀請，或是席勒約定了來與歌德相見，而是席勒偶然在一個場合遇見了這位大詩人而已。

　　這是一七八八年的事，當時歌德三十九歲，是德國當代的大詩人，而且由於《少年維特之煩惱》一書，已經成為歐洲青年所崇拜的偶像。席勒這時只有二十九歲。雖然已經寫成了《強盜》一劇，上演後很獲得好評。可是就因為這個劇本得罪了家鄉的權貴烏爾登堡公爵，席勒無法在家鄉安居，只好逃亡出外。幸虧當時德國是由許多大小不一的封建貴族分別統治着的，各自為政，像是許多獨立的小國。席勒便靠着他的朋友和同情者的援助，在這些小邦的統治區域內過着流亡和寄食生活。不說文藝上的成就，他這時的環境和地位，比起歌德也相差太遠了。因為歌德這時正是魏瑪公爵的上賓，正由於他在魏瑪，已經使得魏瑪成了當時德國文藝活動的中心。這時他正從意大利旅行載譽歸來，許多朋友都來歡迎他，遂使得當時也正在魏瑪作客的席勒，第一次有機會見到了這位大詩人。不過，由於當時是雜在許多歡迎者之中，席勒根本就沒有機會可以單獨同歌德交談。

　　但是，席勒這次見到歌德後，曾在給友人科尼爾（一七八八年九月十二日）的一封信上，報告他所得的印象，其中有幾句這麼寫道：

　　　　一般來說，我對他（指歌德）一向所具有的崇高意念，並不曾因這次親身同他接觸而有所降低。但是我很懷疑我們是否有可能成為親密的朋友。有許多事情仍使我感到興趣，因此我仍希望能有機會同他在一起。他走在我的前面太遠了 —— 並不是在年歲上 —— 而是在處世經驗和自我發展上

—— 因此我永不可能有機會在路上遇得到他。從一開始，他的整個生活就和我背道而馳，他的世界不是我的世界；我們的見解和觀點似乎在本質上就有區別……

可是在另一封信上，席勒卻承認歌德對他的影響之大，重視他的批評。席勒這麼說：

　　歌德使我決心要將我的詩寫得更好，具有很大的影響。他的判斷對我的作用很大。他對我的《希臘諸神》很給予好評，只是覺得太長了一點；他這批判也許是對的。他的眼光是成熟的，他對於我的意見一向又是反對多於贊成。因此我既然最希望別人對於我的真實批評，他可說是在諸人之中對我最適合的一個。我將從別人方面獲得他的意見，因為我決不在他面前提到我自己。

　　不過，毋庸隱諱，一七八八年這兩位詩人第一次相見，匆匆的一面，雙方所得的印象可說都不很好。在歌德方面來說，他這時聲譽方隆，又新從意大利壯遊歸來，正醉心於古典作品的沖和醇厚之美，對於像席勒這年輕詩人在作品《強盜》之中所流露的那種如火如荼的反抗熱情，有點看不順眼，所以對這個新詩人很冷淡。在席勒方面，則覺得他一向所崇拜的這位偉大詩人，見面之後，似乎可望而不可即，頗有"見面不如聞名"之感。加之歌德又有意不同他來往，使得席勒望而生畏，一腔熱情不覺冷淡下來了。

　　但是歌德到底是個胸襟恢宏的人物，他雖然不想同這個新詩人交朋友，但是當他知道席勒的旅居生活很困難時，便運用自己的力量，推薦席勒到耶拿大學去講授歷史，解決他的經濟困難。當時歌德是歐洲文壇祭酒，他的一句推許之詞能使得一個新進身價十倍，因此這推薦使得席勒非常感激。

這樣，直到六年之後，兩人才偶然又再相見。這一次，席勒由於過去的經驗，不敢再在這位前輩面前放肆。於是歌德開始發覺自己過去實在看錯了人，眼前的這位詩人的才華，並不在自己之下。自己當年所以不喜歡他，是因為自己的觀點和他有了距離。歌德一發現自己有了這些錯誤，就及時加以糾正，利用這次兩人再相見的機會，當場向席勒表示自己對他的傾慕。兩人這次是在一個會場的門口無意相逢的。歌德高興的同他交談，兩人就這麼一路走一路談着，一直走到了席勒寓所的門口，歌德還捨不得同他分手，竟跟着他一同走了進去。兩人這一來就真的成了朋友，並且從此結成了在德國文學史上成為佳話的兩位大詩人的深厚友誼。

這是一七九四年的事，兩人是一同在耶拿參加了一個關於自然科學的會議，討論植物的變化現象。因為詩人歌德一向對植物學很有興趣，可說同時也是一位博物學家。散會時恰巧一同走出來，在門口遇見了，隨便交談了幾句，使得歌德對這位後輩刮目相看。後來歌德在一篇回憶文裡，曾經坦白的敘述當時自己對席勒觀念改變經過的情形道：

　　我同席勒之間突然發展起來的關係，給予我超出了願望和希望之外的滿足 —— 這種關係，可說是命運在晚年為我安排的最值得重視的一種。而這種喜遇的獲得，應該歸功於我對於 "植物的變形" 的研究，因為正是在這場合下才有了一個機會，澄清了使我多年以來故意同他保持一種距離的一切誤會。

　　就這樣，這兩位德國大詩人就結成了牢不可破的深切友誼，互相在自己的作品和生活上發生了影響。可惜的是，席勒本來比歌德小十歲，可是活得短命，僅僅活了四十六歲，在一八〇五年便因病去世。比他大了十歲的歌德反而一直活到一八三二年，享了八十三歲的高壽。不過，席勒生命的最後十年，乃是他在文藝上收穫最豐富的時期，而這一切收穫正是由於他同歌德這種可貴的友誼所滋助培養出來的。

艾克曼的《歌德談話錄》

　　艾克曼的《歌德談話錄》，這一部曾被尼采譽為"德國的一本好書"，是研究歌德作品和思想的第一手好資料，內容真是太豐富了。

　　艾克曼是歌德晚年所聘用的秘書，幫助歌德整理校訂稿件的。艾克曼的這一項任務，開始於一八二三年，這時艾克曼三十一歲，但是歌德已經七十四歲，雖然體力和精神仍很充沛，不過到底年紀大了，五十多年的工作成就亟待整理，自己手邊又有新的工作要做，久想找一個適當的助手來幫忙，恰巧艾克曼在這時來到魏瑪，他從小就是歌德的崇拜者，熟讀他的作品，久想找機會接近這位巨人。他這次到魏瑪是來找職業的，因此來得正巧，歌德同他談了幾次話，就看出這正是自己所渴望的一個好幫手，立刻就邀請他擔任了這職務。從一八二三年開始，直到一八三二年歌德去世為止，艾克曼成了他的最後十年生活中每日不離的伴侶。

　　一八三六年，艾克曼出版了他的這部《歌德談話錄》第一第二卷，這是根據他自己的札記和歌德的信件遺稿編寫而成，是一種近於日記體的記事文。我們今日所知道的歌德晚年生活的故事，全是依靠了艾克曼的這本書。他在一八四八年又發表了一冊續編，後來還準備用新的材料再補充，未及寫成便去世了。

當然，偉大的歌德，並非靠了艾克曼的這部書，才為世人所知的。但是若沒有艾克曼，我們今天就無法知道這個巨人在晚年的一些生活和思想活動的詳情。再有，艾克曼的記載，不是一個受薪的秘書無關心的記載，而是一個弟子，一個崇拜者，一個友人的忠實而且同情的敘述。

艾克曼的《歌德談話錄》，一直記敘到一八三二年三月二十一日為止，三月二十二日歌德便去世了。在他的這本書的最後，艾克曼記載了他瞻仰歌德遺體的印象。他說：

> 歌德去世次日的清晨，有一種深湛的願望使我想再見一見他的人世軀殼。他的忠忱的老僕斐特烈，給我打開了他長眠在裡面的廳房。他躺在那裡，好像在睡眠中一樣，在他高貴的臉上籠罩着一種深刻的寧靜蕭穆之感。巍然的眉宇之間似乎仍在孕蓄着思想。我很想獲得一絡他的頭髮作紀念，但是由於對他的尊敬，不敢動手去剪……

艾克曼這麼瞻仰了歌德的遺體之後，又用手放到他的胸口，感到一派深湛的靜默，"於是我連忙回過頭去，隱忍已久的眼淚已奪眶而出了"。

達爾文和赫胥黎

　　赫胥黎與達爾文是同時代人。這兩位大科學家不僅是好朋友，而且在學術思想的啟發上，兩人也互相切磋。達爾文的《物種起源》的寫成，就得過赫胥黎的幫助不少。

　　赫胥黎是研究動物學的，據說有一天，兩人一同到動物園去參觀，站在一條毒蛇的面前，有玻璃板隔着，毒蛇見到有人來擾牠，昂頭吐舌，隔着玻璃板向前一衝，要咬他們。本來，隔着一層玻璃板，根本是不會有任何危險的，但是達爾文在毒蛇撲到他眼前來的時候，仍忍不住側頭向旁一避，赫胥黎見了這情形微笑，教訓他道：

　　　　我們站在有玻璃的籠子面前看毒蛇，不怕牠咬，這是後天的智識；但是當牠在玻璃後面作勢向我們咬來時，我們仍不免略略向後一避，這乃是先天的本能。

　　這一類的切磋，使得兩人結成了深厚的友誼，同時達爾文對赫胥黎也極為欽佩。他的《物種起源》第一次在一八五九年出版時，首先就寄給赫胥黎請他批評，赫胥黎讀了之後就寫了一封信，熱烈的支持達爾文的見解。達爾文在一封回信（一八五九年十一月二十五日）上這麼感激的寫道：

　　　　你的信已經由唐恩轉到這裡。像是一個臨死接受了塗油禮的善良天主教徒一樣，現在我可以唱"主啊，令我安然去世"這首詩了。即使你只說了那些話的四分之一，那也超過了令我滿足的程度。恰在十五個月以前，當我開始寫這本書的時候，我心中懷有極大的疑懼，我想或許我是欺騙了自己，好像許多人所作的一樣，於是我認定了三位裁判，我決定在思想上遵從這些裁判的裁決，這三位裁判就是賴亦爾、虎克和你。所以我非常渴望知道你的判斷，現在我感到滿足了，我可以唱"主啊，令我安然去世"那首詩了……（據葉篤莊、孟光裕的《達爾文生平及其書信集》譯文）

什麼使得達爾文對赫胥黎這麼高興而且感激呢？我們只要讀一下赫胥黎收到達爾文在《物種起源》印好之後，首先寄了一冊給他的那封回信，就可以知道了。赫胥黎在這封信一開頭便說：

我昨天看完了你的書。這是由於僥倖的舉行了一次考試，使我得到了幾小時連續的開暇時間。自從九年前我閱了馮貝爾的論文以後，我所看到的博物學上的著作，沒有一本給我這樣深的印象。我最衷心地向你表示謝意，因為你給了我大量的新觀點。我認為這本書的格調是再好也沒有了，它可以感動對於這個問題一點也不懂得的人們。至於你的理論，我準備接受火刑 —— 如果這是必須的 —— 也要支持第九章，以及第十章、第十一章、第十二章的大部分……

正是這樣，所以第二年在牛津主教所召開的檢討《物種起源》的大會上，赫胥黎曾經公然接納了主教的挑戰，問他是否也相信"人是猴子的後裔"時，說他寧願做猴子的後裔，也不願做一個無知的以宗教偏見來嚇人的主教的後裔！

赫胥黎的這幾句回答，若是在中世紀的歐洲，確有隨時可以受火刑的。

英國有一艘小軍艦，因了達爾文而名垂不朽，這就是那艘只有二百三十五噸重的雙桅橫帆"貝格爾"號。一八三一年十二月二十七日，這艘武裝的帆船由德翁港出發，目的是要到南美洲去進行水路測量工作，它花費了五年的時間，經歷大西洋太平洋印度洋沿岸和各島嶼，環球航行一周之後，在一八三六年十月又回到英國。它這次在水路測量繪製精密航海地圖工作上，收穫很大。但是使得這艘小船在歷史上得以名垂不朽的，卻是由於船上所載的考察隊人員之中，有一位年輕的科學家在內，這人就是達爾文。

達爾文當時只有二十七歲，他是以一個自然科學研究者的資格參加這個考察隊的。本來，貝格爾號的考察任務，並不包括自然科學在內，達爾文能夠有機會參加，全是出於艦長費支羅伊的私人願望，他想在考察隊的人員裡面包括一位自然學家，便託朋友向劍橋大學物色，達爾文的老師亨斯羅便推薦了這位高足。達爾文的父親本來要他繼續學醫，反對他去參加這種科學考察工作，後來幸虧給舅父說服了，才肯讓達爾文去繼續研究他自己所喜歡的科學工作。因此世上差一點沒有了達爾文和"達爾文主義"，因為達爾文後來所發表的生物進化理論，大部分都是依據這次環球旅行在各地所作的觀察和搜集到的標本研究建立起來的。貝格爾號完成了環球航行的任務後，在一八三六年回到英國。達爾文根據自己在艦上所作的筆記和旅行日記，寫成了他的考察報告，第一次在一八三九年出版，是附錄在官方發表的航行記後面的，後來再加補充和修改，另出單行本，這就是現在已經成為自然科學經典名著的《一個自然學家在貝格爾艦上的環球旅行記》。

一八五九年出版的《物種起源》和一八七一年出版的《人類的由來》，這兩部達爾文進化學說的骨幹著作，主要論據都是從這部旅行記的材料伸引而來。前兩本書是更專門的科學著作，旅行記則除了有關自然科學的觀察以外，兼及風土人情，旅途見聞，簡直可以當作一般遊記來讀，因此這本書更為許多讀者所愛好。

達爾文的這部《一個自然學家在貝格爾艦上的環球旅行記》，中國已經有了周邦立的中譯本，這是科學出版社出版的，十六開六百餘頁一巨冊，在譯文、編排和印刷方面，都可以說是十分鄭重而且夠得上水準的，書前附有索波里教授所作的介紹："達爾文的環球旅行記和它在自然科學史裡面的意義"，對於這本書的特點和好處介紹得非常詳盡。

迦撒諾伐和他的《回憶錄》

　　迦撒諾伐這人，可說是歐洲十八世紀歷史上的一個怪人。他說不上是當時的"名人"，更說不上是作家，可是就憑了他的那部《回憶錄》，內容雖然有許多地方很荒唐，卻使他成了一個無人不知的人物。

　　有許多大詩人大作家都寫過自己的回憶錄和懺悔錄。盧騷寫過《懺悔錄》，托爾斯泰寫過《懺悔錄》，就是聖徒奧古斯丁也有一部《懺悔錄》。他們都寫得很坦白，尤其關於自己的私生活和思想上的變化。聖徒奧古斯丁敘述他自己怎樣與自己內心的肉慾掙扎鬥爭的情形，是有關靈與肉鬥爭的最有名的文字，許多藝術家甚至將奧古斯丁內心所發生的情慾幻想畫成畫，累得美國的糊塗法官認為是淫畫要下令禁止。但是這些有名的"懺悔錄"，比起迦撒諾伐的《回憶錄》來，卻不免有點遜色。因為迦撒諾伐從不懺悔。他對於女性，只是感到歡樂，冒險，以及戰勝者的驕傲；有時得意忘形，不免誇張的說起謊來，但大部分總是老老實實的記載。這正是使得他的這部回憶錄至今仍被許多人愛讀的原因。

　　奧國著名小說家支魏格（有名的中篇〈一個不相識婦人的情書〉作者），在他的那部《迦撒諾伐、斯丹達和托爾斯泰》

三人的合論裡說得好，歐洲中世紀流傳下來的著作，除了但丁的《神曲》和卜迦丘的《十日談》以外，便要數到迦撒諾伐的《回憶錄》最受人歡迎了。

女人是一本書，她們時常有一張引人的扉頁。但是你如想享受，必須揭開來仔細的讀下去。

這是迦撒諾伐所說的有關女人的警句。他是意大利與西班牙的混血兒，一七二五年出世。從十七歲開始，因了行為不檢，從學習的僧院裡被革除出來以後，一直到七十三歲（他在一七九八年去世，活了這年紀），就在不斷的體驗自己所提倡的這樣的"人生觀"。就像一位愛書家一樣，見了書就讀，從不放過一次機會。不僅欣賞書的扉頁，還要像他自己所說的那樣，揭開來仔細的讀下去。

他一生不曾結過婚。但是為了女人，他流浪歐洲各國，從事各樣古怪的職務，從外交使節以至魔術師和職業賭徒都做過。掙來的錢全部花在女人身上。他為了一個女人，可以從倫敦一直追到聖彼德堡。坐監，越獄，決鬥，被人下毒，從腰纏萬貫一夜之間變成一文不名，都是為了女人，始終樂此不疲。

直到晚年，又窮又老，不再想到女人了，便寄食在一個貴族的門下，終日躲在藏書樓裡寫他的回憶錄，用來排遣無多的歲月。這對於迦撒諾伐本是一件無可奈何的事情，然而就憑了這本回憶錄，使他獲得一個歐洲大情人的不朽聲譽。這大約也是他自己意料不到的事。

根據他自己在回憶錄原稿上的說明，"一七九七年為止的我的生活史"，可見他準備將他的生活回憶一直寫到最後一刻。

可是事實上，從現存的原稿看來，他寫到一七七四年，即他四十九歲那年，便不曾再寫下去，因為原稿到這一年便中斷了。

這部回憶錄的原稿，是出於迦撒諾伐本人的手筆，是無可置疑的。不僅筆跡與他遺留下來的其他書信文件相同，就是在他自己的信上，以及他的朋友的信上，都提起了他在晚年曾寫回憶錄這件事。但是原稿給後人發現，卻是偶然的。

一八二〇年十二月十三日，德國萊比錫的一家有名書店布洛卡哈烏斯，忽然收到一位不相識的署名蔣特賽爾的人來信，說是有一部原稿，是一位"迦撒諾伐"先生所寫的，到一七九七年為止的生活回憶錄，問他們是否有意出版，並且說明原稿是用法文所寫。迦撒諾伐是意大利人，這時去世已二十多年，不要說是在當時德國萊比錫，就是在巴黎和威尼斯，大約也不再有人會記起有這樣一個人。但是老闆布洛卡哈烏斯，照例請蔣特賽爾將所說的原稿寄來看看。哪知一看之下，立即發生了興趣（這正如我們今天揭開他的《回憶錄》一樣，誰讀了幾頁之後不被它的有趣內容所吸引？），請人譯成德文，分冊出版，由於銷路十分好，給巴黎的出版商看中了，可是布洛卡哈烏斯將法文原稿秘不示人，巴黎出版商便不待布洛卡哈烏斯同意，從德文譯本譯成法文出版。德文譯本已經刪改得很厲害，從德文譯文轉譯的法文譯本又再改上加改，因此迦撒諾伐《回憶錄》從第一次與世人相見以來，就已經不是它的真面目。不僅如此，巴黎的法譯本出版後，布洛卡哈烏斯大為生氣，但他並不將自己手上的法文原稿印出來，卻也根據自己出版的德譯本另譯了一種法譯本出版。這就是最早的迦撒諾伐《回憶錄》

的三種版本，出版過程和內容同樣的都是烏煙瘴氣，真正的原稿始終未與世人相見。

這份迦撒諾伐《回憶錄》的原稿，共有十二大卷，全是用筆跡細小的法文寫在粗糙的紙上，正反兩面都寫滿了，至今仍藏在德國。目前我們所讀到的各種版本，全是根據上述的那三種祖本而來。最多的有十二大冊，可是雜誌報攤上賣給水手讀的則變成僅有一二百頁的薄薄的小冊子。這裡面的差別可想而知。迦撒諾伐自己說得好，生活的精華是直接去享受，回憶已經是糟粕。因此後人無論將他的遺稿怎樣割裂刪改，對他本人可說早已毫無損害了。

王爾德《獄中記》的全文

　　王爾德的《獄中記》，早在一九〇五年就已經出版，並且在中國也久已有了譯本。不過當年倫敦所出版的，實在不是全文，乃是刪節本，所發表的僅及全文之半。直到一九四九年，距離刪節本出版四十四年之後，《獄中記》的全文才第一次正式出版。

　　所謂王爾德的《獄中記》，事實上是一封長信，是王爾德在獄中寫給道格拉斯爵士的。王爾德的入獄，就是為了這個年輕的朋友。因為這作品的本身是一封長信，至少是一篇書信體的散文，而且王爾德當時是真的準備寫了寄給道格拉斯的。既不是一篇散文，也不是一本書，所以根本沒有題目或書名。原文的一部分於一九〇五年第一次在倫敦出版時，是由王爾德的好友羅伯羅斯經手節錄付印的，因為這封長信的底稿在他的手上。這時王爾德本人去世已經五年了，羅伯羅斯選錄了這封長信的一部分付印，因為原來根本沒有題目，便由他擬了 "De Profundis" 兩字作書名。這是拉丁經文的成語，即 "發自深心" 之意，表示這是一個人在監獄中所寫下的 "肺腑之言"。這書在一九二五年左右就有了中譯本，是由張聞天與汪馥泉兩人合譯的。當時大約因為若據原名直譯，未免意義晦澀，便採用了日本譯本的書名，稱為《獄中記》。這個譯名的好處是使讀者對王爾德這部作品的特殊性質一望就明白，雖然事實上內容涉及獄中生活的並不多，但到底全部是在獄中寫成的，稱為《獄中記》實在也很恰當，因此我在這裡也就沿用這個現成的名稱了。

王爾德是在一八九五年五月二十五日被判入獄的，刑期兩年。這部所謂《獄中記》的長信，便是在服刑期中斷斷續續寫成的。本來，犯人未必會有寫作的自由和便利，但是王爾德到底是個有名的作家，而且他所寫的乃是一封長信，因此便由獄中供給紙張給他，這是一種藍色有監獄戳記的四開紙，王爾德寫完了一張就交給獄卒，另外再領一張新紙，他自己是不許保留這些原稿的。長信一共寫了二十張紙，每張四面，共有八十面。

王爾德寫完了這封長信後，依照他自己的計劃，是想託他的好友羅伯羅斯轉給道格拉斯的。可是依照監獄規則，犯人在獄中所寫的東西，除了必要的信件經過嚴密檢查之後可以寄出外間外，其餘任何文字一概不許寄出獄外。因此王爾德滿以為這封長信早已到了羅伯羅斯和道格拉斯手上，不料始終仍存在獄中。直到他在一八九七年五月十九日刑滿出獄時，監吏才將這一束原稿交還給他。

王爾德在出獄的當天，就離開英國，渡過英倫海峽，改名換姓到法國去暫住。羅伯羅斯在那裡接他，於是王爾德便將自己出獄時獄吏交給他的那封被扣留的長信，交給了羅伯羅斯。這就是今日所謂《獄中記》的全部底稿。

王爾德從此就不曾再見過這一束原稿，他本人也不曾再回過英國。他是在一八九七年出獄的，三年之後，一九〇〇年十一月三十日，已經在法國去世了。

羅伯羅斯收到王爾德交給他的這束原稿後，便依照他的指示，用打字機打了一份，同時又用複寫紙留了一個副本。他本來應該將原稿直接寄給道格拉斯爵士的，但是王爾德在這封長信內有許多地方對道格拉斯責備頗甚（一九〇五年刪節本《獄中記》出版時，刪去最多的就是這一部分，因為那時道格拉斯爵士還在世），羅伯羅斯知道道格拉斯的為人和個性，他為了審慎起見，便將原信的底稿留在自己的手上，只是將打字機打出的那一份送給道格拉斯。果然，道格拉斯看見王爾德在信內這麼埋怨責備他，十分生氣，便將這封信毀了。他以為這是僅有的一份原稿，毀了之後就可以了結這重公案，不會再有人提起，不曾料到這不過是一個副本。羅伯羅斯可說有先見之明。

不久之後，道格拉斯爵士自然知道關於王爾德這份原稿的真相，知道底稿仍在羅伯羅斯手上。兩人為這個問題吵了起來。這時王爾德已經去世，羅伯羅斯是被指定的王爾德著作權的保管人，他當然有權保管王爾德的一切遺著和原稿。可是道格拉斯爵士卻說王爾德的這封長信是寫給他的，底稿應該歸他所有。羅伯羅斯看出這事如果鬧上法庭，對他自己未必有利，於是實行了一個釜底抽薪的辦法，他將這份原稿在證人面前封藏起來，然後贈給大英博物院，並附帶注明，在六十年之內不得公開，要待六十年之後始能將內容公之於世，因為那時信內所牽涉到的每一個人相信都已經去世，就不會再發生什麼法律糾紛或不便的事情了。

這是一九〇九年的事情。這一來，除了羅伯羅斯還暗中藏有一份用複寫紙印好的打字副本以外，由於底稿已經封存在大英博物院，至少在一九六九年以前，不會再有人見到這份原稿了。不料在一九一二年，王爾德生前的友人亞述·朗遜，寫了一部王爾德的傳記，其中牽涉到道格拉斯，被道格拉斯認為有誹謗之嫌，向作者提出控告，並舉出封存在大英博物院的這封長信的若干字句作證，於是在法庭批准之下，這一束原稿被啟封取出來呈堂作證了。

在這次的控案中，由於被告律師引用王爾德這封長信的內容來答辯，身為原告的道格拉斯，便有機會取得原信的一個副本作參考。後來道格拉斯敗訴，但是他卻有了這封信的一個副本在手。

他因為控告朗遜誹謗的官司敗訴了，心裡十分生氣，便揚言要將自己手上的這個副本，由他自己增加注解，拿到美國去出版。這一來，可急壞了羅伯羅斯，因為王爾德的全部著作版權，在英國雖然已經登記，非獲得羅伯羅斯的同意不能出版。可是《獄中記》的版權在美國卻沒有登記，如果道格拉斯這時將自己手上的那個副本拿到美國去出版，是沒有人可以干涉的。而且，如果由道格拉斯自己加上注解來出版，他一定盡量為自己的行為作辯護，那不僅對王爾德身後的名譽很不利，就是對羅伯羅斯本人也很不利。因為道格拉斯為了這封信的原稿問題，早已同羅伯羅斯吵了嘴，而且上次控告朗遜的案件，道格拉斯也是想"一石二鳥"，若是勝訴了，便要接着也控告羅伯羅斯的。

羅伯羅斯為了先發制人計，一聽到道格拉斯有要將他手上從法庭取來的副本送到美國出版的消息，他立即將自己手上所存的那個複寫紙的副本，寄給美國的一個朋友，託他以最快的手續在美國辦理出版和版權登記，以便獲得保障。那個朋友幸不辱命，以十天的時間為他排印了十六冊，因為這是一本書取得版權保障最低的印數，辦好登記手續。並且以一本留在紐約公開發售，其餘十五本連同副本原稿寄回英國。這一來，才阻止了道格拉斯要將他的副本加注拿到美國去出版的計劃。

　　要將一本留在美國公開發售，這也是取得版權保障的法例規定之一。羅伯羅斯為了不願被人買去，他故意將這本匆促印成薄薄的小書定價五百美金，可是很快的仍被一位藏書家以這重價購去了。因此王爾德這部《獄中記》的全文，在不曾公開出版以前，事實上已經印過一次十六冊的限定版，其中十五冊雖保存在羅伯羅斯自己的手上，但是有一冊已經落在美國一位不知名的藏書家手中了。不過那一冊在版本學上講起來雖然很有價值，可是內容卻很差，因為趕着爭取版權登記，排好後並未經校對，就匆匆印了十六冊。

　　一九一八年羅伯羅斯本人去世，他所藏的那個副本便轉入王爾德的兒子費夫揚·荷蘭手上。一九四五年，道格拉斯也去世了，雖然羅伯羅斯所規定的一九六九年公開原稿的年限尚未到，但是道格拉斯既去世，已不會再引起什麼不便，於是費夫揚·荷蘭便在一九四九年，將他手上的那個副本交給書店公開出版。至於王爾德原信的底稿，則至今仍存在大英博物院，依照原來的封存規定，要到一九六九年才肯公開。

小仲馬和他的《茶花女》

　　法國小仲馬的小說《茶花女》，出版於一八四八年，到了一八九九年（光緒二十五年），就已經有了中譯本，距今算來，已是六十多年前的事了。在這半個多世紀以來，凡是愛讀小說的人，無不知有巴黎茶花女其人其事的。自電影盛行後，這部小說已一再多次拍成電影，甚至中國也攝製過根據《茶花女》改編的影片，其膾炙人口可知。《茶花女》的中譯本，現在已不只一種，但是仍以最早出的那一種，即六十多年前的文言譯本最為人稱道。因為這是冷紅生（即林琴南）與曉齋主人的合譯本，書名作《巴黎茶花女遺事》。譯本開端有小引云：

　　　　曉齋主人歸自巴黎，與冷紅生談巴黎小說家，均出自名手。生請述之，主人因道仲馬父子文字於巴黎最知名，茶花女馬克格尼麗爾遺事，尤為小仲馬極筆，暇輒述以授冷紅生，冷紅生涉筆記之。

　　就這樣，《茶花女》和小仲馬之名，自清末以來，就為我國文藝愛好者所熟知了。

　　仲馬父子為法國十九世紀作家，父子皆以小說和戲劇名文壇。由於父子都以“亞歷山大”為名，“仲馬”為姓，而且又同樣都是寫小說劇本的，時人恐怕相混，遂以大小為別，稱父親為大仲馬（Alexandre Dumas, père），兒子為小仲馬（Alexandre Dumas, fils），這就是大仲馬和小仲馬的由來，實在是法國文壇一大佳話。

仲馬父子都是多產作家。不過，兩人作品雖多，經過時間的淘汰，大仲馬至今最為人所稱道的作品是《三劍客》（即中國林譯之《俠隱記》），小仲馬則是本文要說的這部《茶花女》。

小仲馬的《茶花女》，有小說與劇本之分。他先寫成小說，初出版時讀者並不多，後又用同一題材再寫劇本，在巴黎上演，在舞台上竟大獲成功，萬人空巷，連演幾個月無法停止。那些觀眾在舞台上看了茶花女的故事，回家再讀《茶花女》小說，覺得愈讀愈有味，於是《茶花女》小說遂風行一時。不過，時至今日，世人多只知《茶花女》小說，反而知道有《茶花女》劇本者甚少，這真是小仲馬自己也料不到的事。《茶花女》劇本在中國也有了中文譯本。

小仲馬出生於一八二四年七月二十七日，他是大仲馬和一個姘婦的私生子，起初寄養在外，到了十多歲始由仲馬領回，養在自己身邊。他受了父親的薰陶，自幼愛好文學，很早就開始執筆寫作，最初出版的是一部詩集。《茶花女》小說寫於一八四七年，次年出版，這時小仲馬不過二十四歲。

此後，直到他在一八九五年去世，多產的小仲馬在那幾十年內不知寫了多少小說和劇本，多到令人無從記憶，就是那目錄抄起來也有一大篇。然而，就憑了他在年輕時候所寫的這部《茶花女》小說，已足夠令他名垂不朽，因此其餘作品即使被人忘記也不妨了。

《茶花女》小說，寫的是巴黎交際花瑪格麗與熱情少年阿蒙的相戀悲劇故事。有人考證，小仲馬筆下的阿蒙，實在就是他自己的寫照。這是傳聞，從未經小仲馬自己證實過，所以無從證實其真假。不過，《茶花女》實有其人，卻是事實。這個女子名叫瑪麗・普列茜絲，是當時巴黎一個年輕而有豔名的交際花，不幸染有肺病，在一八四七年去世。小仲馬偶有所感，就用她的生平為骨幹，寫成這部《茶花女》，無意中完成了一部不朽的傑作。

　　許多批評家都一致認為，小仲馬的文筆，善於敘述而不善於創造，必須實有其人其事作藍本，他始可以發揮那一枝生花之筆的特長。《茶花女》小說，既有普列茜絲女士的紅顏薄命生活為藍本，所以他寫來栩栩如生，淒豔動人。因為普列茜絲女士生時，墮落風塵，不幸又染上肺病，自知自己生命不長，絕望之餘，遂愈加放浪，一個年輕的患有初期肺病的女人，病症往往能增加她的美麗，因此普列茜絲女士豔名大張。這種絕望的美麗，正是小說茶花女瑪格麗的藍本。她的生平遭遇與《茶花女》中所敘述者差不多。普列茜絲女士結識過一個公爵，這位公爵因普列茜絲酷肖其亡女，所以對她特別疼愛。小說中瑪格麗為了愛阿蒙之故，而自甘犧牲割愛，則是出於虛構的。但是小仲馬曾向人表示，如果普列茜絲也遇到這樣的事情，以她那樣的性格，她也一定會如此做的。

　　《茶花女》之名的由來也很有趣。據小仲馬在小說裡描寫，瑪格麗因為染上了肺病，不耐一般鮮花的酷烈香氣，因此選中了無香無色的白茶花為閨中良伴。白色的山茶花襯着瑪格麗蒼白的面頰，愈加顯其楚楚欲絕，淒豔動人，因此巴黎好事家稱她為"茶花女"云云。

但是作為茶花女的影身的普列茜絲女士，在實生活上卻是沒有這種癖好的，至少從沒有人說起過她是愛茶花的，可是後來由於小仲馬的《茶花女》享了盛名，並且大家都知道這部小說是以普列茜絲女士的生平為藍本的，遂對這個紅顏薄命的交際花也感到了興趣。可是這時香消玉殞，普列茜絲女士已經去世多年，早已埋骨巴黎郊外。於是巴黎的好事者又發起釀金為普列茜絲女士修墓，將她在蒙馬特墳場的香塚修飾一新，彷彿我國風雅之士在西湖西泠橋畔重修錢塘名妓蘇小小的墳墓一樣。又請雕刻名家用白大理石雕了一束白山茶花，裝飾在她的墓上。從此，這座墳墓就成了巴黎名勝之一，被人稱為"茶花女墓"。

二十四歲就寫下了《茶花女》的小仲馬，活了七十二歲，到一八九五年十一月二十七日在巴黎去世。在他一生所寫下的數不清的作品之中，除了《茶花女》之外，至今已不易再舉出一部為後人所熟知的作品。不過，僅憑了一部《茶花女》，已經足夠使小仲馬在法國文學史上佔得一頁不朽的地位，而且也連帶的使得普列茜絲女士不朽了。

《茶花女》和"茶花女"型的故事

一 我所喜歡的《茶花女》

我很喜歡讀小仲馬的《茶花女》。很年輕的時候讀了冷紅生與曉齋主人的合譯本，就被這本小說迷住了，而且很神往於書中所敘的情節。這時我已經在上海，我讀了《茶花女》小說的開端所敘的，阿蒙在瑪格麗的遺物被拍賣時，競購她愛讀的那冊《漫儂攝實戈》的情形，每逢在街上見到有些人家的門口掛出了拍賣行的拍賣旗幟，總喜歡走進去看看。這種機會在當時的上海租界上是時常可以遇到的，因為那些回國的外國僑民，照例在啟程之前將家裡的東西委託拍賣行派人來就地拍賣。我也不知道自己是怎樣的心理，有時擠在人叢中也彷彿自己就是當年的阿蒙，可見小仲馬的這部小說令我愛好之深。那些外國人家總有一些書籍要拍賣，從前我的書架上有好些書就是這麼買來的。由於這些書是以一札一札為單位來拍賣，不能拆開來買，我買回來之後，就將自己有用的留下，將不要的拿到舊書店裡去交換別的書，這樣曾經先後買到了不少的好書。

可惜的是，我始終不曾在這樣的情況下買到一冊普利伏斯的《漫儂攝實戈》。若是能有這樣的巧事，那就更要使當時我這個年輕的《茶花女》迷更為得意了。

這些往事，現在寫出來，我並不覺得臉紅，因為我至今仍覺得小仲馬的這部小說，是一部寫得能令人讀了很喜愛的小說。由於喜歡《茶花女》，令我也連帶的喜歡了阿蒙和茶花女兩人所愛讀的《漫儂攝實戈》。每逢在書店裡見到有這兩種小說，總是忍不住要拿到手裡來翻翻，若是版本好而又有新插圖的往往就要買了回來。現在我手邊就有一部有法國當代木刻家梵倫丁・康比翁作插畫的《漫儂攝實戈》，還有一本英國批評家艾德孟・戈斯編的《茶花女》的英譯本。這個版本的《茶花女》最使我喜歡，因為除了有彩色插圖以外，書前還有戈斯的一篇長序，介紹了小仲馬的生平和著作，特別詳細的敘述了他寫成《茶花女》的經過，以及小仲馬用來作模特兒的那個巴黎交際花瑪麗・普列茜絲的身世，並附有一幅普列茜絲的畫像。我所知道的關於小仲馬怎樣寫《茶花女》的經過，就是從他的這篇介紹文裡讀來的。除此之外，書後還附有一篇研究小仲馬畫像的資料，附有好多幅不同的小仲馬的畫像。

用這樣周到的方式來介紹外國文學作品，真是太理想了，因此這冊戈斯編的《茶花女》英譯本，由於是幾十年以前出版的，現在已經殘舊得可以了，但是我仍視為至寶。

二　茶花女與《漫儂攝實戈》

凡是愛讀《茶花女》小說的人，我想沒有不知道《漫儂攝實戈》這本小說的。我自己就是這樣，第一次讀完了小仲馬的

《茶花女》後，就急急的去找《漫儂攝實戈》來讀。

這部小說久已有了文言文譯本。《漫儂攝實戈》就是原來的書名 "Manon Lescaut" 的音譯，也是當年商務出版的說部叢書之一，我已記不起是誰人所譯，想起來可能比冷紅生所譯的《巴黎茶花女遺事》稍後。可是這個書名的翻譯，比起《巴黎茶花女遺事》可說遜色多了。

到了一九三〇年前後，這部小說才第一次有語體文的譯本，譯者是與我有過同獄之雅的成紹宗，他是仿吾先生的侄兒。書名是《曼儂》，銷行並不廣，後來也一直沒有人重印過，因此現在即使想找一部這個譯本來看看，也怕不容易了。

讀過《茶花女》之後，一定想讀《漫儂攝實戈》的原因，我想不僅讀過《茶花女》小說的人，就是看過《茶花女》的舞台劇，聽過歌劇，或是看過銀幕上的《茶花女》的人，都是明白的，因為這個故事的開端，就是藉這個"引子"而來。小仲馬用第一人稱的敘述，說他偶然見到茶花女的遺物被人拍賣，自己雜在人叢中看了一下，發現被拍賣的遺物之中，有一件是一冊《漫儂攝實戈》，其上還有題字，是一個署名阿蒙的男子送給茶花女的。他為了好奇，便用很少的代價將這部小說買了下來。後來回到寓所，有一個不相識的青年來拜訪他，要求見一見這部書，原來這個年輕人就是送書給茶花女的阿蒙。他本想買回這本小說作紀念，未能如願，因此向拍賣行打聽買去這本書的顧客的住址，特來拜訪云云。就是通過了這樣的"引子"，小仲馬使阿蒙自己將他和茶花女的情史敘了出來。

阿蒙為什麼要送一本《漫儂攝實戈》給茶花女呢？原來這

部小說正是描寫一個癡情少年對一個風塵女子的情史的。"漫儂攝實戈"就是那個女子的名字。她的遭遇比茶花女更不幸、更可憐。同時書中的那個男子也可說比阿蒙自己更癡情,因為他曾經同這女子一同入獄,當她被押解充軍時,他也不辭跋涉,跟了她到沙漠裡去。

《漫儂攝實戈》的作者普利伏斯,是個出家的僧人。他曾私逃出院被通緝,又因了這部小說被禁,罪上加罪。

這部小說出版於一七三一年,同《茶花女》一樣,也久已被改編成歌劇,共有五種之多,此外還被編成了芭蕾舞劇。

三 "茶花女"型的故事

"茶花女"型的故事,用從前禮拜六派文人的術語來說,是所謂"哀情小說",這是比"言情小說"更側重於故事的悲劇發展的。不用說,在法國浪漫主義文學作品中,最多這類佳作。小仲馬的《茶花女》之前,享盛名的該是與《茶花女》有連帶關係的《漫儂攝實戈》。而在《漫儂攝實戈》之前,卻另有一部英國小說,已經以這種掙扎在善與惡之間的可憐女子為題材的,這就是《魯濱遜漂流記》的作者另一部名作:《摩爾·佛蘭德絲》(這部小說在中國已經有了中譯本,書名改稱《蕩婦自傳》)。

《摩爾·佛蘭德絲》的結局卻是喜劇而不是悲劇的,這也許就是這部小說不曾特別流行的原因。以感情濃烈的成分來說,自然要推出自十八世紀那個在逃的僧人之筆的《漫儂攝實戈》。

就是《茶花女》比起它來，也顯得都市繁華氣略重，沒有《漫儂攝實戈》那麼淳樸。

《漫儂攝實戈》裡男主人公名叫格利阿，是一個比《茶花女》中的阿蒙更癡情的年輕人。他自動的跟了曾經一再對不起他的漫儂去充軍，直到漫儂在途中死去，死在他的身旁。在寂靜的荒野之中，他親手將她安葬了。

這些事情，都是阿蒙不曾做的。可是漫儂比起瑪格麗來，卻又沒有後者那麼值得令人同情。

這一類型的故事，還有《卡門》，法朗士的《黛絲》，以及朵斯朵益夫斯基的《罪與罰》裡面的那個蘇尼亞，都是類似這種典型的女性。左拉筆下的《娜娜》，則是一部分似《茶花女》，一部分又似那個《摩爾·佛蘭德絲》了。

"茶花女"型的故事，流傳最廣的是《茶花女》，可是在文藝作品的影響上，給後世作用最大的乃是《漫儂攝實戈》，因為作者描寫男女的情感，已經揭發到隱微處，手法不僅十分客觀寫實，而且已經接近現代小說的心理分析描寫了。

比亞斯萊、王爾德與《黃面誌》

一　比亞斯萊與王爾德

　　我一向很喜歡英國十九世紀末的插畫家比亞斯萊的書籍裝飾畫和插畫。這個短命的天才畫家，是屬於當時《黃面誌》那一個集團的。這是一種文藝季刊，比亞斯萊曾經擔任過這個刊物的美術編輯。

　　《黃面誌》那一批作家的作品，以及比亞斯萊的畫，對中國早期的新文藝運動也曾發生過一點影響。因為首先將《黃面誌》介紹給中國文藝愛好者的是郁達夫先生，接着田漢先生、張聞天先生不僅介紹比亞斯萊的畫，還翻譯了王爾德的作品。後來魯迅先生也編印過一冊比亞斯萊畫選，列為"朝花藝苑"叢刊之一。甚至直到近年，木刻家張望為了總結比亞斯萊對中國早期新藝術運動所發生的影響，還編印過一冊他的畫集。

　　我第一次見到比亞斯萊的作品，也是由於田漢先生的介紹。那時他不僅借用了比亞斯萊的作品作《南國周刊》的封面，後來還翻譯了王爾德的《莎樂美》出版，附有比亞斯萊的插畫。出版者是中華書局。這個中譯本在當時可說印得很精緻，是道林紙的十八開本，附有比亞斯萊為王爾德這個劇本所作的全部插畫，包括目錄飾畫和封面畫在內，可惜現在已經很難再找得到了。

比亞斯萊為《莎樂美》所作的這一批插畫，不僅是比亞斯萊本人作品之中的傑作，現在也久已被評定為世界有名的書籍插畫傑作之一，在當時曾使得這個年方二十的青年畫家一舉成名，獲得普遍的讚賞。

說來真有點令人不相信，比亞斯萊為《莎樂美》所作的這一批插畫，雖然獲得普遍的稱讚，卻使得劇本的原作者王爾德非常不滿意。他不僅不喜歡這些插畫，甚至就為了這一批插畫同比亞斯萊反目。原來王爾德的《莎樂美》劇本，最初並不是用英文所寫，而是用法文寫成的。英譯本是別人給王爾德翻譯的，邀請比亞斯萊作插畫，是英國書店老闆的主張，並不是王爾德的主張。比亞斯萊在他所畫的這一批富於奇趣的黑白畫中，有幾個人物的顏面，畫得頗有點像王爾德本人，因此他見了很不高興。同時，由於這一批插畫的成功，許多人都在談論比亞斯萊，冷落了王爾德，至少是將他們兩人相提並論，這在王爾德本人看來，都是對他不敬的。再加之他根本就不喜歡比亞斯萊的畫，因此王爾德不僅始終反對比亞斯萊為《莎樂美》所作的插畫，兩人更由於這件事情失和了。

英國曾出版過一本題名《黃的研究》（K. L. Mix, *A Study in Yellow*）的書，就是研究《黃面誌》這批作家對英國文藝影響的，其中就曾經提到了這個有趣的逸話。

二　《莎樂美》和比亞斯萊的插畫

　　英國原版的《莎樂美》，是十六開的大本，附有比亞斯萊的全部插圖，封面是硃紅色的，用金色印了比亞斯萊所設計的孔雀裙圖案草圖，富麗堂皇。從前我在上海買過一本，一向當作自己心愛的書籍之一，可惜到香港來時不曾帶在身邊。多年前我在香港一家現在已經歇業的西書店裡也曾見過一本，一時不曾買，便錯過了機會，至今還不曾再見過這樣精印的《莎樂美》。中華書局所出版的田漢先生譯本的初版本，就是依照原本這種格式設計的，也是十六開本，同樣採用了"孔雀裙"圖案作封面，所以也十分漂亮。

　　前幾年美國也曾出過一種廉價版的《莎樂美》。雖然也附有比亞斯萊的插畫，只是將版面縮小了，許多精細的線條便模糊不清。更荒唐的是，原畫上所有裸體男性的生殖器都被"閹割"了，連捧着燭台的兩個小孩也不能倖免。

　　《莎樂美》的作者是王爾德。這個劇本經田漢先生在一九二五年前後譯成中文後，當時在上海和南京都上演過。第一次在上海寧波同鄉會上演時，飾演莎樂美的女主角俞珊女士，竟因此一舉成名。那個飾演施洗約翰的男演員，演得更好，可惜我現在忘記了他的姓名，他用着粗獷的聲音，從被囚的井底數着希律王和他妻子的罪狀，聽來使人驚心動魄。在當時，凡是指摘統治者不對的聲音，都被認為是犯法的，因此這個被人稱為"唯美主義"作家的作品，也被禁止了上演。

　　《莎樂美》在英國最初排演時，也曾被禁止過。他們的指摘更嚴重，說王爾德的這個劇本褻瀆了《聖經》。因為王爾德在劇本裡描寫莎樂美（她是希律王妻子的油瓶女）的心理變化，不肯接受希律王亂倫的愛，聽到聖徒約翰仗義指責她的聲音，反而愛上了約翰。她要求吻約翰一下，被約翰拒絕了，因此老羞成怒。在答應跳舞給希律王看時，竟要求要約翰的頭作代價，希律王為了討好莎樂美，竟答應她的要求，叫武士殺了約翰，將他的頭放在盾上送給她。王爾德劇本的最高潮，寫的便是莎樂美捧了約翰的頭吻着，一面瘋狂的喊道：

> 你拒絕了我的吻，你現在終於被我吻到了……

王爾德雖是英國作家，這個劇本卻是用法文寫的，另由別人譯成英文。我喜歡比亞斯萊為這個劇本所作的畫，甚於劇本自身。

三　《黃面誌》與王爾德

一八九五年四月三日的傍晚，王爾德在旅店正式被捕。這是十九世紀末英國文壇的一件大事。第二天早上，倫敦報紙關於這件事情的報導，其中有一句"花絮"式的描寫，說他被捕入獄時，脅下還挾了一本書，是一冊《黃面誌》。

《黃面誌》是季刊，創刊於上一年（一八九四年）的四月初，到這時已經出版了四期或五期，在當時英國文壇上已經被認為是代表那種世紀末文藝傾向的一個主流刊物。這一批新舊參半的小說家、散文家、詩人和畫家，被當時人給他們題了一個不很好的頭銜，稱他們為"頹廢派"（連第一次將《黃面誌》

介紹到中國來的郁達夫先生，也曾經連帶的被人稱為"頹廢派"）。不用說，王爾德也是其中之一了。

《黃面誌》是由倫敦的"鮑特萊·亥特"書店出版的，它的老闆約翰·朗，是一個很有朝氣的新出版家，不僅是《黃面誌》的出版人，還出版了王爾德和其他許多人的著作。自從倫敦報紙上發表了王爾德被捕時脇下還挾有一冊《黃面誌》後，那些一向不喜歡王爾德的人，聞訊都大為高興，他們就趁機到"鮑特萊·亥特"書店門前來示威，說王爾德既然以不名譽的罪名被捕了，他還捨不得離開《黃面誌》，帶了一本入獄，可見這個文藝季刊一定也不是好書。他們不要王爾德，也不要《黃面誌》。於是示威的群眾之中就有人一面叫囂，一面動手，紛紛投擲石子，將"鮑特萊·亥特"書店的門面玻璃窗全打爛了。

其實這事全是"冤哉枉也"的。王爾德在上一天被捕時，脇下確是挾有一本書，不過根本不是《黃面誌》。據事後的記載，他當時詢問來執行逮捕令的蘇格蘭場偵探，能否帶一本書去看看，他們答應了，他就隨手拿起了他正在讀着的法國作家比爾·路易的《愛神》（這書在中國也有過譯本，是東亞病夫與曾虛白父子所譯，改名為《死與肉》，由真善美書店出版）。由於法國小說的封面照例是用黃紙的，《黃面誌》的封面也是黃的，新聞記者的筆下一時疏忽，便使得書店的玻璃窗遭了池魚之殃，後來連忙更正，早已來不及了。

王爾德的被捕，既這麼率連到了《黃面誌》，同時更牽連到了畫家比亞斯萊。他是《黃面誌》的美術編輯，又曾經給王爾德的《莎樂美》畫過插畫，於是許多人也攻擊比亞斯萊，使他不得不離開了《黃面誌》。可是，比亞斯萊是《黃面誌》的生命。沒有了比亞斯萊，《黃面誌》不久也完了。

王爾德雖一向被人認為是《黃面誌》同人之一。事實上，他從未在《黃面誌》上發表過文章，"特約撰稿人"的名單上也沒有他的名字。比亞斯萊根本就不喜歡他。

《魯濱遜漂流記》的作者

在文藝領域裡，有些由作家筆下所創造的人物，往往比作家本人，甚至比這個人物所出身的作品也更有名。如福爾摩斯，誰都知道他是外國有名的大偵探，但是這些人未必都讀過《福爾摩斯探案》，他們也許以為福爾摩斯真有其人，更不知道這是由一個名叫"柯南道爾"的英國偵探小說作家筆底下創造出來的。

通俗小說是如此，文藝作品也是這樣。因此未必人人都讀過《魯濱遜漂流記》，可是提起魯濱遜，誰都知道一個人如果乘船遇難，漂流到無人的荒島上，便要變成"魯濱遜"了。

今年（一九六〇年）就是這個全世界都家喻戶曉的人物"魯濱遜"的創造者狄福誕生三百年紀念。狄福是誰，就是愛好文藝的人也許還有人不知道，但是若說明他就是《魯濱遜漂流記》的作者，我想大家就會恍然，而且也會對這個名字發生興趣了。

丹奈爾·狄福是英國人，生於一六六〇年，所以今年正是他的誕生三百周年紀念。這個因了《魯濱遜漂流記》一書而名垂不朽的作家，一生的遭遇可說變化多端，他發達過，也倒過霉，還坐過監，甚至還被罰戴枷站在街頭示眾。他是商人、政治運動家、皇家顧問、間諜，直到晚年才轉行寫小說，因了

《魯濱遜漂流記》一書，蓋棺論定，名垂不朽，成為英國十七世紀最享盛譽的一位小說家。

狄福是小市民家庭出身，父親是肉商，他們的家庭是不信奉英國國教的，因此在社會上有許多地方都受到歧視。偏偏他又喜歡搞政治，時常用小冊子的方式，發表反對當局和宗教的言論。一七〇三年，他已經四十多歲了，因了一本小冊子開罪了國會中人，要拘捕他，他藏匿起，被懸賞五十鎊通緝。後來終於被捉獲，並判戴枷示眾三次，還要再監禁若干時日。

狄福除了喜歡搞政治之外，還喜歡做生意，這兩者都帶給他無限的麻煩，同時也差不多耗費了他的一生精力。直到快六十歲時，真是"學書不成，學劍又不成"，他才改行寫小說，一七一九年出版了《魯濱遜漂流記》，這才一舉成名，於是他就一心一意的寫小說。除了這部《魯濱遜漂流記》以外，還有一部描寫一個不幸女性一生的《摩爾・佛蘭德絲》（中譯本改稱《蕩婦自傳》），也為世人所愛讀。此外還有一部記載倫敦發生大疫的日記。——據說他連同政治小冊子在內一生總共寫過三百多種書，其實只要一部《魯濱遜漂流記》，已經足夠使他的名字不朽了。

狄福活了七十一歲，一七三一年去世。

北窗讀書錄

筆記和雜學

　　我國的筆記，實在是一種特殊的文體。它不同於我們現在所說的散文小品集，也不是論文集。我在西洋的文藝作品中，就找不出有類似這體裁的著作。回憶錄、札記，或是逸話集，都不似我們的筆記那麼包羅萬有。從詮釋經史、考證碑版，以至詩詞歌賦、野史逸聞、談狐說鬼都可以包括在內。有的學術價值極高，有的簡直不值一笑。我國從漢魏以來，以至明、清人所寫的筆記，內容的廣博，簡直像是一個大海，裡面蘊藏着無數的財富，使你取用不盡。

　　然而筆記在過去卻一向不被人當作正經書，往往"筆記小說"並稱，好像只是供茶餘酒後的消遣，不足供正經治學之用。其實，我覺得無論研究我國哪一部門的學問，若是不涉獵筆記，一定所見不廣，錯過了許多有用的資料。如研究歷史的，無論是專治哪一代史，若是不看看那些專載有關野史和宮闈掌故的筆記，以便互相印證，那研究一定是有缺漏的。

　　我一向就喜歡看筆記一類的雜書，有一位朋友稱讚我很有"雜學"。若是真是如此，那也不過由於我平時所看的以筆記一類的雜書為多而已。

　　當然，前人的筆記著作，好的有用的固然很多，而無聊的輾轉抄襲的也不少。這只要看得多了，就漸漸的能辨別哪些是第一手的資料，哪些是改頭換面，抄襲別人的東西。這類情形，在清朝中葉以後一些人所寫的筆記裡最多，因此也最為不可取。大抵宋朝人的筆記，以記載掌故舊聞見長，明朝人的多偏重史料制度，清朝人的以記載異聞奇事的最多。同時由於外國勢力開始侵入了，有許多清人野史筆記也保留了不少近代史的重要資料。

　　要利用前人的筆記來補助治學，除了多看之外，還要自己隨手作札記。若是不能將自己認為有用或是有趣的資料抄下來，至少也該記下書名作者卷數和有關何事的一個簡單摘要，以便要用到這些材料時可以查閱。若不是如此，日子一久，雖然彷彿記得某事曾在某書中見過，要查閱起來，往往就要大費精神了。

　　從漢魏以來直到清末為止，屬於“筆記”這一類的著作，共有多少種，從來沒有人編過書目或是統計過，但那數量一定是非常龐大的。不過，我想一個人若是很耐心的將這類著作擇要看過一千種左右，大約對於我國古往今來的一切，上自經史政治、天文地理、文章藝術，下至蟲魚狐鬼，都可以有一點門徑了。

筆記的重印工作

　　"筆記"對於我們治學考證和增加見聞談助，雖然極有用處，可惜種類太多，內容又菁蕪不一，最好先要有人來進行編目整理的工作。這項工作，近年在國內本來已經有人在着手了，不過只是偏重一方面的，那就是上海中華書局在過去幾年着手整理排印的那幾套筆記叢刊。如"元明史料筆記叢刊"，"清代史料筆記叢刊"，"近代史料筆記叢刊"等等。

　　這幾種筆記叢刊，已經出版的還不多，但是從所附的準備出版的書目看來，有許多卻是刻本極少，或是還未經刊刻過的稿本和鈔本。雖是偏重於社會經濟史料方面的，但是由於前人所寫的筆記，即使內容有一個重心，也往往會連帶的涉及其他方面，因此，對於不是研究社會經濟史的人，仍是用處很大。可惜至今不過出版了兩三種，實在令人望眼欲穿了。

　　如"清代史料筆記叢刊"裡所預告的那部《三岡識略》，就已經預告了很久，還不見出版。這書是清初人董含所著的。我從前讀蕭一山的《清代通史》，見他在敘述清初歷史時，一再引用這書，知道其中有許多關於清初文字獄的資料，還有關於滿洲人祭天竿子和歡喜佛的資料。要想找來看看，可是幾十年來，除了從別人著作中所引用的，知道一點這書的內容外，一直未有機會讀過原書。可見我國的筆記著作，由於種類太多，無法齊備，就是有志要讀，也是不容易的。因此，整理編目和用排印本來普及流通的工作，實在是值得去做的。

大規模的將過去的筆記彙集在一起來出版，在過去本來也有人做過的，如從前上海文明書局所出版的那一套“筆記小說大觀”，號稱收錄了歷代筆記五百種。種類雖多，可惜內容多是不齊全的，任意刪節。卷數雖仍舊，可是內容已十去五六，而且又是石印小字，錯字又多，因此，僅可供偶然翻閱來消遣，若是要想憑此來參考引用，那就不可靠了。

較好的是從前商務印書館所出版的那些宋人筆記。紙張、字體、印刷和版本都好，所用的底本又都請人校過，可說是很理想的版本。

我以為重印古籍，最好是不要刪節，其次是不用簡筆字。上述的近年所編印的那幾套筆記叢刊，顯然已經能注意這幾點了。

鄉邦文獻

前些時候，託人到上海去買一部"金陵叢書"，信已經去了很久，至今還沒有回覆。也許這樣整部的地方掌故叢書，只有零本還不難買，要想得一部完整的，怕已經不容易了。

近年時時想讀一些有關鄉邦文獻的著作，可是自己手邊所有的實在太少，借又無處可借，買又不易買，徒呼奈何。自己雖然備有好多種廣東的地方志，可是自己家鄉的反而沒有。這種可笑的情形，實在不足為外人道。

我曾經將手邊所有關於家鄉的典籍檢點一下，重要的簡直一部也沒有。比較重要的只有一部《白下瑣言》，而且是很壞的版本。此外就是《金陵古今圖考》、《莫愁湖志》、《靈谷志》、《秣陵集》，寥寥可數的幾種而已。沒有一部主要的關於家鄉的志書。

近人的著作總算有了幾種，大都是朱偰的，如《金陵名勝古跡圖志》、《金陵六朝陵墓考》等等。朱氏對於我們家鄉的名勝古跡沿革變遷，可說做了很不少的功夫，但也只有他一人而已，第二個人就舉不出了。

《白下瑣言》的著者是甘熙。我記得我們家裡同甘家還有一點親戚關係，可惜我已經記不起是怎樣的關係了。除了甘家以外，還有濮家，都是親戚，他們都是書香世家。但這些都是祖父手裡的事了，只是在孩子時代聽見講起過，已經無法能知道詳細。

甘氏是有名的津逮樓主人，家中富於藏書。這部《白下瑣言》，對於家鄉的山水名勝、掌故逸聞，搜羅得很多。尤其難得的是津逮樓就以收藏金陵地方掌故志書著名。後來的"金陵叢書"，就是據甘氏所藏彙刻而成。

《白下瑣言》所記載的有關家鄉沿革掌故的書籍，共有五十多種。不用說，這對我來說，除了兩三種以外，幾乎全是未曾讀過的。如唐人的《建康實錄》、宋人的《景定建康志》、元人的《至大金陵新志》，我固然不曾讀過，就是有名的明人顧起元的《客座贅語》、周暉的《金陵瑣事》，我也至今未曾寓目。我這麼不怕人笑我腹儉的寫了出來，實在含有一點鞭策自己之意。因為過去對於鄉邦文獻實在太不注意，捨己之田而耘人之田，這才有這樣的現象。現在想急起直追，可是，要想買一部"金陵叢書"也無處可買，我能有什麼有效的方法來彌補自己的無知呢？真只有徒呼奈何了。

座右書

一

買了幾隻新的小書架，將其中的一隻放在書桌的右首，以便將一些新出版的定期刊物，新買的書籍，以及要用的參考書，一起放在上面，翻閱起來較為方便。

這是不折不扣的座右書了。

最初放到架上的書，全是那些堆集在桌上地上已久，"無枝可棲"的書。我想，沒有書架可放的書，就等於沒有家可住的人一樣。既然將書買了回來，竟無法給它安排一個安身之處，未免太對不起了。因此有了書架之後，就不管它們是什麼書，不論古今中外，一起先堆到書架上再說，使它們先享受一下有一個可以喘息的地方。因此即使《香港的蝴蝶》傍着《意大利的藝術社會史》、《鴉片戰爭》傍着《拍案驚奇》，我也暫且不去管它。

這樣過了幾天，形勢粗定，對於放在座右的那一架的書，我開始着手想加以整埋了。想將無用的、已經看過的，或是暫時不想看的書，清理出去，換上一些還沒有看過的，自己想看的，以及自己喜歡的書。

將一些不想放在手邊的書，從書架上清理出去，這工作做起來倒並不怎樣困難。如那一套六大本的《迦撒諾伐回憶錄》，是根本沒有理由要作為"座右書"，放在我的手邊的，因此首先被搬了出來。還有一些介紹畫家的小冊子、美國文學史、良友版的《蘇聯版畫集》。這些本是起初隨手從地上搬到架上的，當然沒有讓它們繼續留在我手邊的必要，因此一本一本的都給我拿開了。

　　滿滿一架的書，這樣一加甄別，一本又一本的被拿開，幾乎剩下一個空書架了。

　　對於這一隻空起來的書架，我決定依照自己預定的計劃：將一些新買回來準備要讀的、以及久已想讀一直還未曾讀的、還有自己特別喜歡，希望不時可以隨手翻翻的書，都拿來填補這些空缺，使它們真正成為我的座右書。

　　這個計劃，本來很簡單，而且也很合理，哪裡知道執行起來，竟一點也不簡單。那困難簡直有一點像出門旅行之際，要挑選幾本書帶在手邊供旅途消遣那樣。這種滋味我是經驗過多次的：這一本不適當，那一本又不適當，有的太輕鬆，有的太嚴肅，往往對着滿屋的書，竟覺得沒有一本是適合作旅途閱讀之用的。有一次在出門之際，竟為了這一個問題徬徨終夜，還無法決定，最後只好塞了一本又厚又重的畢加索畫集在衣箱裡。結果到了目的地就趕緊送給了朋友，自己又再到當地的書店裡買了幾本新書來補充。

二

　　將一些常用的參考書和工具書，挑選一些放在手邊，這工作做起來還不困難，可是要想將一些想看而未看的書，拿幾本來放在手邊，以便儘先的利用機會去看，這可不容易了。因為每一本書都是想看的，而其中有不少一"想"就想了十多年，至今仍是想而未看。要想將這樣的書挑選幾本放在手邊，如果不想太麻煩，本來只要隨手拿幾本就是了，可是一想到應該誰先誰後的問題，那就困難了。

　　一本十年前買而未讀的書，和一本昨天剛買回來的新書，我究竟應該先讀哪一本呢？這對我來說，有時竟是一個極不容易決定的問題。

　　結果，首先入選成為我的"座右書"的，卻不是這些想讀未讀的書，也不是剛買回來的新書，而是一些買了多年，甚至讀過已久的一批書。這是屬於一個專題的：比亞斯萊。

　　我明白自己這選擇的動機，不只是喜歡比亞斯萊的作品，而是有一個願望：一直想給這位世紀末的薄命畫家寫一篇評傳，再挑選幾十幅他的傑作，印成很像樣的一本畫冊。我覺得這工作不僅值得做，而且可以做這件工作的人也不太多。因此，我就一向將這件工作看作是自己的心願，也是自己的責任。可是因循又因循，許多不必做的事情都做了，唯獨這一件蓄之已久的願望，一直還不曾有機會去兌現。

　　我將三本比亞斯萊的傳記，兩本他的代表作品集，放在書架上最當眼的處所。這動機我自己也是明白的：它們所代表的不只是我的座右書，同時也是我的"座右銘"：用來鞭策我自己，對於有一些擱置已久的工作，也該認真地去進行了。

我又隨手將都德的《磨坊文札》、果庚的《諾亞諾亞》，也放到了架上。因為它們都是我的伴侶。

我檢視了一下已經放到架上的書，漸漸的明白了一個事實：我想放在手邊的書，全不是那些我不知道、不曾讀過的書，而是一些我已經知道、已經讀過的書。不是嗎？誰都希望能經常同自己在一起的、能在自己身邊的，乃是那些最知己的朋友。

於是，儘管我的桌上和地上仍堆滿了書，可是，可以作為我的"座右書"的書，仍是很有限，因此，這一隻小小的書架竟仍有不少空位，而我也仍任它空着，並不想勉強的去加以填滿。

朱氏的《金陵古跡圖考》

今人談南京六朝沿革和古跡名勝的專書，不能不首推朱偰的兩種著作：一是《金陵古跡名勝影集》，一是《金陵古跡圖考》。兩書都是在一九三六年左右出版的，一圖一文，圖片有三百多幅，文字有二十餘萬字，相輔而行，互相印證。對於南京殘存的古跡名勝，作了實地的調查報告，非常詳盡，而且翔實可靠，糾正了前人沿用舊說的許多錯誤。朱氏並不是金陵人氏，他僑居是地，能夠腳踏實地的完成這樣的著作，實在難能可貴。

前幾年聽說朱氏仍在繼續他的南京一帶文物史地調查研究工作。現在的工作條件自然比二三十年前更好了，希望他能有新著作問世，以慰我這個羈旅天涯的遊子。

在有關家鄉的史乘方志一類舊籍不容易到手的海外，能有機會讀一遍《金陵古跡圖考》，再參閱一下那幾百幅攝影，實在如前人所說："過屠門而大嚼"，聊當一快。不僅能彌補了讀不到那些舊籍之恨，同時也足慰遊子的鄉懷。

《金陵古跡名勝影集》，據朱氏自己說，是他前後經歷三年的時間，攝影千餘幅，再從其中選取了這三百多幅來印成的。他自己在《金陵古跡圖考》的"凡例"上說：

著者於民國二十二年至二十四年三年間，旅居金陵，鳩集同好三人，對於金陵史跡，加以實際調查，從事攝影測量。計調查範圍，東至丹陽，西至當塗，南至湖熟，北及浦鎮。舉凡古代城郭宮闕、陵寢墳墓、玄觀梵刹、祠宇橋樑、園林第宅，無不遍覽。計攝影所得，有千餘幅，精選三百二十幅，另印《金陵古跡名勝影集》問世。惟一圖一考，相輔而行，故本書所注圖頁，皆指《金陵古跡名勝影集》而言也。

　　我手上所有的朱氏的這兩本作品，還是偶然從一家舊書店裡買來的。同時買得的，還有《建康蘭陵六朝陵墓圖考》，也是朱氏的著作。此外還有一冊張惠言的《明代大報恩寺塔志》。看來這幾本書的舊主人，若不是同鄉，一定就是同好。不知怎樣流落到冷攤上，使我無意得之，可說是難得了。

　　前幾年曾回鄉一行，想起兒時所住過的老屋，要想去看看，問了一下，連那街名也不再有人知道，使我一時悵然。面對着朱氏的這些圖片，不難明白他當時也許是信手得來，可是在三十年後的今天看來，物換星移，每一幅都是可珍貴的了。

關於“喜詠軒叢書”

多年前，曾在馮平山圖書館翻讀許地山先生寄存的藏書，內中有一套“喜詠軒叢書”。因為這套叢書裡面收了很多圖籍版畫，很想也買一部。不料這書不僅價錢不便宜，而且不易買得到，訪尋多年，一直未能如願。後來寫信給北京的友人提起這事，他們竟十分慷慨，將所藏的甲編一函，慨然見贈。我本來是想託他們到琉璃廠看看，是否有機會可以買一部，這一來，倒使我有一點不安了。

“喜詠軒叢書”是武進陶蘭泉編印的，印得很考究，一共有甲乙丙丁戊五編，不過不是木版，而是石印的。所收的都是詩詞戲曲傳奇和圖譜，以及附有插圖的書籍，如《天工開物》和《授衣廣訓》等等。對我特別有趣的，是其中所收的陳老蓮《離騷圖》、蕭木尺畫的《離騷圖經》、焦秉貞畫的《耕織圖》。還有，劉源的《凌煙閣功臣圖》、金古良的《無雙譜》，以及張士保的《雲台二十八將圖像》。

許多年以來，整套的“喜詠軒叢書”雖然不曾見過，零本的卻見過不少，如丙編的兩種《離騷圖》，丁編的《凌煙閣功臣圖》、《御製耕織圖》、康熙《避暑山莊圖詠》，戊編的《仙佛奇蹤》都先後買到了。

由於意外的獲得了一函"喜詠軒叢書"甲編，使我期待了幾年的一個願望竟兌現了一部分，同時也有機會將自己的這個願望仔細檢討了一下，才知道願望就是願望，多少是一種任性的表現。只有當它始終是"願望"時，才會"寤寐以求"，若是一旦實現了，反而會有一種幻滅。

　　我翻開《叢書大辭典》，仔細看了一下五編"喜詠軒叢書"的目錄，這才發現除了已有甲編之外，餘下的四編，有幾種是我已經有了零本，剩下只有一種是我希望能擁有的，其餘都不是我想要的了。

　　我想要買的一冊，是金古良的《無雙譜》。這是比《晚笑堂畫傳》更早的一部古代人物畫像集，是康熙年間刊印的。原刻本現在已不易見到，我只見過一些零碎的。"喜詠軒叢書"本的《無雙譜》，雖然只是石印本，但是除了這一種以外，好像沒有第二種重印本了。可是我一直沒有機會買到過這書，因此要買一套"喜詠軒叢書"，多年以來竟成了我的一種願望。

　　由於朋友的慷慨，使我有機會檢討了一下自己，至少是將這個近於盲目的願望加以改正了：我其實是沒有要買一整套的"喜詠軒叢書"的必要的，尤其在現在，我要買的不過是其中的那一冊《無雙譜》而已，然而過去卻覺得非要買全套的不可，我這個人在買書方面是多麼任性！

張維屏的《花甲閒談》

　　不久以前在一個書畫收藏家的集會上，看到一幅滿清嘉道間廣東詩人張維屏的畫軸，使我想起這人有兩件事情可以一說：一是他曾經身經鴉片戰爭，目睹廣州三元里之事，在他的詩集裡留下了不少當時的紀事詩；二是他曾刊行過一部《花甲閒談》，有畫有詩，記他的遊蹤和詩文唱和，是一部很好的版畫集。

　　張維屏是廣東番禺人，號南山，曾中過舉人，是嘉道間廣東很活躍的詩人之一。他與林則徐是同時人，林則徐以欽差身份南來廣州禁煙時，兩人過從頗密。因此，在他的詩集裡不僅有林則徐的唱和之作，當時的其他有志之士，如首先上禁煙摺的黃爵滋，《海國圖志》的作者魏源以及龔定盦等人，與他都有詩文往還。他在道光二十年刊行的《花埭集》，其中有一首《三元里》，寫得慷慨激昂。可見他除了風雅吟詠之外，還十分關心國事。這在舊時文人雅士之中是很難得的，令人對他不得不刮目相看了。

　　張維屏晚年住在廣州河南花埭的東園，園在大通寺附近，這正是他在道光二十年刊行的詩集取名《花埭集》的原因。他曾有《東園雜詩》數十首，是優遊林下謳吟自娛之作，但也忘不了當時目睹鴉片流毒之烈，因此，其中也有一首提及了鴉片。中有句云："海外芙蓉片，年來毒愈深；管長吹黑土，厄大漏黃金；舊染頹風久，新頒法令森……。"還有一首《吹簫引》，則是詠當時吸煙的和尚的，詩云：

> 巴菰不毒芙蓉毒，毒蔓引人自相續。玉簫吹暖夜眠遲，
> 日上三竿睡方熟。往時吸食猶避人，近日公然席上珍。老僧
> 無家偏有累，禪室也多煙火氣。

《花甲閒談》刊行於道光十九年，附有圖三十二幅，是由南海葉春塘圖繪的。他在自序裡說："偶約舉生平所歷，屬葉生春塘繪之，圖凡三十有二，略以對語相聯，先後本無詮次，舊作可與圖互證者錄之，師友篇章亦閒錄一二，分為十有六卷，名曰《花甲閒談》。"

《花甲閒談》刻得還不錯，三十二幅圖之中，包括了《羅浮攬勝》、《珠海唱霞》、《杭寺梵鐘》、《揚子風颿》、《黃河曉渡》、《匡廬觀瀑》等，記錄了南北名勝風景。在清代所刻的這一類紀遊圖籍之中，雖然比不上《泛槎圖》、《鴻雪因緣》的精細，但已經是很難得的了。這書除了原版的木刻本之外，現在還有縮印的石印本行世。

張仙槎的 《泛槎圖》

　　我一向很喜歡看張仙槎的《泛槎圖》。若是要我舉出喜歡這部圖集的動機，我想不外有兩個特殊的理由。一是作者張仙槎是金陵人，是我的同鄉；二是這類紀遊的版畫圖集雖有多種，但是《泛槎圖》裡面有我家鄉的名勝風景，此外又有廣東的名勝風景，而且這部圖集又是特地拿到廣州來刻版的。有這兩個特殊理由，可以聊慰鄉思，當作夢遊，又可以取證眼前景物，因此，這部圖籍會時常在我手邊把玩了。

　　本來，與《泛槎圖》相類的圖籍，還有《鴻雪因緣》和《花甲閒談》。不過，《鴻雪因緣》雖然刻版精細，但是所圖景物偏於北方一地，並且富貴氣太重。張南山的《花甲閒談》雖然畫了不少廣東景物，卻又過於簡單，內容沒有《泛槎圖》那麼豐富，何況作者又與我有桑梓之誼，所以三種之中我還是最喜歡《泛槎圖》。

　　《泛槎圖》共有六集，收有各地名勝風景版畫一百零三幅，都是張仙槎自己畫的。除了他自己的題詩之外，還附有他的朋友和當時名士詩人的題詠。這些題詠也都是根據墨跡鈎摹刻版的。所以《泛槎圖》是一部版畫圖籍，同時也是可以玩賞各種書法的一部叢帖。

六集《泛槎圖》，是分隔十多年，先後幾次分別刻成的。第一集《泛槎圖》刻於滿清嘉慶己卯年（一八一九年）；第六集也就是最末一集，刻於道光辛卯年（一八三一年），這時張仙槎已經七十歲了。

在原刻《泛槎圖》第一集的第一頁上，有"羊城尚古齋張太占刻"一行題記。在第六集的序文上，也提到"余於丙戌暮春，復至羊城，刻續泛槎圖第四集。"五集六集雖沒有說明，可知這書的大部分圖版都是在廣州刻成的。

原書六集的題名是：第一集《泛槎圖》，第二集《續泛槎圖》，第三集《續泛槎圖三集》，第四集《鱻槎圖》，第五集《灕江泛棹圖》，第六集《續泛槎圖六集》。

作者名寶，字仙槎。他在《泛槎圖》第一集的自序上說：

> 余少喜作畫，癖山水，年二十即棄舉子業，遊江右楚越間，所過名勝，遍訪前人遺跡，以次臨摹之⋯⋯丙寅秋始北上，留滯三載，驅車秦晉韓魏，遂得望恆巒，登太華，上嵩山，繞道金陵，再入都門而返。旋又登泰岱觀日出。戊寅初夏，由楚入粵，道經衡陽，登祝融絕頂。五嶽既畢，乘興所至，遂極羅浮焉。計此十餘年中，山水奇勝，寓目難忘，因各繪為圖，並識小詩於上。一時名公巨卿，謬加獎勵，日積一日，題詠遂多⋯⋯爰不揣固陋，手自鈎勒，付之梓人⋯⋯

就成了這部《泛槎圖》。

《泛槎圖》六集，除了有從嘉慶到道光年間陸續刻成的木版原刊本以外，還有光緒年間上海點石齋縮印的石印本。石印本縮得很小，僅及原書開本的四分之一，而且還省略了若干題辭和序。原刊本現在已經不容易買，石印本還不難遇到。在買不到原刊本的時候，能有一部石印本，也可以聊勝於無了。

我手上的一部原刻《泛槎圖》，便是殘本，僅有四冊，缺了第二集《續泛槎圖》和第五集《灘江泛棹圖》。狡獪的書賈，將第六集的書名挖補了，挖去六集的"六"字，改填上"二"字，這樣湊成了一二三四共四集，並且在書根上寫"一凡四"的字樣，使人誤信全書僅有四集。其實，這種狡獪的作偽實在是多餘的，並不能使原書多賣多少錢。何況遇到像我這樣的顧客，即使是一冊的殘本也會買的，更不用說居然還有四冊了。

這一部殘本的原刊《泛槎圖》，我已經買了十多年，至今還不曾有機會再買到一部全的，可見原刊本已經不易買得到。幸虧石印本還不難買，只好靠它來補足這缺陷了。點石齋的石印本印於光緒六年，有一篇跋，說明原刊本在那時已經不易得。石印本的跋云：

> 泛槎圖一書，係白門張仙槎先生遨遊天下之作，凡名山大川，屐齒所經，輒繪以圖，題以詩，鑿險縋幽，雕章琢句，雖古之圖靈光，銘劍壁者不過是焉。圖凡百有三，狀煙雲之變態，備海岳之奇觀。抑且王公巨卿，題詠殆遍，真詩中有畫，畫中有詩也。惜棗梨已失，幾有廣陵散之憾矣。本齋廣為搜羅，得原本六集，以泰西照相石印之法，縮成袖珍，合訂四冊，移繁就簡，以大易小，而於筆意之全神，仍不爽絲毫之末。公諸於世，不獨臥遊者取攜甚便，而大著亦足與河山並壽矣。爰贅數語，以志其成云。光緒六年秋八月，點石齋主人敬跋。

一百零三幅《泛槎圖》，可以分成三大類。一是南京的名勝古跡；一是廣東廣西的名勝古跡，這裡面包括了一幅澳門，一幅海南島的五指山；餘下的便是其他各地的名勝古跡了。

　　他沒有到過甘肅四川雲南貴州，也沒有到過五台武當和五指山，但他在《泛槎圖》的第六集裡，畫了《崑崙演派》、《峨嵋晴雪》、《點蒼暮煙》、《疊翠朝霞》、《五台歸雲》、《武當夢遊》、《五指擎天》七幅畫，說明是"曾聞友人話其形勢，約略撫其大概，使未了之緣，恍結於尺幅中云爾。"

　　一百零三幅《泛槎圖》，其中有二十幾幅是描繪南京名勝風景的。計第一集裡有三幅，即《秦淮留別》、《石城蚤發》和《燕子風帆》。第四集《纖槎圖》，正如顧蒓所題的"六朝餘韻"四字所表示的那樣。全部十八幅所繪的都是六朝名勝，其中如《鍾阜穿雲》、《雨花遇雨》、《北極登高》、《台城觀漁》、《棲霞臨碑》、《莫愁評畫》幾幅，更是最為人熟知的南京名勝。《秦淮留別》、《北極登高》、《台城觀漁》可說畫得特別好。當年秦淮河畫舫笙歌的熱鬧情形，台城柳色和玄武湖風光，都令人彷彿可見。也許這些家鄉的景色，正是我一向最熟悉和夢寐難忘的，因此看起來便覺得特別有趣了。

　　關於廣東部分的名勝古跡，《泛槎圖》第二集裡有《扶胥望海》，這是描寫在南海波羅廟前的海景；《羅浮訪梅》，這是羅浮山的全景。第三集裡的《端州採硯》，事實上還畫入了七星岩。《庾嶺憶梅》，這是一幅山道行旅圖。第六集裡有一幅《五指擎天》，畫的是海南島的五指山。張仙槎並不曾到過海南，他在題辭上特別說明這是根據別人所說的情形來畫的，用來"補海外遊蹤所未及"。

最有趣的是第三集裡的一幅《海珠話別》，和第二集裡的《澳門遠島》。《海珠話別》可說是從河南望過來的羊城全景。珠江裡不僅畫有今日早已沒有的"海珠"，左側還有飄着外國旗幟的十三行商館。在城牆之內，從右至左，可以辨得出五層樓、花塔和光塔。可見他在結構上是費了一番心血的。另一幅《澳門遠島》也很寫實，教堂、山頂上的炮台、海中的多層甲板的外國帆船，表示他當年確是遊過澳門的。

第三集《泛槎圖》裡，已經有一幅《獨秀探奇》，畫的是廣西桂林的獨秀峰。但是第五集《灕江泛棹圖》十二幅，所畫的全是陽朔桂林的奇景。有《月牙遠眺》，有《風洞尋秋》。還有一幅《畫山觀馬》，山壁上現九馬之形，或立或臥，呼為"畫山九馬"。這是我所不知道的廣西一處古跡，不知是在什麼地方。

除了以上舉出的之外，《泛槎圖》所畫的，還包括了五嶽、長江和江南各處的名勝。還有北京的一部分，如《帝城春色》和《蘆溝曉騎》、《瀛海留春》，描寫西山風景的《岫雲折桂》之類。再加上西湖、黃鶴樓、滕王閣、蘭亭、虎丘、小孤山、揚州虹橋，可說洋洋大觀，中國各地的名勝古跡，大都被他畫入《泛槎圖》中了。

這部圖籍的缺點，我覺得是除了諸家的題詩之外，張仙槎本人不曾給他所畫的這些名勝古跡寫下一點考證介紹，或是紀遊的文字。

改七薌的 《紅樓夢人物圖》

　　清代畫家改七薌所畫的《紅樓夢圖詠》，這書本是木刻的，在光緒初年出版。大約當時的銷路很不錯，不久就出現了翻刻本。現在原刻本固然不易得到，就是翻刻的木刻本也不易買，好在今天國內已有了石印的重印本。

　　許多不同版本的《紅樓夢》，本來書前都有按照書中人物或每章回目畫成的 "繡像"。但是出自名畫家筆下的《紅樓夢人物圖》，歷來只有改七薌的這一部最流行，也最有名。

　　改七薌是滿清乾嘉年間的畫家，活到道光初年才去世。據《歷代畫史彙傳》所載：

> 改琦，宇伯薀，號香白，亦號七薌，其先本西域人，以其祖歿於王事，家松江。寫士女絕妙，折枝花卉娟秀可愛，工詩文。

　　這記載雖然很簡略，但是已經可以知道他的身世大概。他的畫跡現在流傳的還很多，都是着色工筆仕女。但他也擅長白描，如這冊《紅樓夢人物圖》，底稿就是白描的。這冊《紅樓夢人物圖》創作的經過，據那位後來為他刊印這圖冊的淮浦居士在序文上說：

華亭改七薌先生琦，字伯韞，號玉壺外史，天姿英敏，詩詞書畫，並臻絕詣。來上海，下榻於李筍香光祿吾園。時光祿為風雅主監，東南名宿，咸來止止，文讌之盛，幾同平津東閣。

　　先生在李氏所作卷冊中，惟紅樓夢圖為生平傑作，其人物之工麗，佈景之精雅，可與六如章侯抗衡。光祿珍秘特甚，每圖倩名流題詠。當時即擬刻以傳世，而光祿旋歸道山，圖冊遂傳於外。前年冬，予從豫章歸里，購得此冊，急付手民以傳之。時光緒己卯夏六月，淮浦居士記。

　　光緒己卯是光緒五年，即一八七九年，這大約就是這部《紅樓夢圖詠》初刻本刊行的年代了。

　　《紅樓夢圖詠》的第一幅是《通靈寶石，絳珠仙草》。我覺得這一幅畫得特別好，一拳頑石一株草，看來簡直像是《十竹齋箋譜》裡面的作品。

　　這一幅圖後面有改七薌的弟子顧春福的題詩和跋語，也能供給我們一點有關畫家和他這部作品的資料。這跋語是在道光癸巳（道光十三年，一八三三年）年寫的。這時改七薌已經去世了。跋語說：

　　　紅樓夢畫像四冊，先師玉壺外史醉心悅魄之作，筍香李光祿所藏。光祿好客如仲舉，凡名下士詣海上者，無不延納焉。憶丁亥歲，薄遊滬瀆，訪光祿於綠波池上。先師亦打槳由浦東來，題衿問字，頗極師友之歡。暇日曾假是冊，快讀數十周。越一年，先師光祿相繼歸道山，今墓木將拱，圖畫易主，重獲展對，漫吟成句，感時傷逝，淒過山陽聞笛矣。

道光癸巳夏，五月下浣，客上海官廨之禪琴趣室，聽雨孤坐，並志顛末。玉峰隱梅道人顧春福。

跋中所說的"丁亥"是道光七年（一八二七年），據說"越一年先師光祿相繼歸道山"，那麼，改七薌該是在道光八年（一八二八年）去世的了。可惜沒有別的資料可供核對，不知道記載可靠否。

原刻的《紅樓夢圖詠》，還附有一篇吳縣孫谿逸士的跋語，是在光緒十年寫的，說明除淮浦居士的原刻本外，這時外間已有翻刻本。他對改七薌的這部作品推崇備至，認為畫《紅樓夢》的人物，比畫其他的人物畫更難，因為：

> 紅樓夢一書，欲徵實則海市蜃樓，欲翻空則家庭瑣屑；所傳仕女，各有性情，各有體態，憑空想像，付諸丹青，自非筆具性靈、胸有邱壑者不辦。雲間改七薌先生，瀟灑風流，精通繪事，紅樓圖尤為生平傑作，一時紙貴洛陽，臨摹紛雜。惟此圖乃先生客海上李氏吾園時創稿，廬山真面，歷世不磨，經淮浦居士授之剞劂，公之藝林，誠盛舉也。近外間竟有翻刻本，雖依樣葫蘆，而神氣索然。余懼碔砆混玉，貽買櫝還珠之誚也，爰志數行，口誇眼福云爾。

我手邊的一部《紅樓夢圖詠》，前面有"吳縣朱氏槐廬"，和"孫谿世家"的藏印，我拿來與阿英編的《紅樓夢版畫集》裡的好幾幅，對比一下，一模一樣。他說他是據原刻本製版的，看來我這一部也該是原刻了。

《紅樓夢圖詠》共有圖五十幅。題詠者之中，有一個還是廣東人所熟知的吳榮光。

讀方信孺《南海百詠》

宋人方信孺的《南海百詠》，一冊不分卷，初刻於元大德年間，刻本流傳甚少，僅賴鈔本傳世。清初厲鶚作《宋詩紀事》，吳任臣作《十國春秋》，都不見引用這書，可知自明末以來，曾見此書者已少。因此乾隆修纂四庫全書，對於方氏這書也未著錄。直到光緒八年（壬午年），廣州學海堂才據鈔本重為刊刻行世。可是現在說來，這也已是半個世紀以前的事了。近年舊籍日少，就是學海堂的重刻本，也可遇而不可求。我久想讀一讀這書，一直沒有機會。直到前幾年，承一位朋友的好意，給我從北京的中國書店找到了一部。並且還連帶的找到了一部清人樊昆吾的《南海百詠續編》，這才使我能夠得償宿願。

學海堂重刻的《南海百詠》，注明所據的底本是《甘泉江氏所藏影鈔元本》。前有蒲田葉孝錫的序言，這是原刻本的序言。卷末有兩跋，則是鈔本收藏者校勘的跋語：一是清康熙己亥艾亭金卓的，另一是道光元年嘉應吳蘭修的。兩篇跋語對於本書鈔本流傳和原作者的生平事跡，都有所考述。

康熙己亥金氏一跋云：

> 南海百詠，大德間鏤版行世後，未有重梓之者。余家向有鈔本，承訛踵謬，不無魯魚帝虎之失，恨不能一一訂正

之。今春茗賈錢仲先攜一冊至，點畫精楷，裝潢鄭重，卷端有印章曰絳雲樓錢氏，乃知為虞山家藏善本也。借觀三日而校勘之。功畢，因命學徒重為繕寫，珍諸篋笥。視向之承訛踵謬者，相去遠矣。燈下對酒，輾轉欣然，因速浮大白而為之跋，時康熙己亥歲長至前三日，艾亭金卓識於城東書塾之碧雲紅樹軒。

金氏用錢牧齋的鈔本，校勘過的這個鈔本，後來大概就歸甘泉江氏所藏。後面道光元年吳蘭修一跋，只說"余從江鄭堂先生假得鈔本，爰為校正，並稽其事跡，書於卷末云"，不提到金氏，可知這個鈔本這時早已易主了。

方信孺是福建人，可是一直在廣東做官，這才有機會寫成這部《南海百詠》。他在《宋史》有傳，吳蘭修的跋語引《宋史·方信孺本傳》云："信孺字孚若，興化軍人，以父崧卿蔭補番禺尉……是集乃其尉番禺時詠古之作，每題各疏緣始，時有考證，如辨任囂城非子城，盧循故居非劉王廩，石門非韓千秋覆軍處，皆足以正《嶺表異錄》、《番禺雜志》諸書之失，不僅以韻藻稱也。"

方氏的這一百首南海詠古詩，都是七絕，每一首詩題下都附有解題和考證。在今天讀來，這些注解可說比詩的本身更令人感到興趣，也更有參考價值。明清以來的有關廣東名勝古跡的著作，總要引用本書作根據，可見他的影響之大。

這一百首詠古詩，有許多首是關於南漢劉氏在廣州留下的遺跡。這對宋人來說，自然是最感興趣的題材；就是在現在來說，廣州現存的富於歷史趣味的古跡，除了趙陀的以外，仍要數到南漢劉氏留下的最多，也最富於傳說和趣味。

除了趙陀和南漢的古跡以外，《南海百詠》所詠的，便是有關仙人和寺觀的古跡，就是有些以自然風景為對象的，事實上仍是與仙人或宗教有關。這也是有原因的，因為廣州別名五羊城，"五羊"就是一個與仙人有關的傳說；同時廣州又是禪宗六祖慧能削髮的地方，佛教遺跡特別多，也是理所當然的。

《南海百詠》所詠的，不只是廣州一地的古跡。除了南海、番禺之外，遍及新會、東莞、肇慶各縣。如黃巢磯、清遠峽、廣慶寺等，都在清遠縣。資福寺、羅漢閣，有蘇東坡所施的佛舍利，在東莞縣。鳳凰台、會仙觀在增城。龍窟、金牛山、仙涌山在新會。媚川都在東莞縣。

"媚川都"是南漢劉氏採珠的地點，又稱"珠池"，其地就是今日香港新界的大埔。因為宋時未置新安縣，這一帶都是在東莞縣轄境內的。方信孺的詠媚川都詩，有注云：

> 偽劉採珠之地也，隸役凡二千人，每採珠，溺而死者靡日不有。所獲既充府庫，復以飾殿宇。潘公美克平之後，於煨爐中得所餘玳瑁珍珠以進。太祖曾於黃山持視宰相，且言採珠危苦之狀。開寶五年詔廢媚川都，選其少壯者為靜江軍，老弱者聽其自便，至今東莞縣瀕海處往往猶有遺珠。

方氏詠媚川都詩云："莽莽愁雲吊媚川，蚌胎光彩夜連天；幽靈水底猶相泣，恨不生逢開寶年。"

我在前面曾說過，現在讀《南海百詠》，詩注比詩的本身更令人感到興趣，"媚川都"就是一例。方氏的這首七絕實在沒有什麼意思，可是我們讀了原注，知道媚川都的地點係在當時東莞縣瀕海。再查閱《東莞新安縣志》，知道其地就在今日香港新界境內，那就令人特別感到興趣，而且想到近年更有人擬在大埔設置人工養珠場，那就更加不勝今昔之感了。

唐宋以來，廣州已是對外貿易的口岸，方氏所詠的"番塔"、"蕃人塚"、"波羅蜜果"，都是當年來廣州貿易的外國商人所留下的遺跡。"番塔"就是今日的光塔，方氏說，"每歲五六月，夷人率以五鼓登其絕頂，叫佛號以祈風信"。

方氏在這裡所說的"夷人"，其實都是阿拉伯人，他們都是伊斯蘭教教徒，光塔是教中長老每早登塔召喚早禱的地點。至於"蕃人塚"，俗稱"回回塚"，其實也是當時僑居廣州的伊斯蘭教教徒的墓地。

《南海百詠續編》

　　《南海百詠續編》四卷，瀋陽樊昆吾著，是繼方信孺的《南海百詠》，仿其體例寫成的一部詠事詩。初刻於滿清道光年，書前有當時廣東名士張維屏、黃培芳的序言。

　　著《南海百詠》的方信孺是福建莆田人，著這部《南海百詠續編》的樊昆吾又是東北瀋陽人。這兩部關於嶺南古跡名勝的紀事詩，都出於外鄉人之手，倒是很有趣的一件事。

　　樊氏的詩，分成四卷八類，每一卷兩類，第一卷名跡、遺構。第二卷佛寺、道觀。第三卷神廟、祠宇。第四卷塚墓、水泉。他的詩也是七絕，注解和考證較方氏的《南海百詠》詳細，並且並不重複，這是可取之處。又由於成書於道光末年，已入我國近代史範圍，有些地方讀起來，就倍感親切了。

　　卷一詠《黃木灣》詩，原解題云：

　　　　黃木灣在郡東波羅江口，即韓昌黎南海神廟碑所稱扶胥之口，黃木之灣是也。土語訛為黃埔，為省河要津，近為夷人停泊所矣。

　　他指出黃埔即黃木，這是很難能可貴的。原詩云：

　　　　黃木灣頭寄畫橈，高荷大芋接團蕉；怪他蟹舍春風緊，鶯粟花開分外嬌。

鶯粟花即鴉片。由於作者寫這首詩時,已在鴉片戰爭以後,所以概乎言之。他在詩後的小注裡說:

> 阿芙蓉即鶯粟漿和砒石而成者也,夷人持以流毒中原,其禍至烈。聖天子仁育萬物,欲挽澆風,起而禁之,誠轉移之大機。而奸商狃於肥己,多方撓亂。大司馬莆田林公,竭盡忠誠,卒之鮮濟。茲則斬山為屋,架樹成村,百弊叢生,阿芙蓉之毒不止遍佈東南已也。

黃木灣就是有名的南海神廟所在地。南海神廟的波羅樹銅鼓等遺物,已見於方氏的《南海百詠》,所以他在這裡不再重複。但他能考證出黃埔即黃木,又指出鴉片之害,可說是有心。

又,卷一所詠的《招安亭》,在香山縣,乃是當時兩廣總督百齡受降大海盜張保仔、鄭一嫂的地點。這是歷來談張保仔掌故的人所未知的。

第三卷、第四卷的祠宇和塚墓部門,記載了當時廣州的許多名宦的祠堂和墳墓,這些現在大都已拆毀湮沒了。憑了他的詩,多少還可以尋出一點遺跡,尤其是耿之信等人的遺聞,他記載的更多。這些遺跡,現在有些還存在,因此,他的詩和詩注都成了有用的參考資料。

顧愷之畫的《列女傳》

　　最近從集古齋買回了一部有顧愷之作插圖的《列女傳》。這是道光期間揚州阮氏刊本，是根據南宋余氏刊本重刻的，通稱《摹刊宋本列女傳》。

　　這樣的書，在早幾十年是很容易買的，而且價錢不貴。我也有過一部，隨手送給了一位木刻家。這幾年忽然想再買回一部放在手邊看看，這才知道已經不是隨手可得，而且書價已經貴了幾倍。好容易耐心的等了許久，直到最近才有機會得到一部。雖然價錢不便宜，但是書品很好，並且想到以後只有更貴更不易得，也就心滿意足了。

　　這部《列女傳》的插圖，是不是顧愷之所畫，自然大有問題。然而在今日看來，一部南宋所刻的附有插圖的書籍，而且刻得如此精細，無論是不是顧氏所繪，都值得我們重視。

　　阮氏所據以重刻的底本，現在早已下落不明了，我們現在能有機會約略見到顧愷之所作《列女傳圖》的面目，能有機會見到南宋人所刊的附有顧氏插圖的《列女傳》面目，可說就全靠了阮氏的這一部重刻本。

　　南宋原本是有名的建安余氏刊本，除了每頁上半截是圖，下半截是文字以外，目錄也刻得特別精細，並且附加了一些裝飾。從現代書籍裝幀的水準看來，這書在當時不僅是精刻本，而且可以說是豪華版。在流傳下來的附有插圖的宋本書中，這可以說得上是刻得精美的一部。

這些優點，在阮氏的重刻本中都被保留了下來，因為重刻本是"全摹宋式，絲毫不改"的。因此在"去古日遠"的今日，即使是從前在京滬一帶古書店裡隨手可得的這部道光年間的重刊本，它的自身也有了值得重視的價值了。

這些插圖，說是顧氏原作，當然不大可靠，而且也沒有根據。不過，正如重刊者阮福在序文裡所說的那樣，這是唐宋人根據顧氏所畫的《列女傳》圖卷，輾轉臨摹而來，則是可以相信的。

原圖的構圖和人物服飾、房屋器具等等，都畫得十分古拙。這正是我一向喜歡這部書的原因。因此即使不是顧愷之的作品，我們當作是宋人所作的書籍插繪，也值得讚賞。何況，到了今天，這部道光年間的重刊宋本書，也自有它本身的價值了。

滿清中葉的許多徽派圖版，都刻得流於纖細，我不大喜歡。這部《列女傳》由於是依據宋版仿刻的，插圖和字體都保存了宋版的原樣。這才在清代乾嘉年間的刊本圖籍之中，成為具有特色的一部。

李龍眠的《聖賢圖》石刻

　　杭州的孔廟，一向藏有一套很有名的石刻畫，那就是相傳是依據李龍眠的畫稿勒石的《聖賢圖》。畫的是孔子和他的七十二弟子的畫像。

　　李龍眠本以白描著名，他的傳世的《離騷九歌圖》、《羅漢圖》，都是白描的。雖然未必是他的真筆，至少也應該有一點根據。這一輯《聖賢圖》也是如此。連孔子在內一共畫了七十三個人，除了孔子是坐在坐墩之外，其餘七十二弟子都是面向夫子立着；完全沒有其他背景，採用長卷的構圖方式，達到了每一個人物都能顯著突出的效果。

　　關於孔子和弟子們的畫像，較古的有漢武梁祠畫像石上所刻的，也刻足了七十二人，不過都是側面的，類似剪影，着重裝飾效果，並非正式的畫像。此外，是木刻的《聖賢圖像》一類的版畫，很少有精彩的，有的還顯然受了李龍眠的這一輯《聖賢圖》的影響。

　　這七十三幅畫像，是分別刻在十五塊石頭上的，是在南宋紹興二十六年（一一五六年）所刻。因為是在南宋時期，所以畫像後面還有秦檜的題記；直到明朝才被人剷除。關於這一輯聖賢像刻石的經過，明人吳訥在畫像後面所加的題記說得很清楚。他是經手將石刻從亂石荒草之中整理出來的，而且原來的秦檜題記也是由他刪除的，因此，他的題記對於這一批石刻的歷史很有重要關係。他說：

> 右宣聖及七十二弟子贊，宋高宗制並書，其像則李龍眠麐所畫也。高宗南渡，建行宮於杭，紹興十四年正月，始即岳飛第作太學，三月臨幸，首制先聖贊，後自顏淵而下，亦撰辭以致襃崇之意。二十六年十二月，刻石於學，附以太師尚書左僕射同中書門下平章事兼樞密史秦檜記。檜之言有曰，孔聖以儒道設教，弟子皆無邪雜背違於儒道者。今搢紳之習或未純乎儒術，頗馳狙詐權譎之說以僥倖於功。其意蓋為當時言恢復者發也。嗚呼，靖康之禍，二帝蒙塵，汴都淪覆，當時臣子正宜枕薪嘗膽，以圖恢復，而檜力主和，攘斥眾謀，盡指一時忠義之言為狙詐權譎之論，先儒朱熹謂其倡邪說以誤國，挾虜勢以要君，其罪上通於天，萬死不足以贖者是也。昔龜山楊先生時嘗建議罷王安石孔廟配享，識者韙之。訥一介書生，幸際聖明，備員風紀，茲於仁和縣學得觀石刻，見檜之記尚與圖贊並存，因命磨去其文，庶使邪口之說，奸穢之名，不得廁於聖賢圖像之後。然念流傳已久，謹用備識，俾後覽者得有所考云。宣德二年歲在丁未秋七月朔，巡按浙江監察御史海虞吳訥識。

這一共刻了七十三人畫像的十五塊石刻，每一塊大小相等，長一三五厘米，高四十三點五厘米，所刻的人物卻多寡不一。最末一塊因為有秦檜的題記，只刻了一人。第一塊有宋高宗的幾句序言，因此只刻了孔子、顏回、閔子騫三人，其餘幾塊刻了五人或六人不等。

前幾年人民美術出版社曾將這一批石刻影印出版，書前還有黃湧泉的一篇序言，對於石刻過去的歷史和現在的狀況，介紹得很詳細。

這十五塊石刻，歷經滄桑，到了現在，只存十四塊，原來編號的第十塊已經遺失。餘下的十四塊，有八塊還是完整的，其餘有的斷成兩截，有的只殘存一塊碎片而已。

不過，這次人民美術出版社用來影印的拓本，乃是舊拓，七十三人的畫像是完整的。後面的秦檜題記已經磨去，改刻了吳訥的新題記，可知這拓本乃是明宣德以後的。若是能有秦檜題記未磨的拓本，一定會更完整。

由於這是根據畫稿上石，並非特地為石刻而畫的，因此人物的衣褶線條都很柔軟，保存了李龍眠的白描特徵，不似漢畫像石上的人物，刻得那麼剛勁有力。這是因為漢畫像刻石的那些底稿，是專為石刻而作的，所以利用石材來表現構圖的特點。《聖賢圖》則是依據普通畫稿刻成，因此要竭力保存白描畫法的特徵了。

自唐以後，石刻的趨向都是這樣：只是繪畫的再現，不再像漢魏六朝的石刻那樣。它們本身就是一種藝術，並不是別人繪畫作品的再現。

以《聖賢圖》中的孔子畫像來說，李龍眠所畫的孔子像，是很有特色而且有一種敦厚仁愛的個性的，不像一般常見的相傳出於吳道子之筆的《夫子行教像》那麼蒼老嚴峻。這幅孔子坐像，看來倒有點像敦煌壁畫中的《維摩問疾圖》上的維摩居士。

　　七十二弟子的畫像，顯然都是參考了各人的行跡才下筆的。以子路的那幅畫像為例，別的弟子都是寬袍大袖，子路則是短髭如戟，兩袖高捲，露出了雙臂作拔劍姿勢，頗有點像是達文西在《最後晚餐》壁畫上所畫的彼得畫像。因為這兩個弟子同樣都是勇士。

　　這一輯《聖賢圖》石刻，無論是不是李龍眠的作品，都是值得寶貴的。

郁達夫先生的《黃面誌》和比亞斯萊

一　郁達夫先生和《黃面誌》

英國十九世紀末的有名文藝刊物《黃面誌》，它的美術編輯就是當時英國有名的世紀末畫家比亞斯萊。早年的我國新文藝愛好者能夠有機會知道這個刊物和王爾德、比亞斯萊等人，乃是由於郁達夫先生的一篇介紹。這篇介紹文是刊在《創造周報》上的。自從他的這篇介紹文發表後，當時的新文藝愛好者才知道外國有這樣的一個文藝刊物和這樣的一些詩人、小說家和畫家。

這一批作家、詩人和畫家是以王爾德和比亞斯萊等人為首的。他們的作品所表現的就是這種多方面的逃避、掙扎和嘲弄，並非單純是"醇酒婦人"式的頹廢。若是如此，王爾德就不會入獄了。他雖然以"男色"案獲罪，但這正是當時英國上流社會的流行嗜好。只是別人做了不說，他卻又做又說，十分招搖，而且還敢向這些人嘲弄，這一來自然就惹禍了。現在已經有許多有關的新史料發現，顯示當時有些人怎樣一定要使王爾德"身敗名裂"才肯罷手。

然而就由於首先使我們知道了《黃面誌》，郁達夫先生就至今仍被人說成是浪漫頹廢派作家。其實這至多只能說是他的生活和作品的一面是如此，有一個時期是如此，不能說是全面如此的。他一直是對不合理的社會制度表示了不滿和憤慨。他的早期作品，所表現的就已經是如此。

他的介紹被接受了，而且發生了影響。可是，卻使他自己從此被後人稱為"浪漫頹廢派作家"。這真是當時滿懷憤世嫉俗的年輕的達夫先生所意料不到的。

（順便說明一下：當郁達夫先生介紹《黃面誌》時，事實上這個刊物在英國停刊已久，有關諸人都已經去世，"世紀末"早已成為過去，新世紀也開始了四分之一。他不過是當作英國近代文藝活動的一個面貌來介紹的。我在他的藏書中就從不曾見過有《黃面誌》。倒是後來在詩人邵洵美的書架上見過，是近於十八開的方形開本，都是硬面的，據說是他用重價當作珍本書從英國買回來的。）

二　比亞斯萊的再流行

這一兩年，比亞斯萊的畫，忽然又在英國流行了起來。一九六六年英國曾舉行過一次他的遺作展覽會，規模很大，後來又移到美國紐約去繼續展覽。最近在一本畫報上見到有一篇專文報導這事，用了相當多的篇幅。原來今年最新的衣料圖案，以及髮飾，都流行採用比亞斯萊的風格了。

我年輕時候很喜歡比亞斯萊的畫，覺得他的裝飾趣味很濃，黑白對照強烈，異怪而又華麗，像是李賀的詩，曾刻意加以模仿，受過不少的稱讚，也捱過不少的罵。後來時移世異，更多的別的愛好吸引了我的注意，比亞斯萊就漸漸的被束之高閣了。

想不到英國十九世紀末的這個鬼才的畫家，現在竟又流行起來，而且被時裝設計家看上了。

十九世紀末的英國，是一個充滿了苦悶和頹廢的社會，比亞斯萊就是在這種傾向上反映得最敏銳的一個畫家。他十九歲就成了轟動倫敦的一個插畫家，但是死得更快，活了二十多歲就死了，而且是死於肺病。他的生活，他的病，他的早死，可說同他的作品，同他的時代，都是十分調和的。

令人注意的是：像比亞斯萊這樣的畫，在抽象畫盛極而衰之際的英美藝壇，忽然又開始流行起來，將意味着什麼呢？我以為這是一個新的頹廢時代的開始，一個已經到了爛熟期的文化行將崩潰的預兆。從抽象藝術的牛角尖退出來以後，茫然若失，惟有暫時向異國趣味和東方趣味方面去求發洩。這正是比亞斯萊的作品忽然又流行起來的原因。

比亞斯萊的作品，雖是病態的，但他的線條和構圖，卻帶有希臘藝術和東方藝術的濃厚影響，對當時倫敦畫壇來說，是一種反抗和新的刺激。若是由於他的作品重行流行，能使得英美畫壇從烏煙瘴氣的瘋狂世界中逐漸清醒，從異怪而趨向正常，再回復到現實的懷抱中來，倒未始不是一件好事。

三 王爾德與《黃面誌》

英國倫敦廣播電台周刊《聽眾》，在讀者來函一欄中，有人投書向該刊指出，說最近一期《聽眾》上所發表的一篇評論英國近代畫展的廣播辭（指一九六六年一月二十六日出版的一期），其中用了一句："王爾德的黃面誌"，極不恰當，是完全錯了。

投函者指出，王爾德與《黃面誌》的同人，雖然都是同時代的，而且有不少彼此都是好朋友，但是亨利·哈爾蘭受書店的委託，計劃出版《黃面誌》時，並未邀王爾德參加。這個刊物上始終未發表過王爾德的作品，也未提起過王爾德的名字。

但是一般文藝愛好者的印象，總以為王爾德與《黃面誌》是一起的，其實並非如此。

我年輕的時候，是愛好過王爾德的作品的，也愛好過英國"世紀末"那一批作家的作品的。這可說全是受了郁達夫先生的影響。那時大部分的文藝青年都難擺脫這一重羅網。我就一直認為王爾德與《黃面誌》同人當然是一起的。直到後來多讀了幾本書，讀了幾種不同的王爾德傳記、比亞斯萊的傳記，以及較詳細的敘述英國所謂"世紀末"那個時期的文學史，這才知道事情並不是如此。

現在讀了《聽眾》上那個讀者的來函，知道連倫敦廣播電台的文藝評論員，連英國人自己直到現在還有弄不清這個問題的，以致說出了"王爾德的黃面誌"這樣的話，我們從前"想當然"的錯覺，應該毫不足怪了。

其實，不只《黃面誌》同人同王爾德在文藝上的關係很疏淡，就是比亞斯萊同王爾德，彼此在個人的關係上也不很好。

我們知道，比亞斯萊曾給王爾德的劇本《莎樂美》畫插畫，畫得非常精彩，現在已經成為比亞斯萊最有名的一組作品。我們總以為當時一定是王爾德邀請比亞斯萊為他的劇本作插畫的，他對於比亞斯萊的這一組插畫一定非常稱讚，不曾料到事情的真相又完全不是如此。

王爾德的《莎樂美》，原來並不是用英文寫的，為了賣弄才藝，是用法文寫的。後來由別人譯成了英文，這時王爾德在法國，因此，《莎樂美》的英文單行本在倫敦出版時，王爾德本人並不在英國，找比亞斯萊作插畫，也是出版家的主意。比亞斯萊的《莎樂美》插畫，雖然是他的得意之作，可是後來王爾德見到了，表示不滿，認為比亞斯萊歪曲了他的劇本的本意，兩人從此就有了芥蒂了。

四　再談比亞斯萊

剛談到英國倫敦廣播電台因王爾德鬧了笑話，說《黃面誌》是他的，受到聽眾投函去指責。不料英國有名的蘇格蘭場又因比亞斯萊的畫鬧出了新聞，而且是“官非”。原因是有一批蘇格蘭場的警探，帶了“花令紙”，闖入倫敦一家美術商店，將店中陳列在櫥窗裡的比亞斯萊作品的複製品，全部沒收了，理由是說這些作品“猥褻”。

事情的經過是這樣的：

由於這個僅僅活了二十多歲就死去的短命畫家，他的作品近年在英國突然又流行起來，倫敦的維多利亞與亞爾培紀念博物館，在五月間，開始舉辦了一個比亞斯萊作品展，規模宏大，搜羅了他發表過的和未經發表過的作品，一起陳列。由於這是皇家博物館主辦的，轟動一時，他的作品自然更加流行了。這時就有美術品出版商將比亞斯萊的一些黑白畫，製成了複製品出售。這回被蘇格蘭場警探沒收的，就是這樣的複製品。

　　據英國的《畫室》月刊報導，當這家美術品商店將比亞斯萊這些作品的複製品陳列在櫥窗裡時，引起了許多途人駐足。其中有人認為這些作品有傷風化，就向警署去投訴。蘇格蘭場派了一名便衣警探，到這家商店選購了四幅，每幅的訂價是兩先令六便士。買回去看了之後，認為確是猥褻，就援用"一九五九年取締猥褻出版物法令"，簽發了入屋搜查令，來到這家商店內，將這些複製品全部加以沒收，總共有二百六十幅。

　　這件事情的有趣，不在於比亞斯萊的這些作品是否"猥褻"，而是在於他的這些作品的原作，正在國立博物院裡堂而皇之的舉行公開展覽，這些作品的複製品擺在商店的櫥窗裡，卻被蘇格蘭場認為"猥褻"，要加以沒收。有趣的就是這種可笑的矛盾。至於是否有特別條文規定，這些"藝術品"只宜陳列於廟堂，供紳士淑女欣賞；一擺到街頭的商店裡，就要犯法，或是蘇格蘭場有意要同皇家博物院抬槓，那就不得而知了。

　　比亞斯萊的黑白畫，有些是畫得很暴露的。就是那些有名的《莎樂美》插畫，也曾經遭過"禁止"。他在臨死的前一年，曾畫過一組古希臘喜劇《萊西斯特拉妲》的插畫。這是阿里斯多芬里斯的作品，內容是說雅典婦人為了反對丈夫與斯巴達人多年戰禍不息，大家一致拒絕與丈夫同房，並且說服斯巴達的婦人也採取同樣行動，結果雙方不得不停止戰爭。這種荒唐而有趣的題材，當然很適合比亞斯萊的畫筆。他的這一組插畫，大約畫得非常暴露，送到出版家手裡後，在臨死時曾特地寫信給出版商，要求將這些插畫燒毀，以免後人指摘。可是出版商不曾照做，在他死後反而暗中印出來流傳。這一批未公開發表過的畫稿在這次展覽會上都公開展出。被蘇格蘭場沒收的也就是這一組插畫的複製品。

外國人新寫的《中國醫學史》

日前買了一本新出版的英文《中國醫學史》。

我忽然買這樣的書,倒並非因為早一向有過病,對這類問題關心起來了,要想加以研究。"六億神州盡舜堯",個人生一點小病,實在不算得一回事。我忽然注意到這本書,是因為封面上所用的那幅畫,非常有趣。畫的是中國的按摩術:"推拿鬆骨"的情形。這顯然是一幅清末民間醫藥風俗畫。圖中兩個男子的頂上都盤着辮子,像是《阿Q正傳》裡的人物,穿的雲頭雙樑鞋,圓領大褂,坐在一高一低的兩張木凳上。被推拿者坐在低凳上,醫生坐在高凳上,用膝蓋抵住了病人的背脊,右手拎起病人的手,左手按住他的肩頭,正在為他鬆右臂的筋骨。

我一向喜歡搜集我國民俗圖片資料,這幅推拿圖自然吸引了我的注意,拿到手裡翻閱了一下,這才知道還是一九六八年出版的新書,原著者是法國人,一九六八年在巴黎出版,同年就有了英譯本。想必很受人歡迎,不然不會這麼快就有了外國文的譯本。書裡所附的插圖很多,有單色的,有彩色的,從類似封面上的那幅醫藥風俗圖,古代我國名醫畫像,張天師的治病靈符,以至本草插圖都有。

更難得的是,還有用彩色印的我國在一九六二年發行的紀念醫學名人郵票，一是孫思邈的，另一是沈括的。還有一幅是現代版畫家刻的苗族姑娘採藥的木刻。我認為只是看看這些插畫，已經值得一買，因此毫不躊躇的將這本法國人寫的《中國醫學史》英譯本買了回來。（法文原著原本是由一位法國人和中國人合著。《中國醫學史》是本書原有的中文名稱。著者在序文裡曾說起寫作本書時，受到我國政府醫學機關和幾位專家供給資料。我對於我國醫藥界的情形全不熟悉，除了知道他引用我國一九五九年出版的一部藥用植物圖錄，提到郭沫若的名字以外，有些新醫藥專家的名字卻沒有附有中文原名，這裡只好從略了。）

本書前半部是介紹我國古代醫學的成就；中間一部分是介紹中國醫藥給東方其他各國的影響，以及西醫傳入我國以後的情形；下半部是介紹新中國的醫藥衛生成就。這不是正統學院式的醫學史。他特別注重我國過去民間醫藥習慣，以及近年大力提倡的中藥、針灸等等情況。

插圖方面，有兩幅圖關於外科手術的插圖。一幅是彩色版畫：華佗給關公刮骨療傷圖；另一幅是照片，是毫不利己、專門利人的白求恩大夫在前線為抗日戰士施手術的照片。僅是這樣的圖片，已經使我覺得自己對醫藥問題雖不感興趣，這本《中國醫學史》並不曾買錯。

卡夫卡的〈中國長城〉

　　佛朗茲‧卡夫卡，是近代捷克作家。他在現代歐洲文學上佔了一個古怪的重要地位，重要得幾乎令人難以理解。這就是說，卡夫卡的作品並不多，在他生前出版的更少。他的聲望是由於他的遺著發表後，逐漸增加的。到了今天，卡夫卡已經成了歐洲現代文學的一尊偶像。悲觀、懷疑，反對極權統治，反對大量機械化生產，反對抹煞人性，反對漠視個人存在；現代歐洲文藝作品所流行的那種絕望、空虛、空無內容，以及不可思議的情節的傾向，都追溯到卡夫卡的身上，說是由他的作品所表現的思想感染而來。

　　在現代歐洲文學上，他成了一個先知，也成了祖師之一。

　　卡夫卡生於一八八三年，已經在一九二四年去世，僅僅活了四十多歲。他雖是捷克人，卻是用德文來寫作的。他本是學法律的，卻喜歡寫作。可是染上了肺病，在戀愛和婚姻上又受到挫折，他所生活的又恰是第一次世界大戰前後的那個階段。在大屠殺的戰場上，在戰後不景氣的社會中，個人和個人的生命都像是一隻螻蟻，這就構成了在卡夫卡作品裡的那種苦悶、絕望、冷酷和嘲弄的氣氛。一九二四年因肺病不治在維也納去世。臨終時曾要求他的好友麥克斯‧布洛德將他的遺稿和日記書簡等等全部毀去。可是布洛德不忍如此，不曾執行他的遺囑。幸虧布洛德不曾遵照卡夫卡的這個願望去做，否則現代歐洲文學史上可能會沒有卡夫卡其人了。

〈中國長城〉是卡夫卡的遺稿之一，雖然在一九一八年就寫成，卻到一九三一年才初次發表。這是用第一人稱，一個參加築長城的勞工的口吻來寫的。雖是小說，卻並沒有什麼情節。雖然提到了"暴君"，說築長城是為了抵抗來自北方的敵人，但是沒有提到孟姜女，更沒有採用有關長城本身的任何資料。卡夫卡當然不是用長城來寫歷史小說，但是我懷疑他對中國長城的知識根本就不很多。他採用了"中國長城"作他的一篇小說題名，不過是出於自己的一種愛好，用異國題材來發揮自己的苦悶而已。

倒是他的另一個短篇〈變形〉，雖然情節更荒唐，但是卻具有強烈的諷刺意味。一個男子一覺醒來，發覺自己忽然變成了一隻大昆蟲。卡夫卡很細膩的描寫這個由人變了蟲的心理的種種反應，以及這人的家屬對這件可怕事故的種種反應。起先自然是同情、傷心，接着是害怕、規避，終至視為是既成事實，加以厭惡、遺忘……，卡夫卡用這個荒唐不可思議的故事來抨擊現代社會制度的冷酷和可笑，發揮了他的苦悶和絕望的人生觀。

畫家果庚的札記

　　畫家保爾・果庚，第二次離開法國再到南太平洋時，他便決定在塔希提島和瑪卡撒斯長住下來，決不再回歐洲。果庚是一個有頭腦的畫家，厭惡歐洲人的靡爛生活和藝術，因此寧願拋棄了他在巴黎收入很好的股票經紀生活，獨自到太平洋的小島上住下，過他的"野蠻人"生活。但是即使在太平洋中的這些小島上，歐洲白種殖民者的皮靴也早已踢破了南海天堂的大門，使得果庚仍逃不脫他們的阻擾，使得他有時很氣憤。

　　果庚一向有喜歡將他對於各種事情的感想隨手記下的習慣。戀愛、道德、殖民地統治者和教士們的嘴臉，對於別的畫家和他自己作品的批評，他都這麼隨手寫下了札記。這些札記在寫的時候本來是無意發表，也不準備給任何人看的，因此寫得極為隨便，極為真切。

　　他在第一次到南太平洋來小住，曾寫過一部《諾亞諾亞》，也是記錄個人對生活和藝術的感想，其中還附了許多速寫和水彩畫作說明。但是晚年所寫的這些札記，卻比《諾亞諾亞》更為接近自己。這些札記，在果庚去世後被整理出版，其中有些有寫作日期，有的沒有。是一本難得的好書，可以幫助我們對這位畫家的作品和生活更為了解，我時常放在手邊隨意翻閱。

請看他對於藝術的一些見解。

　　年輕學徒用模特兒作畫，本來也不錯。但是當他們執筆作畫時，最好扯開帷幔遮起來。我以為根據記憶作畫更好，因為這樣，你的作品將全然是你自己的。你的感覺、你的智慧，將在藝術愛好者的眼中獲得勝利。當你需要計算一匹驢子身上的毛，想知道牠每一隻耳朵上有多少根，並且每一根的位置如何時，你才需要親自到驢廄去看。

　　誰對你說，你該在色調中尋求對照呢？

　　你要尋求的是和諧而不是對照；是互相調協，而不是互相傾軋的東西。只有無知的眼，才給予每一種物件以一種規定的不改變的色彩。注意這個絆腳的大錯，只有繪製信號的油漆匠才需要模仿他人的作品。

　　不要過於修飾你的作品。一個印象的新鮮，經不起這麼遲緩的對於無盡的細部之一再沒有完的搜索。這樣，你將使熱情的溶液變冷，將騰沸的熱血變成石塊。即使變成的是紅寶石，也該將它遠遠地拋開。

　　果庚的這些札記，在生活方面有時記得頗為大膽。他曾將商人印了賣給歐洲遊客的春畫，擺在自己房裡的架上，使得看到的人大為狼狽。島上的傳教士在講道時用這事向大家勸誡。果庚在自己的札記冊上寫道：驅逐那些可尊敬的人士的最好方法，就是在你自己的門上釘一些這樣的春畫。

畫家的書翰和日記

翻閱報紙或是雜誌上的新書廣告，偶然發現一本好書或是自己要看的書（這是與"好書"有分別的。"好書"是自己喜歡的書，有時買了回來不一定就看，甚至始終不看。"要看的書"則是自己想看的，不過有時未必一定是自己喜歡的好書。這兩者是很難一致的），連忙用筆摘下書名，或是用紅筆做一個記號。這對我來說，是讀報讀刊物的最大樂趣之一，而且已經享受多年了。

我手邊有許多書，都是經過這樣選擇買來的。

最近讀倫敦《泰晤士報》的文學副刊，見有人編了一部西洋古今畫家的書翰集。上下兩冊，並附有許多插畫，覺得這一定是一部很難得的可讀又可藏的好書，連忙用紅筆在那幅廣告上做了大大的兩個記號，表示一定要去買了來。

這類選集，我讀過一部《畫家論畫》，是選輯西洋古今畫家的畫論、畫評、以及他們日記書簡中有關繪畫的資料編輯而成。有的是論古人的作品；有的是論時人的作品；有的是論他們自己的作品的。這確是了解一位畫家和他作品的最好參考資料。

有些畫家同時是很好的藝術批評家；有些畫家則只是好發

議論；有些畫家則從來不大喜歡說話（如畢加索，就是其中之一）。關於後者，若是有機會讀到他們的書信或是日記，往往可以令我們感到極大的興趣，對於理解他們的作品會獲得意外的啟發。

較近代的畫家，有大批書信留下來的，是梵·谷訶和果庚。看了他們的畫，往往要令人認為他們一定不喜歡寫信，至少不會是寫信的能手。其實大謬不然，果庚和梵·谷訶不僅留下了大批書信，而且這些信都寫得極好：情意真切，內容豐富，是極好的所謂"書翰文學"。甚至有人說撇開兩人的作品不談，僅是這些書信，已經足夠使他們在近代歐洲文藝圈子裡佔一個地位。

那一部新出版的古今畫家書信集的廣告上，就特別提到了他們兩人的名字。

除了書信以外，有些畫家還有日記留下來。果庚就有日記，魯本斯也有日記。浪漫主義大師德拉克羅瓦的日記，更是日記文學的名作。其中有他自己作品的紀錄，有他的畫論和畫評，更有日常的記事。分量很多，共有數十年之久。今年是他逝世一百周年紀念，看來可能還會有一部特印的他的日記選本出版。如果有，那一定又是一部非買不可的好書了。

日本新出版的幾種中國美術圖錄

一　講談社的《中國美術》

日本講談社出版的大型圖冊《中國美術》三卷，是他們近年出版的"世界美術大系"的一部分。大系全書共二十四卷，外加別卷一冊。《中國美術》共佔了三冊。

這三冊《中國美術》是值得特別介紹的，因為它是足以令世人刮目相看的出版物。

第一、這三冊《中國美術》裡的一千多幅彩色和單色圖片，全是由我國供稿的，全是由我國文物出版社聘請中國攝影專家，按照他們出版計劃的需要，特別攝製供稿給日本講談社的。

第二、三冊《中國美術》裡所介紹的全部中國藝術品，從銅器、陶瓷以至繪畫，全部都是現藏國內的藏品，沒有一件是已經流落海外或是到了外國人手上的。所介紹的藏品之中，有許多都是解放後新發現新出土的。這些新藏品已經填補了我國古代藝術史上的許多空白點，銜接許多失去的環節，解決了許多懸置已久的疑問。

當然，我國古代藝術品，流失到外國人手上的已經很多，而且其中有不少都是難得的精品，就是流失到日本的也不少。

但是從這三冊《中國美術》所介紹的作品看來，現藏國內的我國藝術寶藏，仍是無比的豐富和優秀，仍足以壓倒的優勢面目與世人相見。這是我們可以自豪的。然而這也只有在新中國才可以達到的成就。試想，這十多年以來，若不是由於我們大力而且嚴厲的執行了保護祖國文化遺產政策，又不知有多少舊存的和新發現的文物會流失到別人手上去了。

據講談社的介紹，這三冊《中國美術》能夠在日本出版，全是由中日文化交流協會和中國人民對外文化協會全力贊助，才能夠實現的。通過了這兩個團體的推薦，由我國文物出版社負起了供給全部資料圖片的工作。據講談社在"出版說明"上介紹，文物出版社為了執行這個任務，曾經組織專家多人，在全國各重要博物館挑選代表作和精品，攝製圖片，又用專機飛往敦煌、雲崗、麥積山、龍門等著名佛教藝術遺跡中心，攝製那些雕塑和壁畫圖片。因此，這三冊《中國美術》全部是由我國供給資料和圖片，而且是特別為這部書準備的。這件工作所花費的人力和物力當然不少，但是為了兩國文化交流和友好關係的發展，文物出版社自然樂意全力以赴了。

三冊《中國美術》，第一冊主要介紹的是三代銅器至隋唐為止的我國古物。這包括戰國漆器和楚墓文物、秦漢石刻、工藝品、青瓷和唐三彩等。

第二冊的內容是介紹我國的石窟藝術，包括了雕像、塑像和洞內的壁畫。採錄圖片的範圍，遍及敦煌千佛洞、雲崗石窟、龍門石窟、炳靈寺、麥積山，以及陝西、山西、四川等地的其他石窟，內容非常豐富。

第三冊的內容是介紹我國的繪畫藝術，從古代的以至現代。起自五代顧閎中的《夜宴圖》卷，以至新中國的國畫、油畫和版畫家的作品。

日本的美術製版印刷技術，是早已馳譽世界，達到了國際水準的。這三冊《中國美術》的製版印刷和編排，因為開本大，圖片又是特別攝製的，無論單色或是彩色的效果都十分好，清晰玲瓏，奕奕有神，看來實在賞心悅目，定價又不算貴，折合港幣算起來，三冊一共只要一百幾十塊錢就可以買到了。

三冊之中，我覺得內容最精彩的是第二冊，即介紹我國各地石窟藝術部分。因為第三冊的繪畫部分，那些歷代名跡，大都已經有機會在一些專集畫冊上見過了；第一冊的銅器漆器和石刻陶瓷，除了石刻和陶俑以外，對我的吸引力都不大。因此看來看去，認為內容最好的是第二冊。

敦煌壁畫和彩塑，在國內一直還沒有圖版較大的彩印專集出版，第二冊《中國美術》在目前可以填補了這空虛。因為關於敦煌部分，它就有六七十幅圖片，大部分都是尺寸很大的彩色版。敦煌僻處西陲，一般人都不大有機會能親身去參觀，對着這一幅圖片，已經可以過屠門而大嚼了。

除了敦煌、雲崗、龍門之外，炳靈寺和鞏縣等處的石窟圖片，都是比較少見的，這一卷裡卻有不少特地攝製的。卷首還譯載了我國閻文儒的專文〈石窟寺院的藝術〉。

第一卷所載的古銅器和漆器，屬於新出土的最多，有許多形制都是以前從未見過的，如那座"人面方鼎"（圖版四十五），四面有四個人臉，很大，每一個臉幾乎佔據了鼎的一邊，而且是寫實的，並非裝飾化的面具。據考證這是殷代後期的製品，是一九五九年在長沙附近出土的。這是以前從未著錄過的一件古器物。還有楚墓出土的漆器、樂器和木偶人。這些都是過去編著我國美術史的人從未見過的東西。

二　兩種“全集”版的《中國美術》

除了“世界美術大系”之外，日本出版的其他世界美術全集，其中也有關於中國美術的專冊。

日本已出版的“世界美術全集”共有兩種。一種是平凡社版，在戰前早已出版，一九五〇年將舊版略加改編、換入若干新材料，重行出版。這部全集的《中國美術》部分，共佔四冊。

另一種“世界美術全集”，是角川書店出版的。這是戰後新編的，一九六二年着手出版，現在已經出齊，全集共三十九冊，中國部分佔了六冊。

平凡社的“世界美術全集”，戰前的版本，是正集三十六冊，別集十二冊。從前在上海時買過一套，是向內山書店買的，早已連同存在上海的其他藏書全部失散了，因此其中關於中國美術部分的內容是怎樣，已經記不起了。

這次只是買了他們戰後改版的中國部分共四冊。第一冊《秦漢六朝》，第二冊《隋唐》，第三冊《宋元》，第四冊《明清和近代》。他們是在一九五〇年改版的，因此其中也採用了一些新中國的資料，有些我國新發現新出土的文物圖片。在“近代”的最末部分，還簡略的介紹了一下新中國的藝術活動。

這四冊《中國美術》，每冊除了文字說明外，有彩圖十六幅，單色版一百二十多幅，外加本文的插圖約二百幅。在印刷製版方面當然及不上角川書店新編的那麼精好。但他們有許多圖片，各建築物陵墓和石刻，所採用的都是戰前的舊攝影，有的原跡早已毀壞了，有的變化很大，因此很有參考價值。

角川的"世界美術全集"裡的《中國美術》，由於是新編印的，圖片的編排和印刷都非常精美。圖版大，製版好，印刷又精，每冊原色版有三十幅。他們採用我國的新材料較多，因此內容自然比平凡社版的更為精彩。

這兩種"全集"版的《中國美術》編輯方針與講談社的"大系"編輯方針不同。"大系"版的三冊《中國美術》，圖片全是由我們供稿的，所介紹的也以現存我國國內者為限；平凡社和角川書店的兩種，則兼收並蓄，包括歷來流失到國外的我國美術品在內。因此也有他們的特點。

三　關於北京故宮博物院的圖籍

日本的講談社除了出版"世界美術大系"之外，最近又準備出版一套介紹世界有名各大博物院美術館的圖錄，預定要出版二十四卷，已有擬定的目錄印出來，我們的北京故宮博物院佔了兩卷。

其餘是日本自己的東京國立博物館兩卷、法國巴黎盧佛美術館兩卷、英國倫敦大英博物館兩卷。餘下的如西班牙的普拉多美術博物館、美國波士頓美術館、埃及開羅博物館、巴黎近代美術館等等，都是各佔一冊。他們準備以二十四巨冊的篇幅，介紹世界有名的二十間美術博物館。

本文執筆時，《故宮博物院》的兩冊還未出版，當然還不知道內容怎樣。但是根據他們編印"世界美術大系"，尤其是那三卷《中國美術》的認真態度看來，可以信賴這一批計劃中的新出版物，一定也會編印得很不錯的。

近年不斷的有日本文化代表團和作家代表團到我國來訪問，再加上講談社本身已經有了編印那三冊《中國美術》的經驗，這次對於介紹我國故宮博物院的工作，一定能勝任愉快，說不定早已完成藏品的介紹和攝影工作了。

我國故宮博物院的規模之大和藏品的豐富，是舉世聞名的。我們還有一項可以自豪的特點，那就是全部藏品，都是我們祖先的文化遺產，都是勞動人民的勤勞果實。其中絕對沒有掠奪品，更沒有來歷不明的贓物。這一點，外國有幾間有名的博物館，他們有不少珍貴的陳列品，其來歷是說起了不免要臉紅的。

我曾三遊故宮博物館，三次可說都是匆匆的一瞥。我曾自己略略的計算一下，如果想略為安詳的看一看故宮博物院陳列的文物和故宮建築本身，分三路來看。第一天先看一個全貌，然後從南到北、從北到南、從午門到神武門，東西中三路來回各看兩遍。這樣用一個星期的時間，也許多少能看得周到一點。當然，即使是連看一個星期，也還不能說是詳細。

何況，現在北京除了故宮博物院，在文物展覽方面，還有歷史文化博物館，也是夠你看幾天也看不完的。

我很希望講談社這一套新出版物的編印成功，尤其是關於我國故宮博物院兩冊的內容，能不負我的期待。

費薩利的《畫家傳》

　　歐洲的古典藝術，精華萃於意大利的文藝復興時代，在將近二百五十年的時間內，意大利不知產生了多少有才能的畫家、雕刻家和建築家。他們的作品，到今天大部分已經毀壞消失了，能夠流傳下來的只是一小部分。

　　介紹研究意大利文藝復興藝術史的著作，可說車載斗量。不要說是對於一般的美術愛好者，就是對於一個專門研究藝術史的人，也讀不勝讀。但是在這些無數的有關意大利文藝復興藝術史的著作中，有一部書，差不多是每一個人都不免要提起的，或是直接間接採用其中資料的，這就是費薩利的這部《畫家傳》。

　　喬基奧・費薩利是意大利人，他的這部著作全名，該是《意大利最傑出的建築家、畫家和雕刻家列傳》，但是由於這個書名太長了，一般都簡稱作《畫家傳》或是《藝術家傳》，甚或只是用"據費薩利說"來代表。反正至今只產生過一個費薩利，也只有一部這樣的著作，總不會被人誤會或是弄錯的。

　　費薩利生於一五一一年，死於一五七四年。他的生存年代，正是意大利文藝復興運動最光華燦爛的時代。大部分的文藝復興大師，與他都是同時代人，而且都是朋友，他自己也是畫家。他見過彌蓋朗琪羅，見過拉斐爾，見到達文西，也見過諦善。這就已經夠了。此外自然還見過他的同時代無數大大小小的畫家、雕刻家和建築家，以及他們的作品，還有他們的朋友親戚子女，以及僱用豢養這些藝術家的貴族豪門和教王、主教們。費薩利忽發雄心，要給這些藝術家們，無論識與不識，見過面或是未見面的，給他們每人寫一篇傳記，記載他們的生活和作品，以及藝術特點，留供後人作參考。於是就寫下了這部《畫家傳》。

這一來，他的這部《畫家傳》就成了關於文藝復興時代意大利藝術最可寶貴的著作，簡直是這方面的知識寶庫。試想，有幾個人曾去參觀過諦善的畫室，歸來寫下所見的印象？有幾個人曾留下紀錄，說他曾親眼見過巨人彌蓋朗琪羅在雕刻室裡對了整塊的大理石，運斤成風的豪邁氣概？有幾個人曾見過畫好不久的《西斯廷的聖母像》和《蒙娜麗莎》？這些只有費薩利有這眼福，而且都在他的《畫家傳》裡留下了紀錄。因此，這部書就成了研究文藝復興藝術史的人必讀的著作。

費薩利是彌蓋朗琪羅的弟子，因此在他的《畫家傳》裡，對於他的老師記載得特別詳盡。但是令後人讀來，更特別感到興趣的，乃是他對於達文西的記載。達文西是在一五一九年去世，這時費薩利剛好十歲，因此，他的書內對於達文西的傑作《蒙娜麗莎》的記載，成了最可寶貴的資料。雖然未必全然可靠，但是除了在《畫家傳》以外，就沒有別的地方有這樣第一手的資料。

現在凡是介紹《蒙娜麗莎》這幅畫的人，很愛說達文西將這個婦人的畫像一共繼續畫了四年，還認為未曾畫完。又說為了使她能面帶笑容，畫時特地請人在一旁奏樂，或是向她講笑話。這類典故，都是出自費薩利的書中。若是沒有《畫家傳》，我們就根本不會知道這些有趣的事情。這些事情無論是真是假，至少是在當時就已經有人這麼說了。

更重要的是，我們今天即使有機會能在巴黎盧佛美術館裡，站在《蒙娜麗莎》的面前，親眼欣賞這幅達文西的傑作，但它到底是已有五百年歷史的一幅"古畫"了，油色已經無可避免的趨於黯沉。可是在費薩利見到達文西的這幅作品時，它的色彩完全不是像我們今天所見到的這樣。我們試看費薩利在他的《畫家傳》裡怎樣記載他對於這幅畫所得的印象：

> 凡是想看看藝術模仿自然，可以達到怎樣程度的人，不妨去看看這幅畫像。對象的每一個優點每一個特點都忠實的再現了出來。那一對眼睛是明朗而且盈盈滋潤的，而環繞它們四周的卻是在活人眼上可以見到的那種淡紅色的小圓圈，睫毛和眉毛的描繪，都是無以復加的逼真，彷彿每一根毛髮都是自皮膚上鑽出，方向各自有別，連每一顆油泡都如實的被表現出來。鼻尖和美麗的嫩紅色的鼻孔，看來很容易令人相信這是活的。那一張嘴，輪廓是值得令人羨慕的，色調是玫瑰紅的，完全與康乃馨淺紅色的面頰相稱，這看來簡直像是有血有肉，而不是畫出來的。凡是向畫中人的咽喉看得過份仔細的人，會彷彿覺得看出了她的脈搏在跳動。這是藝術的奇跡。

這樣的《蒙娜麗莎》，只有費薩利有這份眼福，後人是無法再見到的了。並且，他若是不曾在《畫家傳》裡這麼記載下來，誰又會知道原來的《蒙娜麗莎》是這樣的呢？

僅是這一個例子，就可以看出對於研究意大利文藝復興藝術的人，這是一部怎樣重要的必讀的著作。

費薩利的《畫家傳》，初版於一五五〇年。初版《畫家傳》所著錄的畫家，在當時只有一個還是活着的，那就是他的老師彌蓋朗琪羅。初版的《畫家傳》雖然是史無前例的著作，他當然很自負，可是同時也很不滿意。因此一直又在搜集材料，進行補充和修改。這樣一直過了十八年，在一五六八年又出版了修改後的第二版《畫家傳》。

第二版的《畫家傳》，不僅內容煥然一新，而且篇幅也擴充了，除了原有的彌蓋朗琪羅以外，有好幾個現存的畫家也有了著錄，等於是一部重寫的新著。一共有五大冊，這就是我們今日所見到的費薩利原文了。

這書現在當然早已有了好多種的語文譯本。以英譯本來說，一八五〇年出版的福斯特夫人的譯本，可說是最標準也是最完整的譯本。後來雖然另有別人再譯過，但是以英譯本來說，現在最受人稱讚的仍是一百年以前的福斯特夫人的譯本。

除了費薩利的原文以外，後來的版本大都加了注釋和考證，這是極重要的。這些注釋家和考據家根據費薩利所敘述的，再參考其他方面的文獻和實物資料，加以補充和校正。但這些考證和注釋，對於專門研究意大利文藝復興藝術史的人才是重要的，一般的讀者大都不感興趣了。

除了注釋和考證以外，還有插圖，對於像《畫家傳》這樣的一部著作，自然也是極為重要的。費薩利的《畫家傳》第二版出版時，已經在每一篇傳記之前加了一幅畫像，這是依據當時流傳的畫家肖像來重繪後木刻的，大概都是費薩利自己的手筆。現代版的《畫家傳》，當然可以大量的增加插圖，包括建築物的攝影以及彩色版的原畫了。

在英譯本之中，就我見過的插圖本的《畫家傳》來說，最理想的是英國麥地希出版社所出版的一種。這家出版社本是專門出版名畫複製品的，當然在取材方面是駕輕就熟。但是更難得的是開本大，文字印得疏朗易讀，全書共印成十二巨冊。可惜這是豪華版，售價太高，不適合一般讀書人的購買條件。

費薩利的這部書，自然不免有許多誤錯，而且他又喜歡以當時的道聽塗說，不加考核就據為題材。這是他的短處，但是在相隔將近五百年後的今天看來，這些短處也變得難得可貴。因為，除了他的這部《畫家傳》以外，我們再也找不出第二部有關文藝復興藝術這樣知識豐富的大寶庫。

紀伯倫與梅的情書

紀伯倫是詩人、散文家，同時也是畫家。他曾在巴黎美術學院學畫。他的作品單行本裡有許多插畫，全是他自己的作品。

紀伯倫是大雕刻家羅丹的弟子。他的筆下的人物，都帶有濃厚的羅丹速寫風格。他所畫的基督像，依我看來，簡直是用他的老師作模特兒的。那些彷彿夢幻似的風景和人物，也受了羅丹速寫的影響。難怪羅丹對他很稱許，說他的才藝有點像英國的詩人畫家威廉布萊克。

紀伯倫是黎巴嫩人，一八八三年出世。十二歲時就跟了家人離開故鄉到美國，僑居在波士頓，後來曾回到黎巴嫩去求學，並且旅行各地。十九歲時再離開家鄉。以後就一直不曾再回去過了。

他有一個女朋友，名叫梅賽亞德，是一位女作家，也是黎巴嫩人。兩人的關係是一種充滿了詩意的羅曼斯。有一篇文章曾這麼談到他們兩人的關係道：

這簡直是有一點難以想像的，一男一女除了在紙上通信以外，彼此從不相識，也不曾見過面，會相愛起來。但是藝術家們自有他們自己不同常人的生活方式，這只有他們自己能夠理解的。偉大的黎巴嫩女作家梅賽亞德和紀伯倫的情事，就是如此。

一九三一年紀伯倫去世後，梅賽亞德曾將兩人之間往來的一部分書信公開了。這件事情才確切的為世人所知道。有一封信，是梅賽亞德從埃及開羅寄給紀伯倫的，寫信的年月是一九一二年五月十二日。這時紀伯倫出版了他的小說《破裂的翅膀》，寄了一部給梅，請她批評。梅讀了之後就回了一封信，其中對於結婚和婦人的忠貞問題，提出了不同的意見。其中有一段這麼說：

　　……紀伯倫，關於結婚問題，我對你的見解不能表示同意。我尊敬你的思想，敬重你的意見，因為我知道你對於為了崇高的目的訂下的原則所作的防護，乃是認真而且嚴肅的。我完全同意你推動女性解放的那些基本原則。女性是應該像男子一樣，自由地去選擇她自己的丈夫。這不該被她的鄰人和親友的忠告和幫助所左右，應該由她自己個人的取捨去決定。當她選定了她的生活伴侶之後，一個婦人就應該使自己完全接受這種共同生活的義務的束縛，你說這些是由時代所構成的沉重的鎖鍊。是的，我同意你的說法，這些確是沉重的鎖鍊，但是請記住，這些鎖鍊乃是出於自然之手，而他也正是今日女性的製造者。

紀伯倫在信上繼續回答梅的詢問，自然，他所用的言語是帶有一點象徵意味的：

　　……至於我今天身上所穿的衣服，依照習慣是同時要穿兩套的：一套是織工所織，裁縫所縫製；另一套則是血肉和骨頭製成的。但是今天我所穿的那一套，乃是一件寬大的長袍，其上灑滿了不同顏色墨水的碎點。這件長袍與遊方僧人所穿的並沒有多大的區別，只是較為乾淨而已。當我回到東方以後，我就不穿別的，只穿老式的東方衣服。

……至於我的辦事室，至今仍是沒有屋頂，也沒有四壁，但是沙的海和空氣的海，都與昨天的它們相似，波浪滔天，而且沒有涯岸。但是我們用來在這些海中行駛的船卻是沒有桅的。你看你是否認為你能夠為我的船供應桅桿呢？

紀伯倫又用象徵的手法，向梅描寫他自己：

我將怎樣告訴你上帝在兩個婦人之間將他捉住的這個人呢？其中一個將他的夢化為醒覺；另一個則將他的醒覺化為夢。我對於上帝將他放在兩盞燈之間的這個人，要說些什麼呢？她是憂鬱還是快樂？他在這個世界上是一個陌生人嗎？我不知道。但是我願意問你，你是否願意這個人在這世界上繼續是一個陌生人，他的言語是世人一個也不用的。我也不知道。但是我仍想問你，你是否願意用這個人所用的言語同他說話，因為你對這樣的言語是比任何人都了解得更好的。

在這世界上，有許多人不了解我的靈魂的言語；在這世界上，同時也有許多人不了解你的靈魂的言語。梅呀，我乃是生活曾賜給我們許多朋友和知己的那些人之一。但是請你告訴我：在這些認真的朋友之中，是否有人我們可以對他說：「請你將我們的十字架，背負一天如何？」

是否有任何人知道在我們的歌唱後面還另有一首歌曲，這是不能由聲音所歌唱，也不能用微顫的弦索來表達的？是否有任何人能從我們的憂愁之中看出歡樂，從我們的歡樂之中看出憂愁呢？

　　……梅呀，你可記得，你曾經告訴我，有一個新聞記者
寫信給你，向你索取每一個新聞記者所索取的 —— 你的照片
嗎？我曾經一再想到這個新聞記者的要求，可是每一次我總
是這麼向我自己說：我不是新聞記者，因此我不便要求新聞
記者所要求的東西。是的，我不是記者。如果我是什麼刊物
報紙的老闆或是編輯人，我就會坦白的不害羞地向她索取她
的照片。可是我不是記者，這叫我怎麼辦呢？

龔果爾兄弟日記

　　法國龔果爾兄弟合著的小說，我彷彿只讀過一種，這還是多年以前的事，我那時還年輕，所以還有那麼好胃口。其實不看也罷，因為當時我所看的是一部什麼小說，內容是講些什麼，現在早已忘得乾乾淨淨了，可知這樣的小說實在是不看也沒有什麼損失的。若是別的小說，那就不然了，隨便舉一個熟悉的例來說，如果是《茶花女》或是《少年維特之煩惱》，看了之後，誰又會忘記呢？

　　因此龔果爾兄弟合作的那些小說，實在不看也罷。至於他們兩人合寫的那部日記，那倒是值得我來讀的。

　　已經不只一次有人說過，他們兄弟兩人在四十多年間合作的五十多部作品，最好最重要的其實就是兩人所寫的這部日記。這裡面的原因很奧妙，又很簡單，一句話來說，兩人是文藝愛好者，是文藝家，但不是文藝作家。他們的那些作品，並非為了非寫不可才寫的。他們不必依賴寫作來餬口，也沒有非寫不可的熱情。兩兄弟一再合作寫下了那許多作品，絕大部分是由於經常同當代那些文人往來，自己見獵心喜，不甘緘默而已。因此所寫下的那些作品，都是可有可無之作。

　　但是兩人每晚隨手記下的那些日記，卻是性質全然不同的東西。我們要知道，龔果爾兄弟在十九世紀法國文壇上佔了一個重要的地位，是由於他們家道富厚，而又愛好文藝，了解文藝，所往還的全是當代文人和藝術家，又肯對新作家加以鼓勵和支持，他們的文藝沙龍儼然成了巴黎的文壇中心。兩人又有收藏癖，當時正流行東方色彩的小藝術品，他們熱衷於此，又喜歡購藏精本書籍，因此每晚在燈下所寫的日記，其中就充滿他們與同時代作家的交遊往還。這些人物的言論、活動、癖好和軼聞，以及他們自己對於當代人物、書籍和藝術品的評介。

龔果爾兄弟不是第一流的文藝作家，但是他們對於文學和藝術作品的見解卻很精闢。有了這個條件，使得他們兩兄弟所寫的日記，內容就更加充實。龔果爾兄弟日記，會成為法國古今無兩的一部作品，就是由於這樣的原因。

龔果爾兄弟日記，開始於一八五一年十二月，一直繼續到一八九六年。不過，這裡面有一點是該特別說明的：龔果爾兄弟兩人是分不開的。他們兄弟兩人的聲譽，以及這日記的引人之處，全是由於兄弟兩人的合作。可是，到了一八七〇年一月二日，弟弟茹萊‧龔果爾生了病，寫了這一天的日記便不曾再寫下去，到了六月二十日便去世了。於是這部日記就中斷了一些時候，後來再由哥哥愛德蒙一人寫下去，一直寫到一八九六年。

我們今日所讀到的龔果爾日記選本，總是選到弟弟去世的時期為止。這就是由於他們兄弟兩人在文藝的成就上是分不開的。一八七〇年以後的龔果爾日記，那只是愛德蒙個人的日記，已經不是龔果爾兄弟日記了。

很少人曾經讀過龔果爾日記的全部。這不僅因為全部的卷帙很多，更因為其中有許多涉及當時人的隱私，怕這些有關者的後人讀了難堪，所以一直至今仍保留着不發表。今日通行的龔果爾日記，無論是法文原本或是外國語的譯本，都是經過相當刪節的，並不是全部。

茹萊・龔果爾在一八七〇年早死，哥哥愛德蒙卻多活了二十六年。到一八九六年才去世，活了七十多歲。他在晚年捐出自己的私財作基金，組織一個學會，用來鼓勵青年作家的寫作。這個學會就是今日有名的龔果爾學會。有一時期與法蘭西學士院處於對立狀態，壁壘森嚴，一個尊重舊的，一個代表新的。他們所設立的龔果爾文學獎金，至今仍是法國作家認為最高的榮譽。

龔果爾兄弟日記，按照哥哥愛德蒙的預定計劃，本來是規定要在他死後二十年才開始陸續發表的。可是後來，拗不過朋友們的要求，尤其是都德的慫恿，愛德蒙曾選了一部分先行發表。

愛德蒙曾在他們日記的序文上說：

> 這全部原稿，可說是在我們兩人口授之下，由他兄弟一人執筆寫成的。這正是我們用來寫這些回憶錄的方法。當我兄弟去世後，我認為我們的文藝工作已經結束了，因為我決定將我們的日記在一八七〇年一月二十日這天封筆不寫。因為他的手在這天已經寫下了他的絕筆。

可是愛德蒙後來終於又繼續寫下去，一直寫到一八九六年。

讀延平王戶官楊英的《從征實錄》

一　影印本的《從征實錄》

　　以前讀日本人所寫的鄭成功傳記，見他們引用楊英的《從征實錄》，材料都是其他各書所未有的，很想找到這本書來看看。知道它有北京中央研究院歷史語言研究所的影印本，便託在北京的友人去買。回信說已經沒有存書了。後來向友人和圖書館去借，也不曾借到，因此當時始終未曾讀到這本書。

　　這已經是十多年前的事情了。我讀書就是這麼隨興之所至，鑽研一個問題，盡可能的將有關資料集中在一起看個痛快；興致一過，便又束之高閣，再去涉獵別的課題。這幾年很少再去注意鄭氏的傳記資料，因此，《從征實錄》也早已被我置之腦後了。不料昨天逛書店，竟在中華書局的古籍部架上看到了這書，而且還不止一部，並且都是簇新的，大約是新近從什麼倉庫裡發現的。

　　買書就是這樣有趣的事：可遇而不可求。十多年前那麼上天下地刻意要找也找不到的一本書，十多年後，事過境遷，卻不費功夫的遇到。好在價錢並不很貴，我隨即毫不躊躇的買了一本回來。

雖然對於鄭成功的研究久已被拋置一邊了，但是為了一償十多年的宿願，回來後我仍在燈下一口氣將這本書翻閱了一遍。果然內容十分豐富，確是要研究鄭成功的人不能不讀的一本書。

　　這部《從征實錄》，是民國二十年國立中央研究院歷史語言研究所印行的史料叢書之一，是根據原稿的影印本。這部手稿是當時從福建故家發現的，以前從未刊行，也未有人提起過，因此較早出版的關於鄭氏傳記的作者，都未見過這書。據朱希祖在本書影印本的序文上說：

　　　　此書出於福建故家所藏，前後霉爛，書題四字脫去，末亦而缺文。裝成四冊，郵寄北平時，稱為《延平實錄》。因“錄”字原文尚隱約可辨，遂錫以此名。余觀此書體例，不以延平一生事跡為始末，而以楊英從征目睹為標準……故余改其題為從征實錄，而冠以楊英二字。

　　楊英是鄭成功麾下所設置的六官之一，稱為“戶官”，職掌糧秣簿籍之事，追隨鄭氏十餘年。書中對於行軍籌餉、人事建設各項，記載特詳，而且材料都是錄自各科案卷和書牘，是研究鄭氏事跡不可少的原始史料。其中記載鄭氏與清廷使者議和的往返文書（關於與清人議和事，鄭氏自謂係“清朝亦欲詒我乎，將計就計，權措糧餉，以裕兵食也”），和攻克台灣初期的困苦艱難情形，都是楊英親身經歷的見聞，為他書所未見者，是本書最有價值的地方。

二　實錄有關台灣的記載

　　鄭成功在進兵台灣之前，還經過一個封鎖台灣，不許沿海和外國船隻與佔據台灣的紅夷通商往來的階段。這是楊英的《從征實錄》所留下來的珍貴史料之一。見明永曆十一年六月項下所記：

　　　　藩駕駐思明州，台灣紅夷酋長揆一，遣通事何廷斌，至思明啟藩，年願納貢和港通商，並陳外國寶物，許之。因先年武洋船到彼，紅夷每多留難，本藩遂刻示傳令，各港灣並東西夷各國州府，不准到台灣通商，由是禁絕兩年，船隻不通，貨物湧貴，夷多病疫。至是令廷斌求通，年輸餉五千兩，箭桿十萬枝，硫磺千擔，遂許通商。

　　這裡所說的"藩"，就是指鄭成功，這是楊英對鄭氏的尊稱。因為鄭氏封延平郡王，詔許設立六部，自委職官，所以稱為"藩主"，儼然是一個自立門戶的小朝廷。何廷斌後來獻了一幅台灣地圖給鄭成功，這才使他明白台灣的土地如何遼闊沃肥，決定一有時機，就要將它收復。他在決定要征討佔據台灣的荷蘭人時，就先同部下這麼集議道：

　　　　前年何廷斌所進台灣一圖，田園萬頃，沃野千里，餉稅數十萬，造船製器，吾民鱗集，所優為者。近為紅夷所佔據，城中夷夥，不上千人，攻之可垂手得者。我欲平克台灣，以為根本之地，安頓將領家眷，然後東征西討，無內顧之憂，並可生聚教訓。

　　進兵台灣時機的成熟，則是由於有了內應。據魏源的《聖武紀》所載：

> 時荷蘭二城，已置揆一王守之，與南洋呂宋占城諸國
> 互市，漸成都會。適其主計之臣，負帑二十萬，恐發覺無以
> 償，乃走投成功，請為兵嚮導。成功覽其地圖，歎曰，此亦
> 海外之扶余也。

這裡所說的"荷蘭二城"，乃是指荷蘭人在台灣所佔據的二城，即赤嵌與安平鎮。只是不知那個"主計之臣"，是否就是獻地圖的何廷斌。不過在鄭成功實行進兵台灣時，何廷斌則已經隨軍出發。這次出征不曾多帶軍糧，就是聽了何廷斌的話。楊英記載這事道：

> 時官兵不多帶行糧，因何廷斌稱數日到台灣，糧米不
> 竭，至是阻風乏糧。

後來鄭成功在鹿耳門登陸，攻下了赤嵌城，揆一派使者來議和，鄭氏後來向他招降。這幾次任通譯的都是何廷斌，可知他早已為鄭氏所用了。

三　實錄記鄭氏開闢台灣的艱苦

《從征實錄》記鄭氏開闢台灣初期的艱苦，尤其是糧食匱乏，部眾趑趄不前情形，都是其他書上所未載的。楊英身為戶官，負責軍需，所以對於這方面的一切知之特詳，這正是楊氏《從征實錄》的可貴處。

鄭氏進取台灣之初，據本書所載，在永曆十五年正月，曾召集諸將密議云：

前年何廷斌所進台灣一圖，田園萬頃，沃野千里，餉稅數十萬，造船製器，吾民鱗集，所優為者。近為紅夷佔據，城中夷夥，不上千人，攻之可垂手得者。我欲平克台灣，以為根本之地，安頓將領家眷，然後東征西討，無內顧之憂，並可生聚教訓。時眾俱不敢違，然頗有難色……。

可知在集議時已經有人暗中反對，因此在正式出發時，更有人逃亡，原書第一四九頁云：

三月初十日，藩駕駐料羅，候風順開駕。時官兵多以過洋為難，思逃者多，隨委英兵鎮陳瑞搜獲捉解。

接著，在出征途中和抵達台灣之後，都發生了缺糧的恐慌。這是預計在台灣登陸以後就可以就地徵收糧餉，不料當時台灣竟是少產米穀的，同時留守思明州金門的部將，為了反對鄭氏進攻台灣，竟至扣留糧船不發，使得在台灣的鄭氏軍隊幾乎有絕糧之虞。楊氏記當時情形云：

七月，藩駕駐承天府，戶官運糧船不至，官兵乏糧，每鄉斗價至四、五錢不等，令民間輸納雜籽蕃薯發給兵糧。

八月，藩駕駐承天府，戶官運糧船猶不至，官兵至食木子充飢，且憂脫巾之變，遣楊府尹同戶都率楊英經鹿耳門，守候糧船，並官私船有東來者盡行買糴給兵。時糧米不給，官兵日只二餐，多有病歿，兵心嗷嗷。

據另一書《海上見聞錄》（阮旻錫著，也是鄭氏部下）所載：永曆十六年正月，鄭氏下令將家眷搬到台灣，留守思明金門之“鄭泰洪旭黃廷等皆不欲行，於是不發一船至台灣，而差船來調監紀洪初辟等十人分管番社，皆留住不往，島上信息

— 321 —

隔絕"。這種後方違令不肯合作的事件，不僅使得當時佔領台灣的鄭氏大軍發生缺糧現象，而且也使得鄭氏本人心裡非常憤慨。幸虧趕緊下令指導土人開墾耕種，頒發耕牛犁耙等物，直到第一季收割有成，這才度過了難關。

馬戛爾尼出使中國日記

　　一七九二年（滿清乾隆五十七年），英國曾派了一個親善使節團來訪問滿清。這是英國第一次派使臣正式到中國來訪問。本來在前幾年已經有一位使臣銜命東來，不幸在半路上因病去世，這才在一七九二年又遴選繼續完成這使命的人。這一次所選中的是喬治・馬戛爾尼爵士。他在這年九月間啟程東來，次年六月抵達廣東洋面，七月到了大沽。這時乾隆皇帝正駐蹕熱河避暑山莊。馬戛爾尼一行人在九月初被護送到熱河。十四日正式覲見。九月底回到北京，十月初離京從內河南下，十二月十九日抵達廣州。一七九四年一月十日離開廣州，經澳門下船歸國，在這年九月間才回到了倫敦。來回一共花費了三年的時間。

　　馬戛爾尼此行，在表面上是向滿清作親善訪問，向乾隆皇帝祝壽，順便再找機會建立貿易關係。事實上他另負有一個更重大的任務，那就是要向滿清作一個全面的調查，以便作為將來應付中國問題的根據。因此，他這次所帶的隨員近百人，從軍事人員以至科技和園藝學家都有，各人都有指定的觀察和任務。

　　馬戛爾尼本人，在這次頭尾三年的出使中國旅程中，曾留下了一部很詳細的日記。這部日記原稿，本來為瑪理遜圖書館所藏，後來被日本一個工業財閥購得，贈給了“東洋文庫”。因此這部日記原稿現藏日本。

這部有關中英早期外交關係的原始資料，一直未曾正式發表過，直到最近，才由一位克朗關爾賓先生加以校注，第一次出版了單行本。出版者是英國倫敦的“朗文”出版公司，每冊定價四十二先令。

這部日記的內容是非常豐富的，尤其是在我們看來。將它與當時官方文件和私人記載互相對比一下，就可以獲得這一個使節團在當時中國所經歷的一切的真相。這日記的本身，也有許多有趣之處。馬戛爾尼記載他的日記，當然不是準備留給我們看的，更不是寫給當時的滿清官員看的，因此，其中有許多地方對滿清很不敬，尤其是軍事方面。他甚至坦白地說，如果滿清膽敢阻撓英國人的貿易活動，則英國人只需用幾艘戰艦，在幾個星期的時間內，就可以從海南島以至大沽口，將滿清的水師、航運和交通完全加以摧毀。不過，他也對中國廣大的土地和眾多的人口感到了躊躇，說是除非他們“自動的甘願降服”，否則是不能征服的，因為“即使殺了幾百萬，也不會覺得什麼”。

許地山校錄的《達衷集》

　　三十多年前，許地山先生校錄出版的《達衷集》，在今天看來，仍是一本可供參考的有用的書。這書有一個副題："鴉片戰爭前中英交涉史料"，是他在牛津大學留學期間，從校中的波德利安圖書館所藏有關英國和滿清交涉史料中輯錄出來的。來源是當年東印度公司在廣州分公司存檔的舊信和一些往來的公文副本，他們都捐贈給牛津大學圖書館。許地山先生所鈔的不過是其中極少的一部分，都是東印度公司廣州分公司同滿清官衙往來交涉的公函呈文和告諭，也有一些私人函件。後者比前者更有趣，因為其中有些竟是這些英國煙商與沿岸私梟奸民往來通消息的函件。

　　這些資料，原來都鈔成兩冊，除了各件原來標題外，自然不會有總名。《達衷集》這書名的來源，是許地山先生發現其中有一項文件稱為〈尺牘類函呈文書達衷集中目錄〉，他就採用了《達衷集》作為出版的書名。

　　《達衷集》分為兩卷，主要的內容是那個強行要在滿清沿海進行貿易的英國船主胡夏米，沿途與滿清官商往來的文書，反映他經過廈門、福州、寧波、上海等地所招惹的事端。另一部分內容則是英國商民在廣州歷年與當地官商往來交涉的文書，如英國水手打死中國人，英國商船不依定例停泊，以及傳達法令等等交涉經過。時間則歷經滿清乾隆、嘉慶、道光三朝，如英船水手殺死黃亞勝、蔣亞有的兩宗兇殺案，都是發生在嘉慶朝的，胡夏米的事件，則是道光朝的事了。

在胡夏米有關部分的資料中，有好幾封是內地私販奸民寫給他的信，有的向他通報消息，有的接洽鴉片貨物走私的方法。在現在讀起來，不僅令人驚心怵目，更令人有今昔之感，因為有幾封信彷彿就是眼前的走狗敗類向他們的主子來告密通消息的信。

如一個漢奸寫信通知胡夏米說：

> 特字通知汝船中船主駕，記（應作既）入五虎，不可入閩安鎮口。現鑼身塔（應作羅星塔）地方有官兵千餘人，四面伏兵，滅你大駕大船。汝船不能保全，我前日在撫台衙門內聞知兩院上本與皇上知道。不可入閩安，恐九死無生，悔之晚矣。我祖宗洋船犯風，打汝貴國，勞汝貴國補助，送回。我恩情未報汝大恩，特送上好武彝岩茶一匣，有銀無處買。

這個漢奸，為了他的祖宗在海上遇難曾受過英國船救助，現在竟賣軍事消息，還要附送"上好武彝岩茶"一匣。可說荒唐之至。

另有一個漢奸，寫信給胡夏米，替他想方法，保證船隻可以進口買賣，而且代他擬了一個給官府的稟帖。這封標題為〈漢奸致英船主書〉，鈔在《達衷集》卷上的"福建事情"部分內。原信云：

> 近聞寶船至我界口，各處關口防守甚嚴。我有一言相

告，未知聽否？若聽我言，包許進口賣貨。我代你做了一紙叩稟之字相送，與須着人用小舟進省，到福省大將軍麾下投遞，萬無不准。福省官員，惟將軍最喜英國之船進關，賣貨稅例，乃是將軍收管。你船到了福省，代你作個通事，未知用否？

這以下就是這個漢奸代胡夏米擬的稟帖。他這封信和代擬的稟帖，在所鈔的諸件之中，算是文字比較通順的，可知他曾經讀過幾年書，而且根據信上最末那句：“你船到了福省，代你作個通事，未知用否？”看來，他可能還是讀過洋書的。那麼他“學鮮卑語”，原來是用作這樣的“敲門磚”，也太沒有出息了！

最有趣的，是有一個自稱“三山舉人”的傢伙，曾經一再寫信給胡夏米。最初是向胡夏米通消息，要送“內河水圖”給他，後來就圖窮匕見，在信上向他借盤費上京應考，不堪之至。當時論述時事的筆記野史上也曾經一再提過這個敗類。他的信，有好幾封就收在《達衷集》內。有一封寫給“大英貴國大船主”的，一開頭便說：

　　特字通知。有內河水圖送你知道。我前一日上省探聽，現在撫台總（應作准）鑾心塔（應作羅星塔）地方，存火炮打汝全船……

這個“三山舉人”，文筆欠通，而且還在信上夾雜了許多福建話的土音字，讀起來費解。許地山先生曾費了不少精神給他注釋，這裡不再鈔了。他寫了幾封向胡夏米討好的信之後，就開口向他“求助”了。他在一封信上說：

　　大英國胡夏米老爺，船主大駕，寶舟回國，特來送行。前一日，多蒙老爺雅愛，訂許今日特來求贈書財。我是貧窮舉子，並無一物相送，乃孝子奉母言，令我送行。不是下類之人，可憐無恩可報。但願老爺順風相信，一路平安。船主老爺乃是大富大貴之人，量大如海……望老爺開此大恩德……蒙天庇佑，相逢貴老爺相送書財，我有日求得一官，做犬馬報你大恩。若不能得官，後世轉世，做犬馬去你貴國船主家中報恩……

還有一封，也是如此，總是自稱是"舉人"，又是"孝子"，而且表示願意來生做犬馬到"船主大老爺"家中去報恩。可知他不僅甘願做"黃皮狗"，而且希望投胎做"白皮狗"，一廂情願，令人彷彿如見這個敗類的嘴臉。

《達衷集》後半部所鈔錄的文書，全是同廣東方面有關的，包括英國商船水手因為殺人犯案，同官廳往來的文書，粵海關給他們的公文，以及洋行買辦伍浩官等人同他們在貿易上往來的函件。

英國水手在廣州所犯的殺人案，有關文書見諸《達衷集》的，有被英國水手戮死的黃亞勝一案。起因是為了銀錢爭執。中國方面的見證，肯定黃亞勝是被"紅毛國"水手殺死的，可是英國船主起先說黃亞勝由於訛騙英國水手銀兩，發生爭執，致被殺死。可是當滿清官方勒令交出兇手時，又狡獪地推說查不出犯案的水手是誰，甚至說無從肯定是不是他們船上的水手。

集中所鈔存的英國船主〈啞吐咀上鎮粵將軍稟〉，以及給巡撫和兩廣總督的呈文，都採取了這樣推搪的口吻：

稟為民人黃亞勝被人戮傷一事，因夷等已查明該事，且不見實據。黃亞勝以本處人被戮傷，並若死者真被夷人戮傷，人證方亞科周亞德不實知犯罪者或係咪利堅國人，或係英吉利國夷人，而現發給紅牌，與咪利堅國船但給之，與本國船未有……

由於英國船主採用了這樣狡辯拖延的手段，這一宗命案終於被他們賴掉了，後來不了了之。

還有較後的"核治骨船"開槍打傷泥船工伴蔣亞有一案，也有好幾封往來文書鈔錄在《達衷集》內。這一宗行兇案，結果也是不了了之。這些文書，都反映出英國鴉片商人，在廣州逐漸猖獗，犯了命案，已經不肯把犯案的兇手交給滿清官廳審問，故意採用種種拖延搪塞的手段，將兇手用船送回國，然後表示一時查不出，或是派人回國細查了事。

滿清官廳就這麼逐步喪失了對英國煙商水手的審判權。

校錄者許地山先生說得好："達衷集第二卷比較重要，因為我們從中可以尋出租界、領事裁判權，以及外國金融在中國發展的歷程。當時中國官吏的糊塗，每於公文中顯露出來。"

至於那些私販奸民，勾結英國鴉片煙商私下進行非法貿易，或是出賣情報消息。這些人的發展，由於後來鴉片買賣合法化了，這些依賴洋人生活的人，也搖身一變，成為我們今日所熟知的康伯度買辦之流的洋奴分子了。

《天方夜譚》裡的中國

　　有名的《天方夜譚》，是古代阿拉伯故事的大寶庫。自十三世紀開始，來源不一的故事，就經過許多不同的口述和手寫，逐漸的集中在一起，成為今日世人所熟知的《一千零一夜的故事》。

　　這些故事的來源，遠及非亞歐三洲。十三世紀，正是我國的宋元之交，因此在《天方夜譚》裡所提到的中國，大都是在唐朝曾僑居在廣州的阿拉伯人帶回去的知識。稍後一點的，所提到便是元朝的情形了。因此，這時中國就被說成是一個在極遠的地方，可又是極大的國家，她的特點之一是皇帝最喜歡殺人。

　　有名的褒頓爵士的《天方夜譚》譯本，在注釋上對於有些故事裡提到中國人情風俗的地方，都作了極有價值的注解。最近不是時常有人提起陳列在開羅博物院裡的中國古瓷，這都是在阿聯境內發掘出來的。這不是可以用來證明中阿文化交流歷史的久遠嗎？《天方夜譚》的〈汗里姆・賓・亞玉布〉故事中所包含的第二個太監所講的故事，其中就講到這個太監的女主人和女兒等，因為知道主人塌屋壓死，叫太監將家中陳列的器物瓷器，全部打爛，用來發洩心中的悲憤。這個太監說：

於是我就跟了她去，協助她打毀屋內所有的一切格架，以及其上所有的一切，這樣之後，我又遍巡屋頂天台以及每一個地點，打碎我所能打碎的一切，使得屋內沒有一件瓷器不是破的……。

褒頓爵士在這裡就加以注釋道：

據說這正是埃及和敘利亞的一種風俗，他們要在室內六七尺的高處，用格架沿了牆壁四周，陳列許多精緻的中國瓷罐，構成一種極富麗的牆飾。我在大馬士革時曾購買了許多，直到當地人士懂得了它們的可貴，開始向我索取驚人的高價。

褒頓爵士在這注釋裡所說的，毫無疑問的就是現在陳列在開羅博物院裡的那些中國瓷罐。以中國瓷罐來作室內裝飾的風氣，不僅在非洲有，就是南洋一帶也曾十分流行。就由於珍視我國的瓷器，不僅視為藝術裝飾品，而且視為傳家之寶，非洲和南洋許多地方很早就同我們有了文化貿易上的關係。

又在〈阿布·穆罕默德和拉賽波妮絲〉的故事裡，穆罕默德在海中遇救，救他的船隻是屬於在中國境內的"哈拉特"城的。中國當然沒有這樣的一座城池。褒頓爵士說，凡是說到渺不可及的極難以想像的地方，由於中國國境之大，他們總是說這地方在中國境內。

又在〈阿里沙與女奴茱茉露〉的故事裡，女奴不肯賣身給一個將鬍鬚染色的買主，吟詩向他嘲笑，其中有兩句是：

你去的時候鬍鬚是一樣，

回來的時候又是一樣，

像夜晚做中國影子戲的丑腳那般。

褒頓爵士在這裡加上注釋，說明中國影子戲的表演方法，有點像外國的傀儡戲那樣，不過是用一幅透明的布幔，燃燈在裡面，用手將傀儡的黑影投在布幔上來表演。

褒頓爵士當時是英國派駐中東的領事，他提起這時阿拉伯人和土耳其人所表演的影子戲，那個丑腳時常是很猥褻的，拖着一具比自己身體還要長的陽具來登場。使得在座的領事團人員大感狼狽。

這裡所說的中國影子戲，就是我們現在所說的"皮影"，多數是用驢皮作原料，經過特殊的硝製方法，使其薄而透明如毛玻璃，經過雕製，再加上染色，將這種如傀儡一樣可以活動的戲中人物的影子，透過燈光投影在白布幔上，佐以音樂和唱詞，就成了最原始的彩色活動有聲影戲。

相傳我國的這種影子戲，在漢朝就已經有了。漢武帝思念亡去的衛夫人，由方士給他作法，將夫人的亡魂召來，出現在布幔上面。據說所使用的，就是這種影子戲的方法。美國哈佛大學魏姆沙特氏在他的那本《中國的影子戲》裡，承認中國影子戲存在的歷史，可能比漢朝更早，會有三千年的歷史。毫無疑問是今日電影的祖宗。

中東一帶所流行的影子戲，也像爪哇的皮影戲一樣，都是從中國傳過去的。如《天方夜譚》這個故事裡所引用的舉動可笑的丑腳，顯然是加進了地方色彩。

還有，在那個從第七百五十九夜開始講起來的〈沙夫·亞爾穆洛卡王子與巴地亞·亞爾查瑪爾公主的故事〉，王子為了要打聽他的美人的下落，願意到天涯海角去尋，朝中便有人向埃及的這位法老王建議，若是想知道公主所存身的那些神秘地方究在何處，最好乘船到中國去打聽。說中國有一座大城市，其地不僅物產豐富，而且天下各地的人都聚集在那裡，任何古怪的地點和消息，都可以從那座城市裡打聽得到。

褒頓爵士在這裡注解道：

> 所指可能是廣州，因為這是阿拉伯人所熟悉的一座城市。

當時沙夫・亞爾穆洛卡王子已經就了王位，聽到朝臣說到中國去就可能打聽出公主的下落，就向他的已禪位的父王說：

> 哦，我的父王，請你為我準備一艘船，以便我可以到中國地方去，同時請你為我暫攝王位。

可是老王回答他道：

> 孩子，你仍繼續安坐你的王位寶座，統治你的百姓，由我給你航海到中國去，為你打聽巴貝爾城和伊拉姆花園的所在。

但是亞爾穆洛卡王子不肯，一定要親自去。老王只好給他準備了四十艘戰船，兩萬戰士，此外還有奴僕及一切作戰物資和旅途用品，供他率領出發。

故事裡說，他們抵達中國的一座城市後（這座城池顯然是瀕海的，因此褒頓爵士認為所指的是廣州），城中的中國人聽說來了四十艘戰船，戰士武裝齊備，認為一定是敵人來圍攻他們了，連忙關起城門，準備守城工具。

後來沙夫・亞爾穆洛卡王子派使者到城外來聲明，他是來自埃及的王子，是以客人的身份前來觀光的，並不是來侵略的。因此如果願意接待他，他們就登岸，如果不願接待，他們就原船回去，決不騷擾城中的百姓。

中國人當然是好客的，因此這個故事就繼續說，那些中國人就開了城門，領了他們去謁見中國國王。在這裡，故事裡稱中國皇帝為"法福爾"。褒頓爵士在這個字的下面加以淵博的注釋道：

> 法福爾這字，是回教徒對中國皇帝的尊稱。"法" 事實上是 "巴" 的訛音，這字在中東的某些方言中有 "神" 和 "寶塔" 之義，因此他引用了一位法國學者的解釋，認為 "巴福爾" 這字是中國話 "天子" 的意譯。

不用說，中國天子對這位遠方來的王子竭誠招待，又為他召集一切的船主水手和往來客商，為他調查巴貝爾城和伊拉姆花園的所在，直到他獲得滿意的消息後才離開中國。

《天方夜譚》裡提起中國的地方還甚多。因為白唐朝以來從陸路和水路到過長安和廣州的回教徒，回到中東以後，就帶去了不少有關中國的知識和傳說，因此後來反映在《天方夜譚》這些故事裡的，真實和想像參半，但仍可以看出中國在這些中東的客人口中所留下的美好的印象。

在遼遠時代播下的種子，看來現在正在這些新生的國土上開花結實了。

《蝴蝶夢》與風流寡婦的故事

　　前幾天讀古羅馬作家柏特洛尼奧斯的《薩泰里康》，見到有一篇介紹文中提起，柏特洛尼奧斯的這部諷刺世情名作，已佚散不全。在今日留存下來的片斷中，除了〈特里瑪爾訖奧的宴會〉之外，還有一篇是〈艾費蘇斯的寡婦〉。這後一篇裡所說到的這個寡婦故事，據說是古代流傳很廣的一個極有名的風流寡婦故事。不僅從羅馬時代一直到歐洲的文藝復興時代，歐洲的許多作家一再採用這個故事為題材，寫出了不少各有特色的作品，就是古代中國作家也曾運用過這個故事。

　　這後一句話很引起了我的興趣。作者不曾說明這位中國古代作家是誰，但是既然這麼說了，必定是有所根據的。後來就有名的寡婦故事這範圍想了一想，又翻閱了一些我國古代話本的總集，這才發現所指乃是莊子戲妻的故事，也就是舊時京戲所演的《蝴蝶夢》的本事。

　　〈艾費蘇斯的寡婦〉故事是這樣的：

　　一個平日以貞潔自許的婦人，在丈夫去世後，矢志要殉夫，住在丈夫的墓室內，拒進飲食，日夜哀哭。附近有一個兵士聽見了這哭聲，走來查問。他是在附近的刑場上負責看守死囚示眾屍體的。他見到這哀哭的寡婦後，問明情由，便竭力向

她勸慰，又勸她略進飲食，說是她既然愛她丈夫，若是丈夫
地下有知，必不忍見她如此。這兵士生得年輕英俊，婦人也是
在艾費蘇斯以美麗著名的，兩人不覺發生了互相愛慕之情，兵
士將自己的口糧拿來，勸婦人吃了一些。婦人這時不僅不再哀
哭，而且同兵士有說有笑。於是兩人漸及於亂，就在墓室裡
面成就了霧水姻緣。第二天早上，兵士回到刑場，發現他負責
看守的死囚屍體，已經被人偷走了。按照軍律，這是要處死刑
的，他只好淒然來向這寡婦告別。

　　哪知這寡婦雖然是一夜恩情，卻已經愛上了這兵士，不忍
他去就死，而且這過失也一半因她而起，因此想了一下，向這
兵士提議，她丈夫新死不久，既然死囚的屍體失蹤了，何不趁
上司尚未發覺之際，將丈夫的屍體拿去掛在吊刑架上充數，豈
不是可以免得自己去抵罪？兵士贊同了，於是兩人就合力開棺
取出丈夫的屍體，掛到吊刑架上去冒充死囚，果然瞞過了上司
的耳目。

　　京戲《蝴蝶夢》的本事，出自宋元人的話本〈莊子休鼓盆
成大道〉，見馮夢龍所編的《警世通言》。將〈艾費蘇斯的寡婦〉
故事與〈莊子休鼓盆成大道〉的話本一比，可以看出故事的情
節雖然大不相同，但兩個寡婦卻是同一典型的人物。

　　《警世通言》裡的莊子戲妻故事，與〈艾費蘇斯的寡婦〉故
事，關於丈夫的部分雖然大不相同，但是兩個寡婦的舉動，簡
直如出一轍。說這兩個故事同出一源，是極可以相信的。

　　這個有名的中國風流寡婦故事，見《警世通言》第二卷：
〈莊子休鼓盆成大道〉，以莊子見到婦人煽墳作引子，引出他自

已想試試自己的妻子，這就構成了這個莊子裝死戲妻的故事。京戲《蝴蝶夢》大劈棺，就是由此而來。劈棺這一情節，在古羅馬的那個寡婦故事裡面，也是最精彩的部分。大家都是為了要救眼前的情郎，便不惜犧牲已死的丈夫屍體。在古羅馬的故事裡，是開棺取出丈夫的屍體去替代那個失蹤的死囚屍體，在中國的這個風流寡婦故事裡，則是想劈棺取出已死丈夫的腦髓，來醫治新情郎的心病。

兩個故事都是十分富於人情味的。我們當然可以說這兩個寡婦都太不近人情，但是我們若從"死者已矣"，救生不救死的常理來看，她們的所為，實在是很合乎人情的。丈夫反正已經死了，既然有了新情人，則為了要挽救情人的生命，將已死丈夫的屍體加以廢物利用，實在是很現實的舉動。

我記得從前上海提倡改良京劇時，曾改編過《蝴蝶夢》，田氏劈棺、莊子復活以後，向妻子大施教訓和奚落之際，卻被田氏反唇相譏，挖苦了一場。新編的唱辭，其中有精彩的兩句，是以子之矛攻子之盾，用莊子的哲學思想來罵莊子。那兩句唱辭是：

莊生空言齊物論，不責男人責女人！

說莊子喪妻可以再娶，自己死了卻一定要責成妻子守節。莊子被罵得啞口無言。因此在新編《蝴蝶夢》裡面，田氏並不曾吊死，莊子也就沒有"鼓盆"的機會了。

〈莊子休鼓盆成大道〉的故事，當然比羅馬人的故事更曲折多變化，也更富於東方色彩。我更喜歡前面煽墳的那個引子，那個寡婦倒是個坦白真實的好人，比那些掛着寡婦招牌，暗中偷人的好得多了。莊子見了心中不平，實在不是解人，難怪回家以後，要設計裝死戲妻。在這方面，莊子比起古羅馬故事中的那個丈夫，可說差得多了。那個丈夫是真的病死的，因此，能使自己的無用屍體供妻子利用，不像這個東方丈夫，故意裝死，設下圈套引妻子入甕，然後再將她羞辱一場。

《警世通言》所載的〈莊子休鼓盆成大道〉故事裡的假死戲妻情節，不知所本，可是莊子喪妻鼓盆以及夢蝶，卻是有根據的，這都見於莊子自己的著作。

據《莊子》所載，莊周自言夢中嘗化為蝴蝶，栩栩然蝶也，俄而覺，則蘧蘧然周也。不知周化為蝴蝶，抑蝴蝶化為周歟。又據《莊子‧至樂篇》載：莊子喪妻，惠子往弔，莊子方箕踞鼓盆而歌。惠子曰：不哭亦足矣，歌不亦甚乎？莊子曰：人且偃然寢乎室，而我嗷嗷然隨而哭之，自以為不通乎命，故止也。

可知夢蝶喪妻，鼓盆倒是有根據的。大約就因為有了這一點根據，將那個有名的風流寡婦故事附會上去，遂構成了〈莊子休鼓盆成大道〉這個話本。

除了《警世通言》所收的這個話本以外，據《花朝生筆記》所載，還有一個《蝴蝶夢傳奇》，係清初嚴鑄所撰，即從話本的故事改編而成，而將它更通俗化了。我未見過這部傳奇，但是從《蝴蝶夢》這題名來推測，舊時京戲的《蝴蝶夢大劈棺》，必是根據嚴氏傳奇改編而成，不是直接取材於宋元人話本的。

這個〈艾費蘇斯的寡婦〉故事，在歐洲除了見於柏特洛尼奧斯的殘稿以外，比他稍後的羅馬作家奧柏尼奧斯，也在他的著名的《金驢記》裡，收入了這個風流寡婦故事。稍後，法國哲學家伏爾泰，在他的諷刺小說《薩地格》裡，也採用了這個故事。還有，法國的寓言家拉封丹，也用這題材寫過一首長詩。

此外，如意大利的《一百故事集》，布列東的《風流婦人生活史》，都不曾放過這個精彩的故事，實在不勝枚舉。

我小時很喜歡看《蝴蝶夢》這一齣戲，喜歡看田氏劈棺這一場的跌撲功夫。演這齣戲的旦角，照例要踩蹻的，因此劈棺之後，見到莊子從棺中推蓋而起，她嚇得拋了板斧，從靈桌上一個倒筋斗翻下來，接着在地上翻騰撲跌，表示驚嚇的動作。要表演得好，是極不容易，而且很吃力的。還有，莊子變成楚國王孫後，將靈前的一個紙人金童變成自己隨從的經過，也是極有趣的。那個由真人所飾的紙人，起初要完全裝成是一個假人模樣，任人搬動戲弄，眼眉手足不得有絲毫顫動，往往是丑角大顯身手的好機會，也使年輕的我看了大開笑口。

當時完全沒有想到，這個寡婦劈棺的故事，竟有這樣遠的淵源，而且竟是從外國傳入的。

《紅樓夢》與南京的關係

　　一夢紅樓二百秋，大觀園址費尋求；燕都建業渾閒話，旱海枯泉妄覓舟！

　　據說這是有人在北京和南京都尋不出《紅樓夢》裡所說的大觀園遺址後，寫出了這首寄慨的小詩，見吳柳先生所寫的〈京華何處大觀園〉一文。

　　本來，大觀園原有在南京或在北京兩說，現在是後說佔了上風。由於有新材料的發現，大觀園是在北京之說，簡直已經被肯定了。但是，大觀園雖在北京，這並非說《紅樓夢》與南京就根本沒有關係了。《紅樓夢》與南京的關係仍是很密切，而且很大的。

　　首先，《紅摟夢》的作者曹雪芹的祖上，是在南京任"織造"官的，這固然不用說了。而且曹雪芹的本人，就是在南京出世的。從前的傳記資料說他三四歲時離開南京，現在的新考證，則斷定他離開南京到北京時，至少已有十三四歲（見吳恩裕的〈曹雪芹生平為人新探〉）。這一來，他與南京的關係更加深了許多。十三四歲，自然懂得許多東西了，"秦淮舊夢憶繁華"（敦敏贈曹雪芹詩），自有許多事情可憶。

　　曹雪芹的同時代人明義，《讀紅樓夢詩》的詩序，有句云：

曹子雪芹出所撰紅樓夢一部，備記風月繁華之盛，蓋其先人為江寧織府，其所謂大觀園者，即今隨園故址。

大觀園以袁子才的隨園為藍本之說，久已被推翻了，但當時南京為明朝故都，城中故家池館很多，"大觀園"的具體輪廓即使在北京，曹氏在起草《紅樓夢》時，憶起舊日秦淮繁華，將一些他在南京住過玩過的園林池館景物寫入書中，實在是大有可能的。小說到底是小說，"大觀園"的景物既非一成不變的實地寫景，則摻入少年時代在南京所見的園林結構，也實在是大有可能的。這一點，還有待於新的"紅學家"今後作更細微的考證。

《紅樓夢》與南京的關係，最令我特別感到興趣的，乃是這書最初命名的經過。原來《紅樓夢》最初並不叫"紅樓夢"。今日通行本的"楔子"說：

> 曹雪芹於悼紅軒中，披閱十載，增刪五次，纂成目錄，分出章回，則題曰金陵十二釵……

"金陵十二釵"之名，雖然與"風月寶鑒"、"情僧錄"一樣，後來不曾正式被採用作書名。但是在"十二釵"之上冠以"金陵"二字，可知書中的故事與南京關係之深了。

曹雪芹雖然是在南京出世的，他的祖上卻是旗人，我們不便說他是南京人。但是《紅樓夢》裡有一個主要的人物，卻是南京人，而且後來還死在南京的，那就是王熙鳳。據脂硯齋所見的曹氏《紅樓夢》初稿，不可一世的潑辣的王熙鳳，後來竟被原先懼內的賈璉將她貶為妾婦，接着更進一步將她休回娘家，於是她就哭哭啼啼的回到了"金陵娘家"，後來就死在南京。

至於袁子才的"隨園"就是大觀園之說，這話最初本出自袁子才自己之口。隨園在南京倉山，袁子才在他的《隨園詩話》裡說："大觀園者，即余之隨園也。"這是大觀園在南而不在北，是"隨園"前身之說所由來。一向擁護此說的頗不乏人。據張次溪先生的〈記齊白石談曹雪芹和紅樓夢〉說：

　　　　首先，大觀園的地址問題。齊白石認為：大觀園應該在南京，袁子才說隨園就是大觀園的遺址，是可以相信的。因為曹家在南京，做了幾十年的織造，有一所規模相當宏麗的園子，當然不成什麼問題。雍正五年（公元一七二七年）曹雪芹的父親曹頫革了職，第二年被抄了家，所有家產，卻由皇帝賞給了繼任織造隋赫德。曹頫在南京的園子，隋赫德改名為隋園。袁子才買到手後，改稱隨園，這是很清楚的沿革。曹家被抄沒後遷回北京，在那個官官相護的時代，未必就貧無立錐，說不定在北京另有一個園子。但可斷言，北京的園子，決不能比南京的園子宏麗。抄家時，曹雪芹年紀雖還很小，但總能聽到老人們回憶在南京時的生活狀況，所以在寫《紅樓夢》時，就把南京的園子作為大觀園的藍本了。（引自《散論紅樓夢》一書）

　　大觀園在南京之說，據說現在已由於新發現的有力證據，完全被推翻了（見吳柳先生的〈京華何處大觀園〉）。但在感情上，我仍是希望至少該有一部分與他的南京老家有關。曹雪芹寫《紅樓夢》裡的大觀園時，他的腦中會想起了從前在南京的老家舊園景物，實在是極有可能的。

　　《紅樓夢》裡所用的方言諺語，有許多也是南京話。如丫鬟們在大觀園裡放風箏，用的是"剪子股"的方法，這就是南京土話。因為這方法是將一柄剪刀縛在竹竿上，將風箏的線從剪刀柄中穿過，豎直了竹竿，利用竹竿本身的高度，曳動風箏線，以便容易放上去。這是我們家鄉的女孩兒們在家裡戲放風箏慣用的方法。

印度古代的《五卷書》

　　印度古代的《五卷書》，有點像《十日談》、《七日談》那樣，是一部內容非常豐富的故事集。不過它與俗世氣息較濃的《十日談》一類的故事集略有一點不同，它雖然也有一些涉及男女關係的小故事，但主要的內容是"寓言"，人的寓言、人與動物的寓言、動物與動物之間的寓言。

　　許多人已經知道，印度古代的傳說、寓言和故事，是非常豐富的。我們平日以欣賞古典文學作品的立場去讀基督教的《新約》和《舊約》，往往驚異於其中所包含的故事的豐富。西洋文藝作品和藝術品，以至今日的電影，取材於《聖經》者特別多，正是由於這個原因。

　　同樣，有機會翻閱過一些佛經的文藝愛好者，一定也會很驚異佛經裡面所包含的故事和寓言之多，而且寫得那麼機智可喜。

　　《五卷書》就是這樣的一部故事集和寓言集。不過它並不是佛經，而且與宗教無關。只是一種"道德的課本"而已。由於這些寓言和有趣的小故事，卻是流傳在民間口頭上，或是有鈔本流傳的，收集採錄的不只一個人，因此某一個故事，往往大同小異，會在許多不同的作品中出現。

《五卷書》的原名是"Panchatantra"，即五卷書之意。這命名的由來，是由於原書共分五卷，每一卷包含若干故事、詩歌和寓言，所以稱為《五卷書》。

　　這部故事集是只有編纂人，沒有著者的。據說本是印度古代國王，為了教育王子們，傳授他們以統治、辨別善惡、應付危難和治理國家的智慧，特地命臣下編纂這部《五卷書》，通過流傳在民間的歌謠、寓言和故事，來灌輸給他們這些知識。

　　不管印度古代的統治者是否達到了他們的教育目的，這部《五卷書》卻因了它的本身內容豐富和趣味濃郁，獲得了王子以外的普通讀者所愛好，並且流傳得很廣。

　　近年，這部印度古代故事集，在我國也有了譯本，是由精通梵文的季羨林先生翻譯的，是北京中國科學院文學研究所出版的外國古典文學名著叢書之一。譯者自己寫了一篇長序，這本書的流傳歷史、版本沿革、對世界各國文藝作品的影響，作了很詳細的介紹，並且對其中的思想內容，也進行了批判。

　　《五卷書》的敘述故事方法，有些地方同《天方夜譚》一樣，常常用頭一個故事的結尾一首詩，引起下一個故事。在第四卷第七個故事裡，猴子勸海怪不必因為失去了一個老婆而心裡不好受，海怪卻表示自己的命運不濟，迭遭不幸，因此難以排遣，他隨即吟了一首詩道：

　　　　不管我是多麼狡獪，

　　　　你的狡獪加倍勝過我；

　　　　情人丟了，丈夫也丟了，

　　　　你赤身露體地看些什麼？

猴子不解所謂，問他這是什麼意思，於是海怪就說出了一個不貞的婦人失去了情郎又失去了丈夫，連自己全身衣服也失去的故事。

　　這個故事是這樣的：

　　有一對農民夫婦，老婆嫌丈夫年老，心想勾引別的男子，被一個無賴見到了，趁機引誘她，向她說了許多中聽的話。婦人聽了高興，就表示願意跟他一起走，而且說家裡還有一些錢，願意先回家去偷了錢，然後再一起逃走，到別一個地方去享福。於是彼此約定了會面的地方。婦人回家，果然趁丈夫夜晚睡覺的時候，偷了家中所有的財物。第二天到了那約定的地點，跟了那個無賴一同逃走。

　　兩人走了一程，來到河邊。無賴心想這婦人年歲已經不輕，對自己實在沒有什麼用處，而且如果被人追來捉住，更將得不償失，不如撇下她，拿了她的財物，獨自走掉的好，因此：

　　　　他這麼想過以後，就對她說道：「親愛的呀，這一條大河不容易過，因此，我想先把我們的財物送到對岸去，然後再回來，把你一個人馱在肩上，平平安安地扛過河去。」她說道：「好人哪，就這樣辦吧！」她那樣說過之後，他就把她所有的財物都拿了過來。又說過：「親愛的呀，你把你上身和下身的衣服也都給我吧，好讓你無憂無慮的到水裡去。」她這樣作了，流氓就拿了財物和她上下身的衣服到他自己想好的那一個地方去了。（據季羨林的譯文）

　　這個婦人赤了身體，坐在河邊等候那個無賴回來接她時，見到一隻母狼銜了一塊肉走來，這時河裡跳上來一條魚，牠放下口中的肉想去捉魚，魚又跳回河裡去，同時恰有一隻老鷹從空中掠下來，攫走了那塊肉。母狼兩手空空，那婦人見了這情形，忍不住對牠笑了起來，並且吟了一首詩。

這個還不知自己受騙，赤身坐在河邊等候情郎來馱她過河的不貞婦人，這麼吟了一首詩嘲笑那隻既失了口中的肉又失了魚的母狼道：

> 肉給老鷹叼走了，
>
> 魚又跳到水裡去；
>
> 母豺狼呀，你丟了魚肉，
>
> 還有什麼可看呢？

母狼因為婦人自己早為人所騙，既失了丈夫，又失了情郎，更失了錢財和身上的衣服，還要嘲笑牠，因此，就吟了上一個故事末尾所引的那首小詩來回敬她，說自己雖然一向以狡獪著名，可是這女人竟比牠更狡獪，但是即使如此，結果也仍是既失了丈夫，又失了情郎，到頭來落得赤身露體，人財兩空，虧她還有閒心來管牠的閒事云云。

《五卷書》裡就充滿了這樣富於世情嘲諷和機智的小故事。據中譯者季羨林先生在譯本序文裡說，《五卷書》裡的這些故事，不僅見於佛經和印度其他的故事集，就是卜迦丘的《十日談》，斯特拉拍羅拉的《滑稽之夜》，喬叟的《坎特伯雷故事集》，拉封丹的"寓言"，以及德國格林兄弟的童話，其中都有《五卷書集》的影響，可見它流傳之廣。

我國唐宋以來的筆記小說，其中也有《五卷書》的影響。

季羨林先生從《太平廣記》、《梅澗詩話》、《雪濤小說》、《應諧錄》等書中，找出許多例子作證。認為這是隨着佛經的漢譯，這些印度民間故事傳說也傳入了我國，並且受到文人學士的喜愛和注意。奇怪的是：《五卷書》本身卻一直沒有中譯本。

像《五卷書》這一類的故事總集，在印度流傳下來的還不只一種。季羨林先生提到了還有月天的《故事海》，安主的《大故事花束》等等。這些當然都沒有中文譯本。

多年以前，曾在許地山先生的書架上見過有一部《故事海》的英譯本，全部好像共有七八冊之多，當時未及細看。他也是通梵文，喜歡研究佛經文學的，架上會有此書，正是理所當然。可惜我當時未加細看，現在許先生的藏書都由他的家人讓給澳洲一所大學圖書館了，因此無法知道這部《故事海》的英譯本是英國什麼書店出版的，想買也一時無法買得到。

月天的《故事海》

　　我久想讀一讀印度古代的那部故事集《故事海》，可惜買不到這部書，我曾記起過從前見過許地山先生藏有這書，是英譯本。他是研究佛經文學和梵文的，自然不能不備有這部印度古典文學的泉源作品。

　　許先生去世後，遺書都存在香港大學的馮平山圖書館內。十多年前我經常到那裡看書，見到這部《故事海》仍在他的藏書架上，總想找一個機會細細的讀一遍，一直因循未果。後來聽說他的全部藏書，包括那些很難得的道教著作，一起賣給了澳洲一家大學新設立的中文學院。這一來自然更不容易有機會讀到這部書，自己心裡很懊悔錯過了機會。前些時候讀國內新出版的季羨林先生譯的《五卷書》，這也是與《故事海》相似的故事集，不過規模較小。季先生在譯序裡也提起了月天的這部《故事海》，又挑起了我要讀這部書的願望。我再向當年負責保管許先生藏書的有關方面去打聽，這才知道當年賣到澳洲去的只是中文藏書，至於西文藏書則大部分仍在這裡，於是趕緊託人去詢問借閱，終於借到了許先生舊藏的這部《故事海》，多年的宿願終於實現了。

　　月天的《故事海》，根據梵文音譯的英文，是作：

Somadeva: *Katha Sarit Sagara*

　　我不懂梵文，將作者的名字 Somadeva 譯成月天，是根據季羨林先生所譯的。許地山先生所藏的這部英譯本，是相當珍貴的，是一九二四年倫敦一家書店出版的限定版，共十巨冊，印了一千五百部，編有號碼。許先生所藏書的這一部，編號第一千五百，該是所印的最後一部了。這個譯本後來是否重印過，我不大知道。不過多年以來，我一直想買這書，好像從不曾在外國書報刊物上發現過這書的廣告。

　　這部《故事海》的英譯本，因為是限定版，排印紙張都十分講究，裝訂也堅固大方。每一冊上有許地山先生自己的簽名，還有一個圓形的"面壁齋"圖章，這是他的齋名。在正文的第一頁上，他還用紅筆寫了"故事海"三字。他一定也很喜歡這部書。由於是限定版，在當時買起來一定也花了不少錢。

　　原來的英譯者是塔萊（C. H. Tawncy）。這個版本則是經過潘塞（N. M. Penzer）的整理和注釋，卷首並附有英譯者的生平和湯白爵士（Sir R. C. Temple）的介紹。

　　《故事海》的編著者月天，他的身世不詳。在這個故事集的卷末，附有他自己的一首小詩，曾簡略地敘述了自己的身世，後人所知道的，也就僅此而已。

　　他自述曾任喀什米爾的阿郎達王的宮廷詩人，為王后蘇雅伐蒂講故事，這才寫成了這部《故事海》。據考證，阿郎達王在喀什米爾的統治時期，是在十一世紀，他在一〇八一年自殺。在位期間，父子爭位，是一個血腥混亂的統治。大約也正因為如此，王后蘇雅伐蒂才那麼對聽故事感到興趣。她在阿郎達王火葬時，也投火殉夫而死。

生於十一世紀的月天，是一個婆羅門。正像一切流傳下來的古代故事集那樣，我們與其說月天是《故事海》的著者，不如說他是這個故事集的編者。因為這些故事，大部分都是各有來源的，有的在當時流傳已久，有的則採自其他的故事，有的由他整理、改編、加工、彙集在一起，形成了這個故事的大海。

《故事海》的主要來源，據月天自己的介紹，是取材於印度古代的一部更大規模的故事集，名為《大故事》（Brihat Katha）。這些都是寫在貝葉上的手鈔本。據說在上古時代曾被人焚毀了六十萬葉，到他的時代只存下十萬葉，這些材料，都採入了他的《故事海》。

至於《大故事》本身，後來也另有一個單行本是由卡希曼特拉（Kshementra）整理彙集的，改稱《大故事花束》（Brihat Katha Man Jari），但是它的篇幅，不及《故事海》的三分之一。

《故事海》命名的原因，據月天自己的解釋，他說他這部故事集，已經將印度自古代流傳下來的故事都彙集在一起，正如大海匯集了所有的河流一樣。他說，一切發源於聖山喜瑪拉雅山的冰雪河流，以及來自其他高山的河流，奔騰而下，或早或遲，都要匯流到一起，匯成一個大海。他的這個故事集也正是如此。它彙集了印度自古代流傳下來的大情人的故事，帝王和政治變化陰謀的故事，戰爭謀殺、背叛出賣的故事，鬼怪符籙、吸血鬼和幽靈的故事，寓言和真實的動物故事。此外還有乞丐、方士、賭徒、醉漢和娼妓的故事。

《故事海》全書共分一百二十四章。這一百二十四章又分為十八卷。他依據《故事海》的定義，稱每一章為一個"波浪"，又稱每一卷為一個"高潮"。英譯本十巨冊，每冊平均有三百頁以上，因此共有三千多頁。

　　《故事海》的內容，是在故事之中又包含故事，往往一個大故事之中包含了十幾個小故事。有些故事追溯源流，可以上溯至公元前二千年，因此印度古代民間流傳的故事，以及經典裡所載的故事，其精華可說全部集中在《故事海》裡了。

　　古代的印度，不愧是許多故事的老家。這些故事從印度流入了波斯，再從波斯傳到阿拉伯人的口中和紙上。到了中世紀，它們便由中東流入君士但丁堡和威尼斯。這才開始被歐洲人接觸到了。從這以後，卜迦丘的《十日談》，詩人喬叟的《坎特伯雷故事集》，以及法國拉封丹的那些寓言詩和小故事，有不少都是從印度故事裡取材的。

　　它們流入我國子書，笑話和話本的經過，則是由於佛經譯本的介紹。因為有許多佛經故事，也輯入了《故事海》，如《佛本行集經》，甚至有名的《五卷書》裡的故事，都可以在《故事海》裡找得到。

　　更有名的《天方夜譚》，在十八世紀初年通過加爾蘭的譯本最初傳入歐洲時，有不少歐洲人認為其中的故事和描寫，都是加爾蘭自己寫了來託名譯自阿拉伯文的。甚至後來對裒頓爵士更有名的譯文也頻頻懷疑。直到後來，他們在一些印度古代故事集裡找到了一些故事，正是《天方夜譚》裡的本源。這才知道阿拉伯人所說的故事淵源有自，對加爾蘭和裒頓爵士的譯文不再懷疑了。

這些故事，也是源出於月天的《故事海》。

潘塞整理過的這十巨冊的《故事海》英譯本，確是花費了不少心血的。十冊之中，九冊都是本文，第十冊則是全書的索引。有按照故事的內容和人名的兩種索引，此外還有一個總索引，因此如果要查閱一個故事，在總索引裡一查即得。

此外，每一冊的卷末還附有幾篇附錄，都是討論故事裡所涉及的一些印度古代風俗，如裸體壓勝，傘的形式和用途的變化，以及婚姻風俗等等。在本文之內，又隨處附有注譯，引經據典，考證故事裡的一些地方名。我國趙汝适的《諸蕃志》和《齊民要術》、《古今圖書集成》，都被引用了。

英譯者塔萊（一八三七年 —— 一九二二年），是劍橋大學出身，後來在加爾各答大學任教多年，因此有機會研究梵文。他的《故事海》的最初譯文，是在一八八〇年在印度出版的。

美麗的佛經故事

　　前年我買了一本《佛經文學故事選》，拿回來放在桌上，還不曾看，就給別人借了去。總算我有經驗，知道這樣的書，照例是一借就不還的。等了一些時候，果然如此，我只好到書店裡去再買了一本。

　　本來，要欣賞佛經裡的故事，最好是直接去讀佛經。若是嫌卷帙太多，選擇起來不容易，還有一部書可讀，那就是大唐上都西明寺沙門釋道世玄惲撰的《法苑珠林》。這可說也是一部佛經故事的總集。但是這書也有一百二十卷，而且文句簡練深奧，頗不易讀，比之經過編選加注的這部《佛經文學故事選》來，自然仍是難懂多了。

　　《佛經文學故事選》，所選錄的故事，雖然也是保留了佛經的原文，但是僅僅採錄了那些敘述故事的部分，而且加了標點，加了注釋。這對一般文學愛好者來說，當然方便多了。

　　我想這解說該是多餘的了，但我仍想說明一下：不一定要做和尚做尼姑才應該去讀佛經；佛經更可以不一定當作宗教經典來讀。我在這裡要向佛教的諸大德告罪一句，我就是將佛經當作文學作品來讀的。當作寓言集、當作故事集，甚至是當作《十日談》來讀的。就是對於基督教的《聖經》，我也是如此。

事實上，《伊索寓言》，我國古代許多神怪故事集，甚至近代作品如《聊齋誌異》等書，有許多故事的本源都是出自佛經，而佛經裡所引用的這些故事，多數又出自當時印度民間傳說和古傳說。印度——在古代許多寓言和故事的流傳上來說，她是世界最主要的泉源之一。

魯迅先生對於佛經裡的故事的文學價值，也早已注意到了。他在早年曾自己捨錢託金陵佛經流通處雕版印過一部《百喻經》。這就是《伊索寓言》似的故事集，裡面的比喻非常機智美妙。後來北新書局也出過加了標點的排印本，題為《癡華鬘》。這就是這部佛經的原名。

《佛經文學故事選》，一共選了七十八個故事。這當然只是佛經中所包含的有趣故事極小的一部分。但是如果是一個從不曾踏進過這一塊美麗園地的文學愛好者，我勸他買一本看看，一定要驚異佛經裡面原來有這許多美麗的故事。

寓言家伊索的故事

　　《伊索寓言》的著者伊索，是古希臘時代的人。他的身世非常隱晦，差不多像借了他的名字來流傳的那許多寓言一樣，他的自身也幾乎成了一種傳說。我們今日所能知道的，只是他的出身一點也不“高貴”，是當時的一個奴隸。而且據可以信賴的史料看來，當他的名字第一次被人記載時，其時他已經被他的主人輾轉販賣了兩次，正在第三次又被送到奴隸市場上去待價而沽。

　　我們今日能夠讀到的有關伊索生平的資料，最可靠的是得自古希臘有名的歷史家希羅多德的著作。因為他與伊索生存的年代，前後相距不過百餘年，而且他的歷史著作中的其他記載，已經從各方面被證實相當可靠。所以他的關於伊索的記載，自然也較之別人所說的更為可信了。

　　據希羅多德的記載，寓言家伊索，係生於埃及法老王阿瑪西斯的時代。這時代是在公元前六世紀中葉。但是據近代更可靠的考證，伊索的誕生年代該是公元前六二〇年。他的身份是奴隸。因為是奴籍，所以出生的地點不詳。希羅多德氏說他生在希臘的薩摩斯島上，但是正如後人爭論希臘大詩人荷馬的故鄉一樣，至今希臘至少有四處地方的人在爭執他們那裡才是伊索的故鄉。

據說身為人奴的伊索，被主人輾轉賣了兩次以後，第三次又賣到一個名叫查特孟的人手上。這個新主人看見這奴隸機智有學問，便解除了他的奴籍，恢復他的自由公民身份。按照古代希臘的法律，一個恢復了自由的奴隸，他就有資格享受一般公民應享的權利。因此伊索不久就獲得了很受人尊敬的地位。他周遊希臘各地，在各藩王和貴族之間過着幕客的生活，用他的寓言和機智才能博得他們的傾服，同時更充實自己的修養。後來他住在薩地斯。這是萊地亞的都城，是當時學術文化的中心。有一次受了克洛蘇斯王委託，以使臣名義到特爾費去料理一筆賑款。不知怎樣，特爾費的市民觸怒了他，他也激怒了特爾費市民，雙方爭執起來，伊索命人將賑款攜回薩地斯。這樣更激怒了特爾費市民，據說他們便不顧伊索是克洛蘇斯王的使臣，將他從懸崖上推下去，使他粉身碎骨而死。

伊索死在特爾費人的手上，這事大概是可靠的，雖然他致死的原因還有幾種不同的解釋。至於這是哪一年的事，則沒有資料可供查考。由於他是無辜而死的，古代希臘又有關於伊索死後向特爾費人復仇的傳說，使他們飽受天災人禍。古代希臘有一句"伊索的血"諺語，就是表示為惡終必受報之意。

伊索的像貌和他的畫像

我的手邊有好幾本《伊索寓言》，都有插圖，可是沒有一本有他的畫像。伊索是公元前六世紀的古希臘人，又是奴籍出身，後來雖以善說寓言著名，但是不會有真的畫像流傳下來，自是意料中事。不過有許多傳說中的古代人物，總有一兩幅想像中的畫像流傳着，唯獨伊索可說是例外。我只知道有一種舊的英文《伊索寓言》譯本前面有一幅伊索的畫像，可是我至今仍未見過這種版本。

前幾年，有一個國家發行過一套紀念郵票，其中有一幅有伊索的像，但那是作為戲中人物之一而扮出來的，所以不能說是正式的畫像。但也僅此而已。

據古代的記載，伊索的像貌是奇醜的，近於我們所說的"十不全"，駝背拐腳，缺耳歪嘴，無一不具，而且說話還口吃。因此還有一個傳說，說他的主人見他生得太醜，在一個官員面前竟否認伊索是他的奴隸，說這個醜漢與他根本沒有關係。據說伊索就根據主人的這種表示，要求那個在場的官員作證，要主人解除他的奴籍。因為他已經公開表示過他沒有什麼關係了。主人為了賞識伊索這種敏捷的機智，果然答應了他的要求。據說這就是伊索獲得解除奴籍的經過。

這個傳說如果可靠，連主人也嫌他生得太醜，不肯在別人面前承認是他的奴隸，他的其貌不揚可想而知。

不過，不見伊索的畫像，但是有關他的雕像的材料，倒有一點。據流傳下來的古代文獻，伊索在特爾費市被當地市民謀殺了以後，市民發覺上天在懲罰他們殺害了一位才人，就集資為他建立了一座雕像，以平神怒。另有記載，則說後來在雅典也有他的雕像，還是大雕刻家里西普士的作品。這在我國《留庵叢譚》裡也曾提及：

> 伊索之著寓言也，半成於苦林斯，半成於雅典。兩城之人，讀之而善，釀金贈之，以為酬報。伊索卻之不能，乃受之轉餽諸舊主人。及卒，大雕刻家里西普士為之選文石，琢其遺像，屹立於雅典之市。滄桑屢易，陳跡遂淹，像已早亡。惟此寓言久而愈光。里西普士之刀筆，惡能及伊索之筆墨也哉。

相傳這位像貌奇醜的古代大寓言家，他的畫像竟這樣的難得見到，恰與他的作品成為舉世家喻戶曉的情形相反，實在是件難解的怪事。

明譯本的《伊索寓言》

《伊索寓言》傳入我國很早，在明朝就有了中文譯本。除了《佛經》以外，這怕是最早的被譯成中文的外國古典文學作品了。據日本新村出氏的研究，明朝所刊行的《伊索寓言》譯本，從事譯述的是當時來中土傳教的耶穌會教士。這是由華名金尼閣的一位比利時教士口述，再由一位姓張的教友筆錄的。書名並不是《伊索寓言》，而是《況義》。況者比也譬也，《漢書》有"以往況今"之語。這書名雖然夠得上典雅，可是若不經說明，我們今日實在很難知道它就是最早的《伊索寓言》中文譯本。

據新村出氏的考證，《況義》係於明朝天啟五年、即一六二五年在西安府出版，現在僅知法國巴黎圖書館藏有兩冊鈔本，所以不僅見過這書的人極少，就是知道有這回事的人也不多。從前周作人先生曾在《自己的園地》裡提過明譯的《況義》，也是根據新村出氏的文章寫成的。

《況義》僅譯了三十幾篇寓言，不用說，全是用極簡練的古文譯成的。我只見過一篇，是關於那隻銜了骨頭過橋的狗，從水中見到自己的影子，以為另一隻狗也有骨頭，起了貪心去搶，結果連自己原有的骨頭也失去的故事。

次一種較早的《伊索寓言》中譯本，該要算到廣州教會所出的那一種了。這是英漢對照的譯本，出版於清道光十七年，書名是《意拾蒙引》，譯者署名是"蒙昧先生"。"意拾"即伊索的異譯。這書出版至今雖不過百餘年，但是已經很少見。據一八四〇年廣州外商出版的英文季刊《中國文庫》的介紹，這部英漢對照的伊索寓言集，一共譯了寓言八十一篇，全書共一百零四頁。每頁除了英漢對照的寓言本文以外，還有漢字的羅馬字注音，中文居中，譯音居右，英文居左，這是專供當時有志學習中國文字的外國人用的。出版後很獲好評，一八三七年第一次出版後，在一八四〇年又再印了一次。可惜這譯本至今也不易見到了。

　　據《中國文庫》介紹，本書的譯者是一位湯姆先生，他是當時廣州渣甸洋行的職員。由他口述，再由一位"蒙昧先生"用中文記下來的。這位"蒙昧先生"就是他的中文教師。

　　不知為了什麼緣故，一八三七年初版的《意拾蒙引》，出版後曾被清官廳所禁。但是據後來在一八四〇年又再版看來，禁令顯然後來又取消了。

伊索本人的軼事

　　美國財閥摩根出錢搜集的歐洲古代手稿，其中有一卷古希臘文的，是公元二世紀之物，據考證，作者是一個懂希臘文的埃及人。手稿的內容全是有關寓言家伊索的軼事，從他賣身為奴起，直到被特爾費人害死為止，共有軼事一百四十二則，等於是一篇完整的伊索傳記。

　　這些軼聞與《伊索寓言》不同。《伊索寓言》，是他講給別人聽的故事；伊索軼事，則是別人所講的關於伊索的故事。

　　這一些關於伊索的軼聞手稿，也像《伊索寓言》本身一樣，流傳下來的很多，彼此大同小異，都是各人根據別人的口授資料，以及自己聽來的，集中在一起來寫成的。因此有些搜集的資料較多，有些則很簡略。現存最完備的，要算摩根藏書樓所收藏的這一份了。它所記錄的一百四十二則伊索軼聞，差不多應有盡有。凡是古希臘流傳下來的，都一起收集在內了。

　　伊索的傳記資料，可靠的並不多，因此這些與他有關的軼事，我們又不便真的看作是他的傳記，只能當作是關於他的傳說而已。

　　這些軼事，也像他所說的寓言，全是充滿了可喜的機智的。以下就是一例。

有一天，伊索的主人對伊索說：「到公共浴室裡去看看，今天就浴的人多不多。」

伊索走到公共浴室去看，見到裡面的人非常多。他發現浴室門口有一塊大石，礙手礙腳，也不知是誰放在那裡的。出進的人，偶不小心，就要給這塊石頭絆倒。他們總是將那個放石頭在這裡的人咒罵一句，然後爬起身走開，從沒有人動手將這塊石頭移開。

伊索站在那裡好笑時，忽然又見到有一個人被石頭絆倒了，他也罵了一句「哪個該死的將石頭放在這裡！」可是爬起身後，卻動手將石頭移開，然後再走進去。

伊索就回去對主人說：「今天浴室裡只有一個人。」

主人聽了大喜，「只有一個人嗎？那真是好機會，可以舒舒服服的入浴一次了」。他吩咐伊索趕緊收拾衣物跟他去。可是到了浴室，發現裡面擠滿了人，因此，他向伊索責備道：「裡面這麼多人，你為什麼告訴我說只有一個人？」

伊索就將他在浴室門口所見的情形告訴主人，認為別人被石頭絆倒，只曉得罵人，從不想到將石頭搬開。只有一個人在絆倒之後，想到將石搬開，以免再絆倒別人，「因此我認為只有他才配稱得起是一個人，我一點也不曾說謊」。

附錄：一集譯名對照表（筆畫序）

一、人名

文中寫法	通譯	外文原名
卜迦丘	薄伽丘	Giovanni Boccaccio
比亞斯萊	比亞茲萊	Aubrey Beardsley
巴爾札克	巴爾扎克	Honoré de Balzac
支魏格	茨威格 / 褚威格	Stefan Zweig
司各德	司各特	Walter Scott
司東	史東	Irving Stone
皮藍得婁	皮藍德羅 / 皮藍德婁	Luigi Pirandello
丟勒	杜勒	Albrecht Dürer
吉爾勃	吉爾伯特	Stuart Gilbert
朵斯朵益夫斯基	杜斯妥也夫斯基 / 陀思妥耶夫斯基	Fyodor Dostoyevsky
沙多布易盎	夏多布里昂 / 沙多勃易盎	François René de Chateaubriand
狄根斯	狄更斯	Charles Dickens
狄福	笛福	Daniel Defoe
卓別林	卓別靈	Charles Chaplin

文中寫法	通譯	外文原名
阿里斯多德	亞里士多德	Aristotle
果庚	高更	Paul Gauguin
亞剌伯的勞倫斯	阿拉伯的勞倫斯	T. E. Lawrence
法朗士	佛朗士	Anatole France
波特萊爾	波德萊爾	Charles Pierre Baudelaire
迦撒諾伐	卡薩諾瓦	Giacomo Casanova
品托	平托	Fernão Mendes Pinto
高克多	考克多 / 谷克多	Jean Cocteau
勒威斯	利韋斯 / 路易斯	G. H. Lewes
拿破倫	拿破崙	Napoléon Bonaparte
格登堡	古騰堡 / 古登堡 / 哥頓堡 / 古滕貝格	Johannes Gutenberg
荷爾賓	小漢斯・霍爾拜因	Hans Holbein
畢加索	畢卡索	Pablo Picasso
梵・谷訶	梵高 / 梵谷	Vincent Willem van Gogh
淮德	懷特	Gilbert White
悲多汶	貝多芬	Ludwig van Beethoven
普利伏斯	普列沃斯	Abbé Prévost
傑科布斯	雅各布斯	W. W. Jacobs
普洛斯特	普魯斯特	Marcel Proust
斯特林堡	史特林堡	August Strindberg
彭斯	伯恩斯	Robert Burns
斯蒂芬遜	史蒂文森	Robert Stevenson
費薩利	瓦薩里	Giorgio Vasari

文中寫法	通譯	外文原名
愛略亞特	喬治·艾略特	George Eliot
路德維喜	路德維希	Emil Ludwig
赫德斯頓	哈德爾斯頓	Sisley Huddleston
褒頓	伯頓	Richard Francis Burton
霍甫特曼	霍普特曼	Gerhart Hauptmann
穆郎	莫朗	Paul Morand
穆萊	莫雷／莫勒	Christopher Morley
彌蓋朗琪羅	米開朗基羅／米開朗琪羅／米高安哲羅	Michelangelo
彌爾頓	米爾頓／密爾敦	John Milton
魏費爾	魏菲爾／魏爾費爾	Franz Werfel
盧騷	盧梭／盧騷	Jean-Jacques Rousseau
龔果爾	龔固爾／龔古爾	Goncourt
靄理斯	艾利斯	Henry Havelock Ellis

二、作品名

文中寫法	通譯	外文原名
〈一個不相識婦人的情書〉	〈一位陌生女子的來信〉	"Letter from an Unknown Woman"
《大鴉》	《烏鴉》／《渡鴉》	The Raven
《天方夜譚》	《一千零一夜》／《一千零一夜的故事》	One Thousand and One Nights

文中寫法	通譯	外文原名
《卡拉瑪佐夫兄弟》	《卡拉馬助夫兄弟們》	*The Brothers Karamazov*
《不道德者》	《背德者》	*L'Immoraliste*
《米丹夜會集》	《梅塘夜譚》	*Les Soirées de Médan*
《如果這粒種子不死》	《如果麥子不死》	*Si le grain ne meurt*
《坎特伯雷故事集》	《根德伯里故事集》	*The Canterbury Tales*
《克萊姆‧撒姆金的一生》	《克里姆‧薩姆金的一生》	*The Life of Klima Samgina*
〈亞撒家的沒落〉	〈厄舍府的沒落〉	"The Fall of the House of Usher"
〈紅色的面具〉	〈紅死病的面具〉	"The Masque of the Red Death"
〈脂肪球〉	〈羊脂球〉	"Boule de Suif"
《鬼醫》	《變身怪醫》／《化身博士》	*Strange Case of Dr. Jekyll and Mr. Hyde*
《惡之華》	《惡之花》	*Les Fleurs du mal*
《越氏私記》	《四季隨筆》／《草堂雜記》	*The Private Papers of H. Ryecroft*
《過去事情的回憶》	《追憶似水年華》	*In Search of Lost Time*
《畫家傳》	《藝術家傳》／《藝苑名人傳》	*The Lives of the Most Excellent Painters, Sculptors, and Architects*
《奧貝曼》	《奧伯曼》	*Obermann*
《詩集，大部分是用蘇格蘭方言寫的》	《主要用蘇格蘭方言寫的詩集》	*Poems, Chiefly in the Scottish Dialect*

文中寫法	通譯	外文原名
《奧德賽》	《奧狄賽》/ 《奧德修記》/ 《奧德賽飄流記》	*Odyssey*
《愛麗斯漫遊奇境記》	《愛麗絲夢遊仙境》	*Alice's Adventures in Wonderland*
《獄中記》	《深淵書簡》/ 《出自深淵》	*De Profundis*
《魯貢・馬爾加家傳》	《盧貢・馬卡爾家族》	*Les Rougon-Macquart*
《摩爾・佛蘭德絲》	《摩爾・弗蘭德斯》/ 《蕩婦自傳》	*Moll Flanders*
《黛斯》	《舞姬黛依絲》/ 《泰綺思》	*Thaïs*
《優力棲斯》	《尤利西斯》	*Ulysses*
《薩地格》	《憨第德》	*Candide ou L'optimisme*
《贗幣犯》	《偽幣製造者》	*The Counterfeiters*
〈變形〉	〈變形記〉	"The Metamorphosis"